구전이야기의 현장

현지조사연구의 역사와 민족지적(Ethnographic) 접근의 가능성

연세국학총서 79

밀양 구전문화의 민족지적 연구 1

구전이야기의 현장

현지조사연구의 역사와

민족지적(Ethnographic) 접근의 가능성

이윤석 · 김영희

여희

□ 이윤석(연세대 국문과 교수)
□ 김영희(연세대 국문과 강사)

연세국학총서 79
밀양 구전문화의 민족지적 연구 1

구전이야기의 현장

현지조사연구의 역사와 민족지적(Ethnographic) 접근의 가능성

초판 1쇄 발행 2006년 7월 20일

지 은 이 | 이윤석·김영희
펴 낸 이 | 송미옥
펴 낸 곳 | 이회문화사

주 소 | 서울시 동대문구 답십리동 488-338 부영빌딩 503호
전 화 | (02) 2244-7912~3
팩 스 | (02) 2244-7914
전자우편 | ih7912@chollian.net
등록번호 | 제6-0532호(1992. 5. 2)

ISBN 89-8107-245-0 (세트)
89-8107-368-6 94810

정가 18,000원

서 문...

"아직도 조사할 게 그렇게 많아?"

촬영장비와 녹음기기 등을 챙겨 길을 나설 때마다 주위 사람들이 내게 던지는 질문이다. 이 질문에는 나의 오랜 여정이 아직도 끝나지 않은 것을 염려하는 마음이 묻어 있는 한편, 요즘 같은 세상에 시골에 간다 한들 이야기 꽤나 한다는 할아버지, 할머니를 만날 수나 있겠냐는 회의가 담겨 있다. 이런 질문을 받을 때면 나는 대답을 찾기보다 스스로에게 같은 질문을 반복한다.

"나는 무엇을 찾기 위해, 혹은 만나기 위해 길을 나서는 것일까?"

물론 모든 여행, 혹은 길떠남이 그러하듯이 길을 나선 곳에서 내가 맨처음 만나는 것은 바로 나 자신이다. 평소 생활하던 범주를 벗어난 낯선 곳에서, 나는 평소 생각하던 자신과는 전혀 다른 또다른 '나'를 발견하곤 한다.

그리고 그곳에서 나는 '사람'들을 만난다. 초가지붕 아래 화롯불을 피워놓고 손자·손녀에게 옛날 이야기를 들려주는, 그림책 속의 전형적인 할아버지·할머니가 아니라 쾌쾌한 냄새 가득한 노인정 한구석에서 된장 한 종지, 풋고추 서너 개를 놓고 소주를 사발로 들이키는 할아버지들과, 조사자인 나를 방송국 PD쯤으로 생각하며 행여나 텔레비전에 얼굴 한 번 나올까 하는 기대감으로 연신 옷매무새를 매만지는 할머니들을 만나는 것이다.

도시인들은 오래 전에 잃어버린 고향을 찾는 심정으로 시골 마을에 찾아들었다가 변화한 모습이나 도시와 다를 바 없는 일상을 발견하는 순간 실망하여 돌아서기도 하고, 기대처럼 여전한 모습에 기뻐하며 향수를 달래기도 한다. 그들에게 시골은 정신없이 흘러가는 삶의 틈바구니 속에서 잃어버린 그 무엇이 있는 곳, 지나가버린 과거가 상실되지 않은 채 보존된 곳이다.

그러나 상실한 그 무언가가 '그곳'에 있기를, 자신들은 변해도 '그곳'만은 변하지 않은 채 자신들을 기다려 주기를 바라는 도시인들의 기대감에도 아랑곳없이 '그곳'에는 어제도 오늘도 내일도 계속되는 삶이 있고, 사람들이 있고, 이야기가 있다. 도시인들에게 향수의 대상이 되어 버린 '그곳'은 과거 어느 시점 이후 시간을 잃어 버린 채 화석처럼 땅 속 깊이 못박혀 있지만, 사람들이 살아가는 삶의 터전으로서의 '그곳'은 여전히 흐르는 시간 속에 살아숨쉬고 있다.

나는 '그곳'에 '살면서', 살아숨쉬는 '그곳'에서 그 '삶'을 함께 하면서 나를 만나고 사람들을 만나고, 그리고 이야기를 듣는다. 내가 듣는 이야기는 호랑이, 도깨비, 구렁이, 여우, 불운의 장수 등이 등장하는 흥미진진한 구전이야기만이 아니다. 내가 보고, 내가 듣는 이야기는 내가 만나는 사람들이 살아가는 삶의 이야기다. 호랑이나 도깨비도 모두 그네들 삶의 이야기 속에서 나온다. 도깨비와 씨름한 것은 이웃집 아저씨고 호랑이 등에 올라탔던 사람은 시어머니다. 술 잘 마시던 이웃집 남자에 대해 말하던 끝에 도깨비 이야기가 나오고 용감하고 담력이 세던 시어머니를 회상하던 중에 호랑이 이야기가 나온다.

나 역시 잃어버린 무언가가 '그곳'에 있을 것이라는 기대감을 안고 밀양 땅을 밟았고, 화석처럼 박혀 있는 진귀한 구전이야기들을 발굴하겠다는 사명감으로 현지조사를 시작했다. 1993년 처음 밀양 산내면에 발을 들여 놓은 후에 다시 밀양땅을 밟고 싶다고 생각했던 것은 작은 시골 분교에서 눈물이 날 만큼 따뜻한 오후 햇살을 맞으며 담임 선생님이 손수 깎아 만든 야구방망이와 작은 노래책이 얹혀진 오래된 풍금을 마주했을 때였다. 그리고 1999년 산내면 발례마을을 시작으로 두세 달에 한 번씩 밀양의 산골마을을 찾아다니는 현지조사를 결심했을 때, 내 마음은 아직 한 번도 세상에 드러나지 않은, 처녀지처럼 순수하고 희귀한 유물 발굴을 눈앞에 둔 고고학자의 마음과 크게 다르지 않았다.

그러나 본격적으로 밀양에서의 현지조사를 시작하고 얼마 지나지 않은 어느날부터, 내게 연구대상에 불과했던 현지조사의 '현장', 이야기의 '현장'이 오히려 나를 채근하고 닦달하기 시작했다. 아직 아무도 곡괭이질을 시작하지 않았기에 내가 손을 대기만 하면 진귀한 이야기들이 쏟아져나올 것이라는, 예전에 이미 검증을 받은 선학들의 방법이 있으니 나는 그저 성실하게 따르기만 하면 좋은 성과를 얻을 수 있을 것이라는, 그런 안일하고 게으른 믿음을 나는 갖고 있었다. '그곳'에서 내가 수행하는 현지조사는 나의 개인적인 삶이나 연구자로서의 고유 영역과는 무관한 것이라고, '그곳'의 삶과 분리된 나만의 연구 공간에서 욕심껏 부풀린 내 기대를 충족시켜 줄 수 있는 무한한 풍요로움이 바로 그곳, '현장'에 있을 것이라고 나는 생각했다.

하지만 일상인으로서의 나, 연구자로서의 나는 처음부터 현장 속에 연행자들과 더불어 '존재'하고 있었고, 내가 듣는 이야기는 모두 나와 그들이 함께 연행하는 것이었으며, 때로 나는 예기치 않게 현지조사 과정에서 나 자신의 실존적인 문제에 직면하기도 했다. 나는 결국 현지조사 주체로서 내가 갖는 권력과 현지조사 과정에 영향을 미치는 갖가지 세밀한 조건들, 현장에 대한 나의 지나친 심리적 의존 등을 반성하기 시작했다. 이와 더불어 이제껏 내가 기대왔던 현지조사 방법론 역시 다시 살펴보지 않을 수 없었다. 나를 밀어붙이는 현장의 요구가 버겁고 부담스럽게 느껴질 정도로 나는 내 공부가 얼마나 부족한지, 현지조사 철학과 관점의 부재가 얼마나 치명적인 결과를 낳을 수 있는지 통감해야 했다.

현지조사를 계속하면서 나는 학제간 연구의 필요성을 느꼈지만 그럴 만한 조건을 갖추지 못했기에 혼자서 이것저것 닥치는 대로 여러 분야에 걸쳐 서툰 공부를 시작해야 했다. 가도 가도 끝없는 여정이, 오히려 가면 갈수록 더 힘겨워지는 여정이 시작되었다. 현장에서의 경험을 이해하고 해석하기 위해서 나는 나날이 새로운 과제와 씨름해야 했고, 문화인류학, 정신분석학, 언어학 등 결코 만만치 않은 주제의 책들을 '수박 겉핥기' 식으로라도 읽어내려가지 않을 수 없었다.

이 과정에서 나는 '민족지(Ethnography)' 연구를 접하게 되었고, 이것을 통해 현지조사 과정에서 내가 풀지 못했던 여러 문제들을 해결해나갈 실마리를 찾을 수 있었다. '민족지적 접근'이 내게 의미있게 다가온 것은 현지조사에 참여한 여러 연구 주체들의 조건을 성찰하게 할 뿐 아니라 연행 현장에서 조사자가 갖는 권력을 반성할 수 있게 한다는 점 때문이었다. 또한 현지조사연구를 통해 연행 주체들 간의 상호작용이나 연행 주체의 심리적 조건, 연행자와 조사자 사이의 관계, 연행 기술이나 담화 구조 등 연행을 둘러싼 역동적이고 복합적인 제반 상황과 맥락 등을 고려하게 한다는 점 또한 내게 의미있는 특질로 여겨졌다.

'민족지적 연구'에 대한 관심은 기존 현지조사연구의 관점과 방식을 비판적으로 검토하고 오늘날 현지조사연구의 부재, 혹은 위기에 대한 인식이 연구사적으로 어떤 연원을 갖고 있는지 살펴보는 데까지 확장되었다. 밀양 지역 구전문화에 대한 민족지적 연구 성과(구전이야기를 중심으로 한)를 갈무리하기 위해 기획된 이 시리즈의 첫 권에서 현단계 현지조사연구의 역사와 과제를 가장 먼저 검토하는 이유도 여기에 있다.

나는 이 글에서 기존 현지조사연구의 시각과 방법이 어떤 문제를 안고 있는지, 그와 같은 문제가 역사적으로 어떻게 형성되었는지, 문제를 극복하기 위한 새로운 대안은 어떻게 모색될 수 있는지에 대해 말하고자 하였다. 여기에는 '과연 현시점에서 현지조사연구가 어느 정도 일단락되었다고 말해도 좋은가', '전통적인 이야기 공동체가 해체되어 가는 현단계에서 현지조사연구의 목적과 의미는 무엇이 되어야 하는가' 등의 문제의식이 내포되어 있다.

결국 이 책을 통해 내가 말하고 싶은 것은, 현지조사연구는 이제껏 본격적으로 논의된 적이 없고 여전히 논의해야 할 많은 쟁점을 안고 있으며 새로운 현지조사연구 시각을 요구하는 사회문화적 조건들이 축소되기보다 오히려 더욱 확대되고 있다는 사실이다. 그러나 나의 목표는 새로운 현지조사연구의 전체 그림을 완성하는 데 있지 않다. 그보다 내가 바라는 것은 이 책을 통해 현지조사연구에 대한 논의가 새롭게 촉발되는 것이다. 빈약하고 어설픈 나의 '말걸기'가 새로운 자극과 풍부한 논의를 통해 한층 깊어지고 넓어지게 되기를 간절히 바랄 뿐이다.

이 책은 처음에 밀양 지역 구전문화에 대한 민족지적 현지조사연구의 성과를 갈무리하는 기획의 일환으로 계획되었다.-이것은 1999년부터 시작된 밀양시 산내면·산외면 자연마을들에 대한 현지조사 성과를 정리하는 작업이기도 하다. 2002년 가을, 때마침 연세대학교 국학연구원으로부터 연구비를 지원받게 되어 여러 마을 가운데 산외면 숲골마을에 대한 현지조사와 민족지 기술을 가장 먼저 실행에 옮기게 되었다. 이 책은 밀양시 산외면 숲골마을 구전문화에 대한 민족지적 현지조사연구 성과를 정리하는 총 두 권의 자료 가운데 첫 번째 권으로, 기존의 현지조사연구 성과를 역사적으로 검토하고 이를 비판적으로 분석한 후 현단계에서 요구되는 현지조사연구의 새로운 관점을 제안하는 내용으로 구성되어 있다.

이 글의 후반부에 수록된 〈숲골마을 현지조사 관련 자료〉는 밀양 숲골마을에 대한 본격적인 민족지 기술 자료라 할 수 있는, 이 책 두 번째 권의 내용에 연계된 것이다. 여기에는 밀양시 산외면 숲골마을에 관한 각종 문헌자료와 지도, 현지조사 과정에서 촬영한 사진자료들, 현지조사 일정과 연행자별 연행작품목록, 연행작품의 줄거리, 방언 목록과 전사표기원칙 등이 실려 있다.

'이야기의 현장'은 언제나 나를 가르쳤고, 또 나를 채찍질해왔다. '현장'이 나를 가르쳤다고 말하는 것은 내가 던지는 모든 질문에 대한 답이 '그곳'에 있었기 때문이 아니라 '그곳'이 나로 하여금 질문을 품게 만들었기 때문이다. 아직도 나는 풀지 못한 질문을 품고 있고 앞으로도 숱하게 많은 질문을 품을 것이다. 여기 이 책은 현장으로부터 자극받아 내가 품었던 질문들에 대한 아주 어줍잖은, 그러나 현재진행형인 답이다.

2006년 6월

관악산 사포재(史圃齋)에서 봉오헌(鳳梧軒) 김영희가 쓰다.

목 차...

Ⅰ. 들어가며

구전이야기 현지조사연구는 끝났는가

구전이야기[1] 연구는 구전이야기가 현장(field)을 중심으로 연행 및 전승된다는 점에서 본질적으로 현장 중심의 논의일 수밖에 없다. 현장 중심의 구전이야기 연구는 구전이야기의 연구자료가 현장에서 채록된다는 의미 외에 연구의 출발점과 논의의 모든 근거가 현장에 있다는 의미를 지닌다. 따라서 구전이야기 연구는 현지조사[2]로부터 시작된다고 해도 과언이 아니다.

1) 현지조사연구에 대한 논의를 '구전이야기'로 한정한 것은 본 논의의 토대가 되었던 현지조사 과정에서 연구자의 관심이 '구전이야기'에 집중되었기 때문이다. 이는 현지조사에 영향을 미친 핵심적인 조건 가운데 하나였으며 현지조사연구에 대한 문제의식을 예각화하는 과정에서도 주요하게 작용하였기에, 논의 한계를 분명히 한다는 차원에서 명시하기로 한다.
 '구비(口碑)'에 대응하는 용어인 '구전(口傳)'은 전승되는 대상인 말이나 텍스트보다 '구두전승'이라는 조건 자체에 좀더 주목한 말이다. 또한 이 용어는 전승의 지속적 측면에 논의를 한정하지 않는다는 의미도 내포하고 있다. 일찍이 선행 연구자들이 '구전'을 '말로 전함'을 뜻하는 용어로, '구비(口碑)'를 '대대로 전하여 내려오는 말', '비석에 새긴 것처럼 오래도록 전하여 온 말'을 뜻하는 용어로 개념 규정한 바 있기 때문이다. (장덕순 · 조동일 · 서대석 · 조희웅 공저, 『구비문학개설』, 일조각, 1971, 1면.)
 '이야기'는 '문학'에 한정하지 않고 서사 전체를 포괄하기 위해, 또 연행의 측면을 고려할 때 '문학'에 비해 큰 무리가 없는 표현이기에 사용한 용어이다. 또한 이 용어는 실제 '현장'에서 연행자들이 사용하는 말이기도 하다.

2) 임재해는 '현장조사'와 '현지조사'를 구분하기도 하였다. (임재해, 「마을 민속 조사, 무엇을 어떻게 할 것인가」, 『민속연구』 12, 안동대학교 민속학연구소, 2002.) 그는, 문헌은 물론 제보자의 말이나 기억에 의한 조사가 아니라 민속이 연행되는 현장에 연구자가 직접 참여하여 관찰, 조사하는 것을 '현장조사'로 따로 구분하여 그 중요성을 강조하였다. 이보다 앞서 임돈희가, 좁은 조사지역에서 일 년 이상 머물면서 당시에 벌어지는 모든 상황을 샅샅이 조사하는 '현지조사'와 단기 방문 위주의 '현장조사'를 구분한 바 있다. 그는 '현지조사'가 민(民)에 초점을 맞추는 반면 '현장조사'는 속(俗)에 초점을 둔다고 하였고, 장기 '현지조사'에서는 현재성이 강한 것이 연구 대상이 되는 반면 단기 '현장조사'에서는 과거의 것과 현재의 것 사이의 연계성, 상사성이 연구 대상이 된다고 하였다. (임돈희, 「민속학과 문화인류학」, 『한국민속학의 새로운 인식과 과제』, 집문당, 1996.)
 논의 맥락이 다르고, 용어의 내포적 의미는 연구자의 시각과 논의 방향에 따라 재맥

그러나 현지조사는 하나의 연구 과정이 아닌, 본격적인 연구 과정의 전 단계, 즉 단순히 자료를 수집하는 단계로만 인식되는 경향이 있다. 설사 현지조사를 자료 수집 단계로만 인식한다 하더라도 자료 수집 단계 역시 전체 연구 시각에 견인된다는 점에서, 또 연구 활동의 전 과정을 통해 피드백(feed-back)된다는 점에서 중요한 연구 활동의 일부라는 사실을 인지할 필요가 있다. 더구나 '어떤 자료를 어떻게 만드느냐'에 따라 전체 연구의 내용과 방향성이 어느 정도 결정된다는 사실을 고려할 때 현지조사 과정에서 이미 연구자의 시각은 본격화된다고 보아야 한다.

이러한 맥락에서 현단계 구전이야기 연구는 일정 부분 80년대에 못박혀 있다. 대부분의 구전이야기 연구자들이 80년대 시행된 현지조사를 바탕으로 90년대 초에 완간된 한국정신문화연구원(현 한국학중앙연구원, 이하 동일)의 『한국구비문학대계』(이하 『대계』로 지칭)에 의존하고 있기 때문이다.

80년대 이후 연행 현장은 물론 연구 현장에도 여러 가지 변화가 있었으나 구전이야기 연구의 새로운 연구 경향들은 현지조사연구의 새로운 실험으로 이어지지 않았다. 80년대 형성된 자료에 기반하지 않고 연구자 개인이 직접 현지조사를 행한 후에 논의를 전개한 경우에도 현지조사의 시각과 방법만은 대체로 『대계』를 전형으로 삼았다. 2000년대에도 여전히 80년대 형성된 자료를 분석 대상 '텍스트'로 삼거나 80년대의 시각과 방법에 기반한 현지조사를 계속함으로써 연구 시각과 실질적인 연구 활동 사이에 불일치와 모순이 지속된 셈이다.

이와 같은 현상의 배후에는 두 가지 관념이 작용하고 있다. 하나는 『대계』의 시각과 방법을 정전화하는 동시에 『대계』를 통해 남한에서 전승되는 구전이야기에 대한 현지조사가 어느 정도 완결되었다고 생각하는 것이고 다른 하나는 '순수'하고 '의미' 있는 '구비문학'[3] 자료에 대한 현지조사는 더이

락화될 수 있으므로 이 글에서는 '현지조사'를 'field work'을 뜻하는 광의의 개념으로 사용하고자 한다. 이 글에서 지향하는 '현지조사'의 구체적인 내용은 뒤에서 상론하기로 한다.

상 불가능하다고 여기는 것이다.

전자의 관념이 후자의 결과일 수 있다[4]는 점에서 여기서 본격적으로 문제삼아야 할 것은 후자의 관념이다. 이 관념에 전제된 것은 '순수'하고 '의미' 있는 '구비문학'의 전승이 중단되거나 극도로 쇠퇴하였다는 생각이다. 그리고 산업화의 진행에 따라 '구비문학' 전승의 기반이 되는 농촌 공동체가 몰락하고 영상 매체의 발달에 따라 '구비문학'의 창작 및 수용에 대한 요구가 극도로 감소하는 등 현대 사회의 변화가 이러한 '위기'를 초래했다는 것이 연구자들의 공통된 인식이다.[5]

3) 미국에서는 70년대 이후 연행중심의 접근을 주장하는 연구자들을 중심으로 '구비문학'이라는 용어의 모순과 문제점이 제기된 바 있고 이에 대한 대안으로 '구술예술'이라는 용어를 내세우기도 하였다. 이에 대해서는 최근 미국의 구술예술 연구-연행 중심의 접근법을 중심으로-를 개괄적으로 소개한 윤교임의 논의가 있다. (윤교임, 「미국의 구술예술 연구」, 『구비문학연구』 15, 한국구비문학회, 2002. 12 참조.) 이 책에서는 '구비문학'이라는 용어의 타당성 여부를 떠나 하나의 역사적인 개념 범주-특정 시기 연구자들의 문제의식을 드러내는 한편, 연구사의 한 단면을 드러내는-로, '구비문학'이라는 용어를 사용하기로 한다.

4) 『대계』를 통해 구전이야기의 현지조사가 어느 정도 일단락되었다는 판단은 『대계』가 거둔 성과를 높이 평가하고 또 그 이후 '순수'한 구전이야기를 조사하는 것이 어려워졌다는 생각 때문이기도 하지만 다른 한편으로 현지조사 대상에 대한 인식이 변화하지 않았기 때문이기도 하다. 『대계』의 현지조사 당시 연구자들의 관심은 남한에서 전승되는 구전이야기의 대표적인 유형들을 총망라하여 하나의 '전질'을 만드는 것과, 시간적 · 공간적인 전승 · 전파의 원리를 파악하는 데 있었기에 자연히 현지조사의 주 대상은 '고형(古形)' 혹은 '원형(原形)'에 가까운 각편들일 수밖에 없었다.

5) 한국구비문학회는 2002년부터 2003년까지 '구비문학'의 현재와 미래를 진단하고 '구비문학' 연구의 새로운 가능성을 전망하는 기획을 실행하였다. 이 기획의 근저에는 현재 '구비문학'이 위기 상태에 놓여 있으며 위기의 돌파구를 마련하기 위해 현대 산업 사회의 영상 및 디지털 매체에 대한 구비문학적 연구의 가능성을 모색할 때가 되었다는 인식이 자리잡고 있다. 김대행은 머릿글 성격의 글에서 '국지화', '박제화', '이질화', '꽁트화', '흥행화'로 '구비문학'의 쇠퇴 징후를 분석하고, '구비문학'의 개념 확대와 '구비문학' 연구 자료의 확장, 새로운 자료 분석을 위한 '연구 시각'의 전환, 새로운 연구 방법의 개발을 위기 극복의 대안으로 제시하였다. (김대행, 「현대 사회와 구비문학 연구」, 『구비문학연구』 15, 한국구비문학회, 2002. 12 참조.)

이보다 앞서 서대석은 '구비문학' 전승의 기반이 허물어져 가고 있음을 지적하고 '그 대신 전파 매체를 통하여 구비문학이 전파문학으로 변모하는 시대를 맞이하고 있다'고 전망하였다. (서대석, 「구비문학의 연구현황과 과제」, 『광복 50주년 국학의 성과』,

'구비문학'의 '소멸'과 '쇠퇴'에 대한 '위기' 판단은 산업화 이전 단계인 '과거'의 '순수'한 자료를 지향하면서 이를 본질화하는 태도에서 비롯한다. 산업화 과정을 거치면서 변질되기 이전의 자료가 '구비문학'의 '참다운' 모습을 보여준다는 생각은 '구전'의 본질을 유동성과 적층성에 두면서도 '변화하지 않는 현장'을 기대하는 모순을 내포하고 있다.

더구나 연구자가 기반하고 있는 연구 활동의 현장은 변화를 지향하면서도 정작 구전이야기 연행 및 전승 현장은 불변하길 기대한다는 것은 구전이야기를 '시간 속에 박제화'[6]하는 행위에 다름 아니다. 이는 연구 현장과 연행 현장을 분리해서 인식함으로써 연행 현장을 대상화하는 태도에서 비롯한다. 연구 현장과 달리 연행 현장은 살아 움직이며 변화하는 능동적이며 주체적인 영역이 아니라 불변의 상태로 관찰과 분석을 기다리는 수동적인 대상이 되고 마는 것이다. 이렇게 할 때 현지조사는 연구자와 현장 사이의 대화나 상호 작용 과정이 아니라 연구자에 의한 일방적인 관찰과 조사 과정에 머무르고 만다.

'구비문학'의 '변질'이나 '쇠퇴'에 대한 인식은 근본적으로 구전의 역사성과 사회문화적 맥락을 부정하는 의식에 기인한다. '순수'한 '원형'을 상정하지 않는다면 구전이야기는 산업화 과정을 통해 '변질'되었다기보다 '변화'하고

한국정신문화연구원, 1996, 518면.)

연행 현장의 변화를 '쇠퇴'나 '변질'로 파악하는 것과, 인터넷 등의 디지털 매체에 기반한 문화에서 '구비문학적 연구'의 가능성을 발견하고 이를 새로운 '현장'으로 인식하는 태도 사이에는 충분히 설명되어야 할 논리적 간극이 존재한다. 이는 '구비문학'이라는 개념의 내적 동일성이나 '현장'의 '이상적인 전형'에 집착하는 태도를 드러내는 동시에 '구비문학'과 '구비문학 현장'의 경계를 허물어야 한다는 주장을 내포하고 있기 때문이다. 따라서 무엇을 '구비문학'이나 '구비문학의 현장'으로 인식해야 하고, 또 인식할 수 있는지에 대한 논의가 충분히 이루어져야 할 것이다.

6) 이옥순은 탈식민주의적인 관점에서 인도에 대한 우리의 '박제 오리엔탈리즘적'인 인식 양태를 비판하면서, 인도의 현재를 부정하고 인도의 과거만을 보며 '신비화'하는 태도를 가리켜 '시간 속에 박제화하고 있다'고 표현하였다. '동양'을 타자화하는 오리엔탈리즘의 인식 태도와 '현장'을 타자화하는 '구비문학' 연구자들의 인식 태도 사이에 일정한 유사성을 발견할 수 있다. (이옥순, 『우리 안의 오리엔탈리즘』, 푸른역사, 2003, 143면.)

있는 것으로 보아야 한다. 변화는 구전이야기의 적층 양상을 한층 복잡하게 만들고 있으며 그 결과 구전이야기는 그 어느 때보다도 다층적이고 복합적인 적층의 결을 지니고 있다. 그러므로 현단계에서 요구되는 연구 시각의 변화는 대상 범주를 확장하는 연구 시야의 수평적 이동이 아니라, 대상과의 관계에 대한 인식의 변화와 관계에 참여하는 시각 및 태도의 변화를 포함하는, 연구 시각의 질적 '전환'이라고 할 수 있다.

한편 '구비문학' 연구자들이 '위기'를 말하며 연구 대상의 외연 확대를 모색하는 사이 오히려 다른 학문 분과에서는 구술 문화에 대한 관심이 증대되었다. 거대 담론의 시대가 가고 사회 현상에 대한 단일한 해석이 부정되기 시작하면서, 또 '과거'의 자료만이 아니라 과거를 조망하는 '현재'의 관점을 문제삼기 시작하면서 좀더 미시적인 관점에서 '당대'를 조명할 수 있는 인류학 및 민속학의 현지조사연구방법론이 응용되기 시작한 것이다.

더구나 구술 문화 연구가 그간 권력 담론의 그늘에서 제 소리를 내지 못한 채 소외되었던 주체들의 목소리를 끌어냄으로써 문화 연구의 대상이 되는 텍스트의 다성성(多聲性)과 이질성을 복원하는 계기를 마련할 수 있으리라는 기대가 높아짐에 따라 하위 문화 연구에서 구술 문화에 대한 관심이 더욱 높아졌다.

이처럼 '현장'의 변화와 지난 20여 년의 연구 성과들, 그리고 당대 지성계의 흐름과 사상적 지평이 모두 새로운 현지조사연구론을 요구하고 있다. 성급하게 시야를 넓혀갈 것이 아니라, 새로운 논의를 위해서라도 시각을 좁혀 좀더 내실 있게 구전이야기의 '현장'에 천착함으로써 연구 시각을 정치하게 하고 연구 성과들을 무르익힐 것을 요구하고 있는 것이다.

새로운 현지조사연구론의 모색을 위해 가장 먼저 할 일은 현지조사연구의 과거를 조망하는 일이다. 현단계 현지조사연구의 과제와 전망은 결국 현지조사연구의 역사로부터 발견될 것이기 때문이다.

구전이야기를 비롯한 민속에 대한 현지조사연구는 일제강점기 일본인 관학자들과 일본에서 근대 학문의 세례를 받은 몇몇 유학생들로부터 시작되었다. 따라서 현지조사연구는 식민주의 담론 전략으로부터 자유로울 수 없었으며 이러한 태생적 한계는 이후 현지조사연구의 역사에 어두운 그림자로 자리잡게 되었다.

해방 이후 한국 전쟁을 거치면서 분단이 고착화됨에 따라 남북의 구전이야기 연구는 자연히 서로 다른 길을 걷기 시작했다. 남한에서는 구전이야기에 대한 학문적 관심이 거의 전무한 상황에서 구전이야기에 관심을 가진 몇몇 개인에 의한 이야기 채록이 산발적으로 이루어졌다. 반면 북한에서는 월북한 학자들을 중심으로 당 정책에 따른 체계적인 현지조사와 연구가 이루어졌는데 이는 70년대 이후 남한에서 전개된 학문적 경향과는 상이한 것이었다.

60년대 후반 이후 북한에서는 구전이야기 현지조사연구가 정체의 길을 걸었던 반면, 남한에서는 한국정신문화연구원을 중심으로 70년대 말부터 과학적이고 체계적인 현지조사연구가 본격화되어 그 성과가 『한국구비문학대계』로 갈무리되었다. 이후 연행 중심 이론의 소개와 함께 현지조사연구에 대한 관심이 증대되고, 『한국구비문학대계』 발간을 통해 어느 정도 연구 역량이 축적되었으나 반성적 논의에 기반한 새로운 현지조사연구론의 생산으로 발전되지는 못하였다.

현지조사연구의 역사에 대한, 이와 같은 반성은 결국 '현단계 현지조사연구가 문제 삼아야 할 것이 무엇인가'라는 근원적인 질문으로 귀결될 것이다. 기존의 현지조사연구가 보고 듣지 못한 '현장'의 역동과 목소리를 복원하기 위해 인식의 전환이 필요하다면 이것이야말로 연구의 시발점이 된 첫 질문, '현지조사연구의 목적과 효과는 무엇인가, 무엇이 현지조사연구의 주된 관심 영역이 되어야 하는가'라는 질문에 대한 답을 모색하는 것으로부터 시작될 수밖에 없기 때문이다.

Ⅱ. 구전이야기 현지조사연구의 역사와 과제

Ⅱ-1. 일제강점기
: 현지조사연구의 식민주의적 그림자

1. 일제강점기 민속 조사·연구

구전이야기를 포함한 민속 조사·연구는 일제 강점기 일본인 관료와 촉탁들, 일본을 통해 근대 학문을 배우기 시작한 조선인 연구자들에 의해 시작되었다. 식민지 통치 정책 수립을 위한 풍속 조사는 조선총독부가 문화정치를 표방하기 시작한 1919년에 이미 '사회사정조사(社會事情調査)'라는 이름으로 시작되었지만[1] 민속 연구의 관점에서 조사가 본격화된 것은 1920년대 중후반 이후였다.

조선총독부의 촉탁(囑託)들에 의한 초기 풍속 조사는 생활 여건 및 제도 등을 포괄하는 개괄적인 실태 조사의 성격을 띤 것으로 항목에 따라 그 내용을 기입하는 수준의 조사였으나 그 중 일부는 민족지(民族誌) 혹은 지지(地誌)적인 성격을 지닌 것도 있었다. 조사를 주도한 촉탁들은 대부분 일본의 민속학자들로 일본에서 처음으로 민속조사를 실시한 향토회(鄕土會) 소속의 학자들이 많았다. 초기에 조선총독부 촉탁으로 활동한 村山智順, 今村鞆은 관료 출신인 반면, 前間恭作, 鳥居龍藏, 善生永助 등의 촉탁들은 일본

1) 1919년 식민 통치를 위한 사회 실태 조사의 필요성을 느낀 중추원(中樞院)은 村山智順을 위촉하여 '사회사정조사'라는 이름으로 5개년 조사 계획을 수립한 후 1923년까지 조사를 진행하였으나 관동대지진 이후 중단하였다. 1921년에는 早稻田大學 小田內通敏 교수를 위촉하여 '부락조사' 사업을 개시하였는데 이 역시 1924년에 중단되었다. (박현수, 「일제의 조선문화연구」, 『민속학연구』 2, 국립민속박물관, 1995 참조.)
1919년 이전에 19세기 말부터 조선을 방문한 서구인이나 일본인들이 쓴 여행견문록, 풍속지 등이 존재하고, 1900년에 이미 일본의 인류학 잡지에 한국의 '토속'에 대한 글이 발표되기도 했으나(임동권, 「韓國民俗學小史」, 『민족문화연구』 1, 고려대 민족문화연구소, 1964, 237면.) 이것들은 민속에 대한 현지조사 성과로 보기 어렵다.

인 민속학자였다. 이들 외에도 경성제국대학 교수로 있던 秋葉隆, 赤松智誠 등이 1920년대 이후 민속 조사와 연구에 몰두하였다.

한국 민속학은 1920년대 후반 이후 독립과학으로서 면모를 갖추고 독자적인 영역을 구축해 나가기 시작하는데 이 때 민속 연구의 주요 대상이 되었던 것이 바로 이들 일본인 촉탁과 학자들에 의한 민속 조사 자료와 이들이 간행한 자료집, 혹은 연구서들이었다. 일본인 관료나 학자들에 의한 민속 조사와 연구는 기본적으로 식민주의 담론의 성격을 지닐 수밖에 없었다. 식민지 동화 정책의 일환이자 일본 중심의 동아시아 기획의 한 부분으로서 계획·수행된 조사와 연구는, 근본적으로 식민지에 대한 식민지 종주국의 정치적 입장, 식민지를 '야만'으로 바라봄으로써 스스로를 '문명'으로 규정하는 식민주의자의 시선에서 벗어날 수 없기 때문이다. 결국 시작 단계에서 이미 이들이 만든 자료와 연구 관점에 일정하게 견인됨으로써 한국의 민속학 연구는 식민주의 담론의 그림자라는 태생적 한계를 안게 되었다.

물론 민속 조사와 연구가 일본인에 의해서만 주도된 것은 아니었다. 이능화, 최남선, 송석하, 손진태 등 많은 조선인 학자들이 민속 조사와 연구에 참여하였으며 이들의 연구는 민족 문화의 전통을 확립하고 민족적 정체성을 재확인함으로써 제국주의 문화 침략에 대항하려는 탈식민적 지향을 내포한 것이었다. 그러나 민족 전통으로 '발견', 혹은 '호명'된 민속이 과거 그대로의 것이 아니라 학자들이 근거하고 있는 근대적인 관점에 따라 '재구성'되거나 '재현'된 것이라는 점을 상기할 필요가 있다. 근대적인 관점에 내재한 식민주의적 성격에 대한 인식과 반성이 병행하지 않는, 배타적이고 국수적인 민족 인식에 기반한 민족 전통의 확립은 결과적으로 식민주의 담론에 동화, 포섭될 가능성이 크기 때문이다.[2)]

---

2) 이지원은 일제하 파시즘기의 민족문화론이 파시즘성과 저항성을 동시에 내포하는 양면성을 지니고 있는 것으로 보았다. 특히 민족문화의 주체를 인종, 혹은 종족 차원으로 인식하느냐, 국가 대 국가 차원의 민족 국가로 인식하느냐에 따라 그 지향이 달라질 수 있음을 강조하였다. (이지원, 「파시즘기 민족주의자의 민족문화론」, 『일제하 지식인의 파시즘체제 인식과 대응』, 연세대 국학연구원 학술회의 발표자료집, 2004.

더구나 근대 학문으로서 민속학의 형성과 발전은 제국주의적 식민지 인식과 식민주의 담론의 형성·발전, 식민지에 대한 문화 지배의 역사와 그 궤적을 함께 하기 때문에 탈식민적 지향에도 불구하고 식민주의의 그림자를 짙게 드리우지 않을 수 없다. 같은 이유로, 일본을 통해 근대 학문을 접할 수밖에 없었던 조선인 민속학 연구자들 역시 식민주의 담론의 그늘에서 벗어나기 어려웠을 것이다.

또한 조선인 학자들의 민속 조사·연구는 일본 민속학자들과의 학문적 네트워크에 기반하고 있었다. 조사 및 연구 자료를 통한 간접적 교류 외에도 유학과 학회 활동, 학술 논문 발표 등을 통한 직접적인 교류가 이루어졌다. 앞에서 언급한 학자와 촉탁들 가운데 秋葉隆, 今村鞆(전 경기도 경찰부장)이 『조선민속』의 창간에 참여했을 뿐 아니라 종간호였던 『조선민속』 3집은 今村鞆의 고희기념논총집으로 간행되었다. 특히 손진태는 이 책의 서문을 썼으며 3집 간행에 함께 참여했던 송석하와 함께 일본 민속학계의 주요 학술지인 『향토연구』와 『민족학』에 각각 논문을 발표하기도 하였다.[3] 또한 향토회 소속의 일본 민속학자인 柳田國男 역시 『조선민속』에 논문을 수록하였다.[4]

그러나 조선인 학자들은 의식적인 차원에서 자신들의 연구가 민족적 전통을 확고히 하는 데 기여해야 한다는 분명한 목적의식을 견지하고 있었다. 이에 따라 연구자들의 관심은 고대사 복원 등을 통해 민족 문화의 발생과 기원의 문제를 해명하는 데 집중되었다.[5] 따라서 민속 조사와 연구의 대상

---

5. 22 참조.)

3) 손진태는 1931년 대동인쇄소에 근무할 때 조선총독부 촉탁이었던 前間恭作와 서신을 통해 여러 차례 학문적 견해를 교류하기도 하였다. 또한 손진태의 현지조사가 柳田國男의 영향을 받은 것이라는 주장이 제기된 바 있으며 그의 전파론에 대한 관심이 와세다 대학 사학과 교수였던 西村眞次의 영향을 받은 것이라는 견해도 제출된 바 있다. 실제로 西村眞次는 손진태의 현지조사에 동행하기도 하였다. (한국역사민속학회, 『남창 손진태의 역사민속학연구』, 민속원, 2003 참조.)

4) 임돈희·로저 L. 자넬리, 「최남선의 1920년대의 민속연구」, 『민속학연구』 2, 국립민속박물관, 1995, 31~32면.

이 주로 고대 유적이나 물질 민속, 문헌 신화 등에 국한되는 경향이 있었다. 특히 문헌 위주의 실증주의 학풍이 강한 일본 근대 학문의 영향으로 현지조사는 거의 배제되거나 기초 자료 수집과 실태 조사의 목적으로만 시행되었다. 그러나 척박한 환경 속에서도 손진태는 나름의 원칙과 체계를 세워 현지조사에 주력하였으며, 최초로 서사무가를 포함한 구전이야기에 대한 현지조사를 시행하기도 하였다.

2. 손진태의 구전이야기 현지조사연구

역사복원적 지향과 문헌실증적 경향에 따라 대부분의 초기 민속학자들이 문헌 연구에 치중했던 반면 손진태만은 1920년대와 1930년대를 걸쳐 현지조사에 주력하였다. 특히 손진태는 현지조사를 통해 고대 유적·유물이나 민간 신앙, 무속뿐만 아니라 구전이야기에 대해서도 연구자적 관심을 드러냈다는 점에서 더욱 주목할 만하다. 손진태는 스스로 구전이야기에 대해 '흥미와 일종의 책임감'을 느끼게 된 계기가 '10년 전, 동경에 건너와 인류학과 민속학에 관한 책들을 읽기 시작할 무렵'이라고 밝히고 있다. 1920년 동경에 유학한 이후로 여름방학마다 조선에 돌아와 '민풍토속(民風土俗)'을 조사하는 한편 '민간설화의 수집'을 계속했던 것이다.[6)]

구전이야기에 대한 그의 현지조사는 1920년 9월 자신의 고향인 경남 동

5) '이로 인해 초기 민속학 연구가 역사복원적 성격을 지니게 되었으며 이것이 곧 일본 민속학과 조선 민속학 사이의 공통점'이라는 지적이 있다. (임돈희·로저 L. 자넬리, 「최남선의 1920년대의 민속연구」, 『민속학연구』 2, 국립민속박물관, 1995, 31~32면.) 그러나 남근우는, 일본 민속학과의 교류와 부분적인 공통점을 근거로 조선 민속학이 전적으로 일본 민속학의 영향권 아래 있었던 것처럼 주장하는 것은 다시 한 번 식민주의 이데올로기에 포섭되는 오류를 범하는 것이라고 주장하였다. (남근우, 「'손진태학'의 기초연구」, 『한국민속학』 28, 한국민속학회, 1996 참조.)

6) 손진태, 「자서(自序)」, 『조선민담집』, 동경:향토연구사, 1930, 1~3면. ; 『손진태선생전집』 3, 태학사, 1981, 1~3면.

래군 사하면 하단리에서 시작되었다. 그 이후 1923년 5월부터 11월까지 전북 전주, 황해도 장연·황주, 충북 괴산, 서울, 경북 안동·대구, 함남 함흥·홍원, 경남 동래 등지를 답사하면서 많은 구전이야기와 무가를 조사하여 큰 성과를 거두었는데 이 때 수집한 자료를 묶어 일본 동경에서 『조선민담집(朝鮮民譚集)』을 간행하였다.

1927년부터 1929년 사이에 『신민(新民)』에 발표했던 「조선민간설화연구(朝鮮民間說話硏究)」(해방 후 『한국민족설화의 연구』(을유문화사, 1947)로 재간행)에 수록된 자료들이 대부분 지인(知人)들을 통해 전해 들은 이야기로 구성된 데 반해 『조선민담집』에 수록된 자료는 대부분 손진태가 직접 구전이야기 연행 현장을 현지조사하여 수집한 것들이다. 여기에 실린 이야기의 35%가 1923년의 현지조사를 통해 수집한 것들이며 1930년 동경에서 출간한 『조선신가유편(朝鮮神歌遺篇)』에 수록된 함남 함흥의 무녀 金雙石伊의 「창세가」 등의 자료도 이때 채록되었다. 따라서 1923년은 손진태가 본격적으로 집약적인 현지조사를 수행하기 시작한 해라고 할 수 있다.

손진태가 인류학 및 민속학적 관점에서 구전이야기 현지조사를 시작해서인지, 『조선민담집』에 수록된 이야기들은 체계적인 현지조사의 틀과 원칙에 따라 수집된 자료의 특성을 드러내고 있다. 이야기 연행을 있는 그대로 충실하게 기록하는 것을 원칙으로 하여 개인의 의견을 첨가하거나 문맥을 수정, 삭제하는 등의 윤색을 하지 않았으며, 연행 일자, 연행 장소, 연행자의 이름과 성별, 연령 등을 밝히고 있다. 이은상, 마해송, 방정환 등 평소 알고 지내던 지인들도 일부 포함되어 있긴 하지만 45명의 연행자들 가운데 상당수가 현지조사 과정에서 직접 조사한 연행자들이라는 점을 상기할 때 『조선민담집』이야말로 본격적인 구전이야기 현지조사의 성과물이라고 할 수 있다.

손진태는 『조선민담집』의 자서(自序)에서 범례(凡例)를 통해 현지조사 및 자료 정리의 기본 원칙과 방향을 설명하였다. 그에 따르면 『조선민담집』에 수록된 자료는 자신이 직접 채집한 것과 지인(知人)들이 보내준 것으로 구성되었으며, 그 가운데 기존의 다른 문헌에 수록되어 있거나 지면을 통해 이미 소개된 자료와 함께 중국의 이야기임이 분명한 자료들(우리나라에 수용된 후 변형 없이 그대로 전승되는 것)을 제외한 반면, 중국이나 인도에서 전래되었지만 전래 후 우리나라에서 고유한 전승 역사를 가지고 있는 이야기들은 그대로 수록했다고 한다. 또한 그는 서문에서, 이야기를 들은 직후 문자화했으며 가급적 기록자의 창의(創意)를 보태지 않기 위해 노력했음을 별도로 밝혀 놓았다.

이 책은 전국적인 범위의, 체계적인 현지조사를 통해 만들어진 구전이야기 자료집이라는 특성 외에도 조선의 구전이야기를 일본에 소개하는 성격을 띠고 있다. 손진태는 신화·전설류, 민속·신앙과 관련된 설화, 우화(寓話)·돈지설화(頓智說話)·소화(笑話), 그 외 기타 민담의 네 가지 항목으로 구전이야기를 분류하여 소개하고 있으며 부록에서는 조선의 구전이야기와 유사한 다른 민족의 구전이야기를 각종 문헌에서 발췌하여 비교자료로 함께 제시하였다. 이처럼 『조선민담집』은 현지조사 단계에서 자료 구성에 이르기까지 연구자적 관점에 기반한, 구전이야기 연구의 기초자료로서의 성격을 명확하게 지닌 구전이야기 자료집이다.

손진태는 1924년과 1925년에도 경남 사천, 부산, 동래, 구포, 경북 대구, 경기도 개성, 전북 진안, 함남 함흥 등에서 설화, 장승, 무당, 무가 등을 조사하였다. 이어서 1926년에도 3월 26일부터 4월 초순까지 경기도 개성, 평남 중화, 황해도 황주, 함남 함흥·홍원 지역에서 현지조사를 수행하였는데 이때 그의 관심은 무당, 무가, 설화뿐 아니라 창포, 검줄, 뒷간, 건평, 국수당, 민가와 각 지역 주민의 인종적 요소, 화전민의 생활에 이르기까지 폭넓게 확장되었다. 1926년의 현지조사 경험은 「토속연구여행기」[7]로 정리되었고 이후 「조선상고문화의 연구」 등의 연구 성과로 갈무리되었다.[8]

7) 손진태, 「토속연구여행기」, 『신민』 13(2-5), 1926. ; 『손진태선생전집』 6, 태학사, 1981, 465~478면.

8) 이필영은 「조선상고문화의 연구」를 통해 손진태가 '단순한 민속학자가 아니라 민속

이 시기에 손진태의 현지조사는 단순한 자료 수집에 그치지 않고 현지조사 연구로 나아가는 질적인 발전을 보여주었다.

손진태는 1927년, 1928년 여름에도 경남 마산·진해, 경북 왜관, 서울, 함남 함흥 등지에서 구전이야기를 중심으로 한 현지조사를 실시하였다. 이때 이미 손진태는 일본의 와세다 대학을 졸업한 후 활발한 연구 활동을 전개하고 있었고 1925년부터는 일본의 동양문고를 연구 활동의 주무대로 삼고 있었다.

1927년부터 1929년 사이에 『신민(新民)』에 발표했던 「조선민간설화연구(朝鮮民間說話硏究)」는 현지조사에 기반한 연구 논문의 성격을 띠고 있으나 논의 근거로 활용된 구전이야기 자료들 가운데 상당수는 연행 현장에서 자연스럽게 실제 연행자들을 만나 직접 조사한 것이 아니다. 연행자 목록에 오른 23명 가운데 9명이 지인(知人)이며 연행자를 밝힌 32편의 수록자료 가운데 12편이 이들이 들려준 이야기들이다. 또한 그 가운데 3편은 편지로 전달된 자료이며 나머지 20편 가운데 두 편은 일본 사람이 들려준 이야기이다.

그런데도 손진태는 이들 자료와 문헌 자료를 근거로 우리나라에서 전승되는 구전이야기와 북방의 시베리아·중국·일본에서 전승되는 구전이야기 사이의 전파 관계를 논증하고 있다. 1920년대 후반의 민족지 기술이나 연구 내용을 살펴볼 때 이 시기에 손진태는 진화론적 시각에 입각하여 구전이야기의 기원과 형성, 전파 문제 등에 매우 집착하고 있었던 것으로 보인다.

1930년대 손진태의 현지조사는 구전이야기보다 물질 민속이나 고대 역사 유적·유물에 초점을 두고 진행되었다. 1930년에는 평안남북도 일대와

을 역사학적으로 체계화하는 역사민속학자의 면모'를 지니게 되었음을 확인할 수 있다고 하였다. 여기에서 그는 손진태가 '현존의 민속자료를 문헌연구와 비교연구를 곁들여서 한국고대문화의 한 변모를 밝히고, 더 나아가서는 문화의 기원이나 문화영역, 그리고 주민의 구성 문제까지 규명해 보고자' 했다고 밝히고 있다. (이필영, 「남창 손진태의 역사민속학연구」, 『남창 손진태의 역사민속학연구』, 한국역사민속학회, 민속원, 2003, 108면.)

황해도 해주·연안 일대를, 1931년에는 경남 일대와 평북 영원·강계·맹산 지역을 조사하였고, 1932년에는 평안도 산간지역과 대동강 상류지역·황해도 남부를, 1933년에는 평남 순천·성천·강동 지역을 조사하였다.[9] 1932년과 1933년의 현지조사는 각각 「조선민속채방여록(朝鮮民俗採訪餘錄)」과 「조선민속채방록(朝鮮民俗採訪錄)」으로 기록되었는데, 고인돌 조사에 초점을 두고 있기는 하지만 무당, 무가, 가옥, 화전민의 생활, 가옥, 인삼채집자의 습속, 장승 등에 관한 내용도 함께 기록하고 있다.

오늘날 민속학과 구비문학계에서 손진태는 한국의 역사민속학과 구비문학 연구를 근대 학문의 한 분야로 자리매김한 인물로 평가받고 있는데, 특히 현지조사에 주목한 그의 연구 태도는 그 이전은 물론 이후에도 그에 버금가는 성과를 발견하기 어려울 만큼 독보적인 업적을 이룬 것으로 평가되고 있다. 손진태는 일본 유학을 통해 근대 학문을 접하면서 실증적이고 과학적인 연구 태도에 깊이 경도되었던 것으로 보이는데 그가 문헌 연구와 함께 현지조사를 매우 중요시했던 것도 바로 이러한 연구 경향에서 유래한 것이다.

그러나 그는 현지조사보다 문헌을 통한 고증을 더욱 중요시하였다. 그의 현지조사는 문헌 연구를 보충하거나 문헌 내용을 확인하는 성격이 강했다. 구전이야기에 대한 현지조사에서도 구전이야기가 연행되고 있는 '현장'에 주목하기보다는 문헌에 채록된 이야기와 비교하거나 문헌 연구를 통해 추론한 해당 이야기의 형성과 전파에 관한 견해를 확인하고 논증하는 데 주목하였다. 구전이야기 현지조사의 목적은 구전으로 전해오는 이야기를 텍스트로 기록하여 문헌화하는 것이었으며 기원·발생·형성·전파 등에 주목한 연구 시각과 방법 모두 문헌 텍스트 연구 방식에 의존한 것이었다.

이에 따라 손진태의 현지조사는 구전이야기 연행과 전승의 여러 맥락에 초점을 두지 않았다. 연행자의 성명이나 성별, 거주 지역, 연행일자 등을

9) 1932년의 현지조사는 제국학사원(帝國學士院)의 학술연구비 보조에 의해 이루어졌다. (이필영, 앞의 논문, 108면.)

기록하기는 했으나 애초에 연행 주체나 연행의 사회적 맥락, 연행 조건과 연행의 기술적 특성들, 연행집단 내부나 연행자와 조사자 사이의 상호 작용 양상 등에는 관심을 두지 않았다. 결국 그의 구전이야기 현지조사는 '투망식' 조사의 틀을 벗어나지 못한 것이었다.

사실상 손진태의 주된 관심은 구전이야기에 있지 않았다. 1920년대 중후반에 이르러 구전이야기에 주목했다가 1930년대 이후에는 주로 물질 민속이나 고고학적 유적, 역사 유물 등에 모든 연구 관심을 집중시켰다. 1920년대 후반에 그가 기술한 민족지를 보면 이때에도 그의 관심은 구전이야기보다 물질 민속이나 생활 풍습, 민간 신앙 등에 더 집중되었음을 알 수 있다. 그의 구전이야기 자료 수집은 민속 연구의 초기 단계에서 우리 민족 전통 문화의 일단을 밝혀 이를 일본인들에게 소개하고, 구전이야기 전승의 전체 얼개를 목표로 전국적인 범위의 구전이야기 목록을 구성하며, 인접한 민족들과의 문화 전파 관계와 문화의 기원 문제를 해명하는 데 목적을 둔 것이었다.

특히 문화의 기원과 전파 관계를 밝히기 위한 그의 노력은 동아시아 전체를 일본 중심의 틀 속에서 바라보고자 했던 제국주의 담론의 기획과 전략에 포섭된 면이 없지 않다. 구전이야기를 바라보는 그의 시각은 일본인 학자들의 그것을 전유한 측면이 없지 않으며, 일정 부분 일본 민속학의 세례를 받은 그가 제국주의적 심상 지리를 내면화하는 과정을 거치지 않았을 것이라고 단정짓기도 어렵다.[10)]

무엇보다도 구전이야기를 비롯한 민속에 대한 민족지(ethnography)적 연구가 그를 통해 시작되었으나-그는 이를 '토속학'이라고 명명하였다.- 그것이 '내부의 시각'을 확보한, '참여관찰'에 근거한 현지조사에 기반하지 못

10) 이에 대해서는 남근우의 꾸준한 지적이 있었다. 그러나 그는 손진태를 비롯한 일제강점기 민속학자들의 연구가 일방적으로 일본 민속학의 영향권 아래 있거나 제국주의 전략에 포섭되었다고 보는 시각에 대해서는 반대하였다. 이에 대해서는 차후에 논의하기로 한다.

했음은 안타까운 사실이다. 「조선민속채방여록(朝鮮民俗採訪餘錄)」과 「조선민속채방록(朝鮮民俗採訪錄)」 등 그가 기술한 민족지들을 검토해 보면, 그가 조사 대상 지역에서 일정 기간이나마 지역민들과 함께 생활하거나 그들의 시각으로 민속을 바라보려는 노력을 기울이지 못했음을 확인할 수 있다.

그는 대체로 전직 경찰 등의 도움을 통해 필요한 자료만을 수집함으로써 생활 속의 민속이나 지역민들의 삶과 연계된 민속이 아닌, 물화된 민속만을 채집하였으며 정보제공자와의 인터뷰 후 곧바로 자신의 숙소인 여관으로 돌아와 숙식을 해결하는 조사 방식을 취함으로써 내부인의 관점에서 민속을 바라보지 못했다. 또한 현지인들을 민속의 가치를 알지 못하는 '무지한 사람들'로 바라보거나 자신에게서 부당한 이익을 취하려는 사람들로 바라보는 데 이르면, 그가 민속의 주체인 민중들을 타자화·대상화했을 뿐만 아니라 그들의 문화를 '야만'의 문화로 바라보는 시각을 완전히 극복하지 못한 것은 아닌가 하는 생각을 벗어던지기 힘들다.

그러나 현지조사에 주력한 그의 연구자로서의 태도나 체계적인 현지조사 방법 모색의 시도, 민족지적 연구의 필요성에 대한 인식 등은 당대로서는 매우 획기적인 것으로 보인다. 다만 그 이후 구전이야기 현지조사연구에서 그의 연구 성과와 함께 한계들이 철저하게 분석되고 극복되었는지에 대해서는 두고두고 논의가 필요할 것이다. 이것은 곧 한국 민속학에 드리워진 식민주의의 그림자를 우리가 완전히 벗어던졌는지에 대한 질문과 직결되는 문제일 수 있기 때문이다.

Ⅱ-2. 분단 이후
: 남북한 현지조사연구의 역사적 단절과 이질화

한국 전쟁은 한반도 곳곳에 치명적인 상처를 남겼지만 무엇보다 전쟁으로 고착화된 분단은 남북한 사회의 사회·문화적 현실을 제약하는 주요한 조건으로 자리잡았다. 남북한이 모두 이념의 대립과 갈등으로 인한 지성사의 단절과 왜곡을 경험했을 뿐 아니라 분단으로 인한 정치적, 사상적 편향성을 사회적으로 각인하지 않을 수 없었다.

남한에서는 전쟁 이후 70년대 초에 이르기까지 구전이야기 현지조사연구에 대한 문제의식 자체가 거의 전무한 상태였다. 구전이야기에 관심을 가진 몇몇 개인들이 지역에서 전승되고 있는 구전이야기를 '채집'하는 단계에서 더 나아가지 못했다. 그러다가 70년대 민중 문화, 민족 문화에 대한 관심이 고조되면서 구전이야기를 비롯한 '구비문학' 전반에 대한 현지조사의 필요성이 제기되었고 이와 더불어 현지조사 방법과 문제의식에 대한 학문적인 논의가 시작되었다.

북한에서는 월북한 학자들의 연구 역량과, 소련 구전문학 연구 성과의 학문적 수용, 민족 문화의 중요성을 당 차원에서 제기하는 사회정치적 분위기 등에 힘입어 60년대 이미 구전이야기에 대한 현지조사와 이에 기반한 연구가 활발하게 전개되었다. 그러나 1967년을 기점으로 한 사회정치적 상황의 변화와 함께 구전이야기에 대한 현지조사·연구는 소강 국면에 접어들게 되었다.

이처럼 분단 이후 남북한의 구전이야기 현지조사연구는 시기별로 상반된 길을 걸었다. 남한에서는 현지조사연구가 본격화되지 않은 단계에서 개별적인 이야기 채집이 자유롭게, 다양한 방식으로 전개되었다면 북한에서는 당 차원에서 제기된 사업의 일환으로 과학원(현재 사회과학원) 중심의 조직적이고 체계적인 현지조사가 단선적인 방식으로 전개되었다. 학문적 관심이 전무했던 남한에 비해 북한은 훨씬 더 광범위하고 체계적인 현지조사연구를 수행하였으나 양쪽 모두 이전 시기의 학문적 전통을 계승한 것은 아니었다.

이제 분단 이후 남북한 구전이야기 현지조사연구가 어떻게 역사적 단절면 위에서 각자 새로운 역사를 서술해 나가기 시작했는지 그 단절 양상과 이질화 과정을 살펴보기로 한다.

1. 북한의 구전이야기 현지조사연구

1

오늘날 인간의 인식 과정과 지식의 구조를 연구하는 많은 학자들은 대상에 대한 정확한 이해, 완전하게 객관적인 이해는 불가능하다고 말한다. 대상은 언제나 인식 주체의 지평 안에 머물러 있을 수밖에 없으며 주체의 주관적 체험과 의식의 틀 안에서 재단되거나 해석될 수밖에 없다는 것이다. 인식과 해석 과정에서 순백의 객관적 시각이란 있을 수 없으며 '보이는 대로'가 아니라 '보고 싶은 대로' 대상을 파악하는 것이 인간 인식의 보편적인 현상이라는 사실은 우리로 하여금 절대적이고 완벽한 인식과 해석이 불가능하다는 것을 받아들이게 함으로써 대상을 바라보는 시각을 끊임없이 반성하게 만든다.

반면 대상에 대한 정확한 인식 가능성의 환상은 오히려 '자기식대로의 이해'를 낳는다. 완전한 인식이 가능하다는 생각은 대상에 대한 정복 욕구에서 비롯되는 경우가 많으며 그러한 욕구 안에는 대상을 인식 주체의 시각과 논리 틀 안으로 포섭하여 동일화하려는 의도가 숨어 있기 때문이다. 더구나 주체의 인식이 타자와의 관계에서 하나의 지식 체계로 권력화될 때 대상과의 관계는 형편없이 어그러지고 만다.

오늘날 북한에 대한 일반적인 관심이 고조되는 상황 속에서도 북한 사회에 대한 이해 수준이 높아지지 않는 이유도 여기에 있다. '남한식의 이해'가 북한 사회에 대한 '가장 객관적이고 보편타당한 인식'의 탈을 쓰게 되는 과정이 바로 그러한 것이다. 특히 북한은 그 사회에 대한 정보가 제한되어 있고 여러 가지 정치적 상황이 여전히 복잡하게 얽혀 있는 상황이기 때문에 '오해'의 가능성이 매우 높다. 정부 기관에 의해 독점된 정보가 북한 사회에 대한 접근을 여전히 '유추' 상태로 묶어두고 있고 50년 이상 지속된 분단과 이데올로기의 대립이 우리의 시각을 경직된 상태로 고착시키고 있기 때문이다.

우리에게 요구되는 과제는 북한 사회를 '얼마나 정확하게 인식하느냐'보다 '얼마나 타당하게 이해하느냐' 하는 데 있다. 북한 문화에 대한 접근에 앞서 '이질화'의 결과로 나타난 '다름'을 바라보는 '관점'에 대한 반성이 먼저 선행되어야 하는 것이다. 구전이야기 연행과 전승에 대한 북한의 현지조사 연구를 검토하는 과정에서 가장 먼저 제기되는 핵심적인 문제 역시 바로 여기에 뿌리를 두고 있다.

이제까지 북한의 구전이야기 조사 및 연구 과정에 관심을 기울인 남한 학자로는 최인학[1], 김화경[2], 이복규[3] 등이 있다. 최인학은 북한 설화가 가필과 첨삭 등의 개작으로 인해 연구자료로서의 효용성을 잃었다고 지적하였는데, 그의 논의는 해방 전에 임석재에 의해 조사된 '구전설화' 자료들을 대상으로 한 것이었다. 이에 비해 김화경은 1964년에 북한에서 발간된 『구전문학자료집(설화편)』을 기본 자료로 하고 고정옥과 장권표[4] 등 북한

1) 최인학, 「북한의 설화-30년대 북한의 설화자료 분석-『임석재전집-한국구전설화』를 중심으로」, 『구전설화연구』, 새문사, 1994, 99~113면.

2) 김화경, 『북한 설화의 연구』, 영남대학교 출판부, 1998 참조.

3) 이복규, 「북한 설화에 대하여-관련자료집의 현황과 연구 과제를 중심으로-」, 『한국문화연구』 4, 경희대학교 민속학연구소, 2001 참조.

4) 고정옥, 『조선구전문학연구』, 과학원출판사, 1962 참조.; 장권표, 『조선구전문학개요(고대~중세편)』, 사회과학출판사, 1990 참조.

구전문학 연구자들의 논의를 바탕으로 하여 북한 설화의 수집과 연구에 대한 구체적인 논의를 진행하였다. 또한 이복규는 선행 논의에서 연구 대상이 극히 일부에 제한되었던 사실을 지적하고 비교적 최근에 북한에서 발간된 설화집들을 논의 대상에 포함시키고자 하였다.

문제는 이들이 대부분 북한의 구전이야기 조사와 연구 태도의 '다름'을 열등한 것으로 인식하였다는 데 있다. 선행 연구자들은 북한의 구전이야기 연구자들의 과감한 개작과, 조사 및 채록 과정에서의 과도한 목적의식성 등을 근거로 이들의 조사 자료를 학술적으로 인정하기 어렵다는 태도를 취하고 있다. 그러나 북한의 구전이야기 연구자들은 남한 학자들이 지적하는 이야기의 '개작'을 현대에도 지속되는 이야기 전승의 한 형태로 파악하고 있다. 남북한 학자들 사이에 구전이야기 전승과 구전이야기의 개념, 연구 목적 등에 대한 인식이 서로 다른 것이다.

문제는 '이와 같은 차이를 어떻게 이해할 것인가'라는 데 있다. 이미 드러난 '차이'를 '없는 것'으로 치부하거나 '절대화'하지 않고 '차이' 자체를 '열등함'의 징표로 인식하지 않는 태도가 요구된다. 특히 수령과 당과 인민이 하나의 체계로 움직이며 이 체계의 핵심에 주체 사상이라는 커다란 뿌리가 놓여 있는, 북한 사회의 특수성을 이해할 때 북한의 구전이야기 조사·연구에 대한 이해는 북한 사회의 사상적·정치적 변화 및 북한 문예정책의 변화에 대한 이해를 전제로 하지 않을 수 없다. 특히 당 차원에서 제기된 주요한 문학 논쟁이나 민족 문화에 대한 당 정책, 혹은 교시의 변화를 세밀하게 살펴보아야 한다.

2

전쟁 이후 1953년부터 1956년 사이에 북한에서 전개된 문학 논쟁의 핵심 문제는 북한 문학의 혁명적 전통에 관한 것이었다. 1952년 임화, 김남천 등에 대한 비판으로 촉발되어 1953년에 무르익었던 논쟁의 핵심에는 '카프

문학의 전통을 어떻게 바라볼 것인가'라는 문제가 놓여 있었고 1956년을 전후로 해서 벌어진 기석복, 정률 등에 대한 비판과 숙청의 기저에는 카프 문학에 대한 문제뿐 아니라 '사회주의 리얼리즘의 발생 시기를 언제로 볼 것인가'라는 문제가 놓여 있었다.[5)]

두 가지 문제는 모두 맑스-레닌주의와 사회주의 사회의 보편성·일반적 특성 규정에서 벗어나 북한 사회의 사회역사적 특수성에 주목하고 문학사 등 북한의 제반 역사를 주체적인 시각에서 재정립하려는 일련의 시도와 연관되어 있다. 이 시기에 숙청된 이들은 모두 카프의 한계를 지적하고 북한 문학의 전통에서 카프를 배제하려고 했으며 카프 문학의 성과를 부정하고 해방 후에야 비로소 사회주의 리얼리즘 문학이 형성되었다고 보았다. 바로 이와 같은 주장이 조선 문학사의 특수성을 제대로 인식하지 못하는 사대적이고 교조적인 태도로 비판받았던 것이다.

그러므로 50년대 후반의 문학 논쟁은 북한 문학의 전통을 주체적으로 정립하려는 시도의 일환이었다. 맑스-레닌주의에 기초하면서도 북한 사회·역사의 특수성을 분명하게 내세우는 가운데 민족문학의 역사와 전통을 바로 세우기 위한 몸부림이었던 것이다. 이는 50년대 후반 소련과 중국의 내정 간섭을 받으면서 교조주의와 형식주의를 타파해야 한다는 김일성의 주장[6)]이 문학 분야에서 민족 문학의 주체성을 확립하려는 노력으로 나타났던

---

5) 김재용, 「북한 문학계의 '반종파 투쟁'과 카프 및 항일 혁명 문학」, 『북한 문학의 역사적 이해』, 문학과 지성사, 1994, 144~145면.

6) 김일성은 1955년 「사상사업에서 교조주의와 형식주의를 퇴치하고 주체를 확립할 데 대하여」라는 연설을 하였다.
"우리는 무엇을 하고 있습니까? 우리는 어떤 다른 나라의 혁명도 아닌 바로 조선혁명을 하고 있는 것입니다. 이 조선혁명이야말로 우리 당 사상사업의 주체입니다. -중략- 우리가 쏘련 공산당의 역사를 연구하는 것이나 중국혁명을 연구하는 것이나 맑스-레닌주의의 일반적 원리를 연구하는 것은 다 우리 혁명을 옳게 수행하기 위해서 하는 것입니다. -중략- 그러나 사상사업에서 주체가 똑똑히 서 있지 않기 때문에 교조주의와 형식주의의 과오를 범하게 되며 우리 혁명사업에 많은 해를 끼치게 됩니다. -중략- 조선혁명을 하기 위해서는 조선의 역사를 잘 알아야 하며 조선의 지리를 잘 알아야 하며 조선인민의 풍습을 잘 알아야 합니다. -중략- 쏘련에서 나온 사람은 쏘

것이라고 할 수 있다.

민족문학에 대한 관심은 이미 해방 직후 북한에서 당의 문화노선을 공식적으로 천명하는 과정에서 언급된 바 있다.[7] 그러나 박창옥이 당의 선전선동부장이 되어 프롤레타리아 국제주의에 입각한 '사회주의적 민족문학', 즉 소련을 중심으로 한 프롤레타리아 문학 일반의 보편성을 내세우면서 민족적 특수성에 대한 논의는 뒷전으로 밀려나고 말았다. 그런데 1955년 김일성이 교조주의와 형식주의를 비판한 것을 시작으로 56년과 58년에 걸쳐 박창옥을 중심으로 한 세력이 숙청되면서[8] 민족적 특수성에 대한 논의가 다시 강화되기 시작하였다.

이와 같은 분위기 속에서 60년대 중반까지 민족 문화의 일환으로서 고전문학에 대한 연구가 본격화되었는데, 그 초점은 민족 문화 유산의 조사 및 정리, 문학사 발전의 합법칙성 발견에 있었다. 그리하여 풍부한 고전 문학 작품들이 조사, 연구되기 시작했는데 그 중에서도 구전문학은 인민들이 직접 창작하고 향유한 문학이기에 더욱 주목을 받았다.

구전문학 자료 수집과 연구의 필요성이 당 차원에서 가장 먼저 제기된 것은 조선 로동당 제3차 대회에서였다. 이 대회가 있었던 1956년은 8월 종파사건으로 교조주의와 사대주의에 대한 비판이 공식적으로 제기되고 민족 전통 문화에 대한 관심이 고조되던 시기였다.

련식으로, 중국에서 나온 사람은 중국식으로 하자고 하였습니다." (임영태, 『북한 50년사』 제1권, 들녘, 1999, 312면.)

7) "본 상무위원회는 찬란한 민주주의 조선민족문화 수립을 위하여 조선민족의 우수한 문화적 전통을 존중하며 그것을 정당히 계승발전시키며 우리 민족의 고전 문학과 고전 예술을 비롯한 가치 있는 문화유산들에 대하여 보다 높은 관심을 가지고 연구하며 고상한 민족적 특성과 민족적 향기가 발향된 새롭고 우수한 민족 형식을 창조하라고 주장하며 당의 문화건설자에게 호소한다." (「북조선에 있어서의 민주주의의 민족문화에 관하여」, 북조선 로동당중앙상무위원회 편, 『결정집』(1946.9~1948. 3); 김재용, 「북한문학과 민족문제의 인식」, 『분단구조와 북한문학』, 소명출판, 2000, 77면에서 재인용.)

8) 박창옥, 최창익 등의 숙청은 '1956년 8월 종파 사건'으로 알려져 있다.

> 과학 일'군 특히 사회 과학 일'군들 앞에 중요하게 제기되는 과업의 하나는 선진 과학의 연구 사업과 아울러 우리 나라 과학 문화의 우수한 유산을 계승하여 일체 과학 연구 자료들을 수집 정리함으로써 장래의 찬란하고 건전한 과학 문화 발전을 위한 토대를 구축하는 사업입니다. 아직도 과학 일'군들에게 이 사업의 중요성이 철저하게 인식되지 못하고 있습니다. (조선 로동당 제3차 대회 주요 문헌집, 1956년, 조선 로동당 출판사, 102~103면.)[9]

구전문학의 여러 갈래 가운데서도 구전이야기가 특히 이러한 목적의식에 부합하는 것으로 집중적인 주목의 대상이 되었다. 고정옥의 『전설집』(국립출판사, 1956), 신래현의 『향토 전설집』(국립출판사, 1957), 계정희·류창선의 『평양의 전설』(국립문학예술저서출판사, 1958), 『우리나라의 옛 이야기』(아동도서출판사편, 1958) 등의 구전이야기 자료집이 이 시기에 발간되었다.

한룡옥은 이들 자료집에 대해, "3차 당대회 이후 인민 창작 수집 및 연구 계승 사업 분야에서 당의 정확한 령도 하에 그의 문예 로선을 관철시킨 결과 적지 않은 성과들이 이룩되었다"고 평가하면서 "수상 동지가 엄격하게 지적하신 바와 같이 '옛말이나 노래도 남의 것은 다 좋고 자기 것은 다 못 쓰겠다고 하는' 민족 허무주의적 태도나 '민요 그대로를 존속함으로써만이 민족 문화의 계승으로 생각하는' 복고주의적 편향들이 성과적으로 극복되었다"[10]고 그 성과를 긍정하였다.

그러나 고정옥은 이들 자료집을 하나하나 평가하면서 이러한 자료 수집이 아직 초보적인 수준에 머물러 있음을 비판하였다.[11] 그는 우선 자료 수

9) 고정옥, 『조선구전문학연구』, 과학원출판사, 1962, 76면.

10) 한룡옥, 「조선 로동당 제4차 대회의 결정을 높이 받들고 인민 창작의 수집 및 연구 계승 사업을 더욱 활발히 전개하자」, 『인민창작』 1961년 3호, 과학원 언어문학연구소, 1961, 2면.

11) 고정옥, 앞의 책, 70면.

집이 산발적으로 이루어졌음을 비판하면서 조직적이고 광범위한 자료 수집의 필요성을 역설하였다. 또한 이들 자료집이 각 자료들을 장르 구분 없이 제시하였고 아무런 해석 없이 자료를 무비판적으로 실어 봉건 시대의 지배 계급적 관점이 이야기를 이끌어가고 있으며 대중들이 이해하기 어려운 필치를 사용하였다는 점을 문제로 지적하였다. 그리하여 그는 크게 자료 수집과 문예학적 처리 방법의 측면에서 문제를 제기하였는데, 그 내용은 대규모 군중 운동으로서 조직적인 자료 수집을 시행하는 것과 구전문학에 대한 과학적이고 사(史)적인 이론을 수립하는 것이었다.

특히 그는 자료 수집을 위해서도 이론적인 작업이 선행되어야 함을 역설하면서 수집 정리 사업과 연구 사업이 분리될 수 없음을 강조하였다.[12] 고정옥의 이러한 인식은 개인적인 견해라기보다는 과학원 조선어문학연구소 문학연구실 내 성원들 사이의 조직적이고 집단적인 평가와 결의라고 보아야 할 것이다.[13] 이들이 마련한 원칙과 규범에 따라 1959년 전국에 수집 요강이 발송되었으며 각 지역민들의 도움과 연구자들의 현지조사에 힘입어 모아진 자료들이 1960년 6월에 계간지로 창간된 『인민창작』(후에 '구전문학'으로 개칭)을 통해 발표되었다.[14]

『인민창작』은 과학원 조선어문학연구소에서 편찬한 것으로, 1961년까지 1년에 3호씩 발간되었다. 1961년에 발간된 『인민창작』을 살펴보면 당시에 전국적인 범위로 조사한 구전이야기와 구전민요, 수수께끼와 속담 등을 '해방 후 인민가요, 해방 전 인민가요, 해방 전 이야기, 속담, 수수께끼'로 분류하여 65쪽 내외의 분량에 실어 놓고 있다. 구전이야기에 해당하는 '해방 전

12) 고정옥, 앞의 책, 78면.

13) 이 시기 문학 연구는 과학원 조선어문학연구소(현재 사회과학원 언어문학연구소) 문학연구실을 중심으로 조직적으로 이루어졌으며 그 연구 성과는 『조선어문』, 『조선문학』, 『문학신문』 등의 기관지를 통해 발표되었다. 구전 문학 자료의 수집과 연구는 『인민창작』이라는 기관지를 통해 발표되었다.

14) 사회과학원 문학연구소 구전문학연구실, 『구전문학자료집(설화편)』, 사회과학원출판사, 1964, 5면.

이야기'는 전설, 야담, 민담, 재담, 동화 등의 갈래로 나누어 제시하였으며 구술자와 수집가, 구술 지역을 반드시 기술하고 있다. 구술한 대로 정리한 형태는 아니나 특별한 변개 없이 서사적인 문맥을 가다듬는 수준에서 간결하게 자료를 제시하였다. 1961년에 발간된 『인민창작』 1-3호에는 '해방 전 이야기'가 각각 15편, 8편, 14편씩 실려 있다.

전국에 발송된 자료수집요강의 내용은 『인민창작』 1961년 1호 서문에 드러나 있는데, 고정옥이 누차 강조한 바 있는 과학적인 조사와 연구 태도가 고스란히 담겨 있다. 여기에서 고정옥은 제보자에 관한 제반 사항(성명, 성별, 연령, 직업, 성분, 지식 정도, 출생지, 현주소)과 자료의 역사, 채록자와 일시·장소 등을 명시할 것, 그리고 원문을 함부로 고치지 말고 구술한 그대로 적으며 필요한 주석을 달 것을 주의사항으로 제시하였다. 『인민창작』에 수록된 자료들을 살펴볼 때 이 원칙은 조사자들에 의해 충실히 이행되었던 것으로 보인다. 구술자와 수집·정리자가 따로 명시되어 있고 구술 지역이 함께 밝혀져 있을 뿐 아니라 개작의 흔적도 보이지 않기 때문이다.

고정옥이 강조한 엄밀하고 체계적인 조사와 문예미학적 합법칙성 발견을 위한 과학적 연구의 내용은 『조선구전문학연구』에도 잘 나타나 있다. 그는 여기에서 '인민창작'이라고 해서 절대화, 혹은 이상화해선 안 되며 구전문학 작품들을 인민창작의 권외로 배제해서도 안 된다는 사실을 여러 번 천명하였다. 그는 특히 김일성의 말을 인용하면서 구전문학에 내포된 봉건 시대의 잔재들을 올바르게 극복해야 한다고 말하였으며 '인민창작'을 절대화하거나 배척하는 태도 모두 과학적인 연구 태도가 아니라고 주장하였다.[15]

1961년에 간행된 『인민창작』에는, 고정옥의 「수상 동지의 11월 27일 교시를 받들고」[16]와 한룡옥의 「조선 로동당 제4차 대회의 결정을 높이 받들고 인민 창작의 수집 및 연구 계승 사업을 더욱 활발히 전개하자」라는 글이

15) 고정옥, 앞의 책, 7~22면 참조.

16) 과학원 조선어문학연구소, 『인민창작』 1961년 제1호, 과학원 출판사, 1961, 3~9면.

실려 있는데, 이 글들을 통해 60년대 초에 다시 구전문학 자료 수집과 연구 과제가 당 핵심 지도부의 교시와 당 정책을 통해 새롭게 제기, 강조되고 있음을 확인할 수 있다. 특히 조선로동당 제4차 대회에서 7개년 계획이 제안되면서 기술 혁명과 함께 문화 혁명의 과업이 강조되었으며, 김일성이 직접 '당의 혁명 전통과 민족 문화의 유산들을 전면적으로 연구'해야 하는 문학연구자들의 사명을 제기하였다.17)

1963년에 계급 교양 사업을 더욱 강화할 것을 조선로동당 정치위원회가 결정하면서 사회과학원 문학연구소 구전문학연구실의 젊은 일꾼들이 기존에 정리된 자료를 다듬고 새롭게 수집한 자료를 함께 묶어 총서 형식의 단행본으로 묶을 것을 계획하였다. 그리하여 그 첫 번째 성과로 1964년 『구전문학자료집(설화편)』이 간행되었다.

최중배·현두천이 편찬한 『구전문학자료집(설화편)』은 자료 수집 과정과 원칙을 상세하게 제시하고 있으나 제보자, 수집가에 대한 정보는 싣고 있지 않다. 공동 작업의 산물로, 기존에 소개된 자료가 다소 섞여 있으나 대부분 새로 조사한 자료임을 강조하고 있다. 전설 25편, 민담 28편, 동화 및 우화 15편이 실려 있다.

『구전문학자료집(설화편)』은 출판사와 문학연구실의 서문을 참고할 때, 단지 교양적 가치만을 위해 출간된 자료가 아니다. 구전문학 연구자들이 구전문학 자료를 통해 사회 생활과 문화 및 예술사에서 인민의 역할을 인식하고 그것의 다양한 예술적 형식과 독특한 창조 수법 등을 연구할 수 있도록 하기 위한 연구 자료로서의 성격을 아울러 지니고 있는 것이다. 그리하여 '과학적 자료로서 연구 가치가 있는 자료들을 선별하였으며 작품 연구에 기여하기 위하여 새로 발굴된 작품들을 중심으로 편집하였음'을 밝히고 있으며, 동시에 '과학적 자료로서의 면모를 갖추기 위해 구체적인 인물과 지방에 관해 전달하고 있는 작품들을 묶고 변종 가운데 사상 예술적으로 우수한

17) 한룡옥, 앞의 글, 3~4면.

작품들을 가려냈으며 문맥이나 표현상 어색한 부분에 약간의 가필을 하면서도 될 수 있는 대로 원자료를 그대로 보존하려 했음'을 서문에서 제시하고 있다.

『구전문학자료집(설화편)』은 당 직속 기관에서 작업하여 사회과학원에서 출판한 데 반해 같은 해 출간된 리영규・우봉준의 『옛말』 1-2집과, 홍기문의 『낙랑벌의 사냥-실화와 전설』은 좀더 대중적인 성격이 강한 자료집으로 조선문학예술총동맹에서 출판하였다. 『옛말』은 구전 옛말을 집대성할 계획 아래 강효순, 김도빈, 김상훈, 리영규, 림금단, 박인범, 석일해, 우봉준, 원웅건, 최명익 등이 '집필(가필, 혹은 윤색을 지칭)'에 참가했음을 밝히고 있으며, 제보자나 수집가에 대한 소개가 없다. 『낙랑벌의 사냥-실화와 전설』은 대부분 야담에 수록되어 있던 자료를 정리한 것이며, 뒤에 수록된 몇 작품만 구전되는 이야기를 직접 조사한 것이다. 이 두 자료집은 본격적인 현지조사의 성과물이라기보다 기존에 이미 조사되거나 기록된 자료들을 재구성하거나 '다시 쓰기'한 자료들이라고 할 수 있다.

60년대 초 북한의 구전이야기 현지조사연구는 앞에서 언급한 여러 자료들을 살펴볼 때 이미 상당한 수준에 이른 것이었다. 현지조사의 원칙과 방도, 목적 등이 학문적 논의를 통해 확정되어 전국적인 범위의 자료 수집에 활용되었을 뿐 아니라, 이 과정에서 구전이야기의 본질적 특성과 가치, 구전이야기의 명칭과 갈래, 문예학적 연구 과제들이 구체적으로 논의되었다. 자료에 대한 해석과 평가, 자료를 바라보는 과학적인 시각, 그리고 그 시각에 의한 자료의 선별과 정리 등을 강조함으로써 구전이야기 수집과 정리의 원칙을 마련하였으며 과학적이고 역사적인 연구 태도를 강조하여 구전이야기의 본질적 특성, 각 변종들 사이의 관계, 구전이야기에 대한 역사적 연구 방법 등을 구체적으로 제시하였다.

> 동일한 사상 주제적 기초 우에 여러 변종 또는 변형들이 발생하는데 변종은 력사적으로도 지리적으로도 발생하며 또 전승의 매개 모멘트에서 개별적으로

> 도 발생한다. 즉 시간적 공적 내지 종적 횡적으로 매개 작품이 전승 전파되는 과정에서 변종들이 생길 뿐만 아니라 개인적 스찔로서도 변종은 존재한다. 력사적 변종들은 때로는 구전 작품 호상 간에서도 인정되나 매개 력사적 단계의 문헌에 정착된 작품들의 비교에 의해서 더욱 선명하게 포착되며 특히 문헌에 정착된 작품들과 구전 작품들과의 대비의 방법이 가장 명확한 표상들을 준다. 력사적 변종들은 매 단계의 사회－경제적 조건들 및 문화－예술적 환경에서 매개 작품이 어떻게 발전 또는 변형되고 있는가를 보여준다.[18]

또한 고정옥을 비롯한 북한의 구전문학 연구자들은 이 시기부터 구전문학의 본질적 특성을 인민성, 집체성, 구두성, 가변성, 무명성으로 규정하고 이 가운데 집체성이 가장 본질적인 것이며 구두성은 필연적인 본성이 아니라고 주장하고 있다. 그들에 따르면 구두성은 때로 결여될 수 있으며 어떤 경우에는 작품이 한 번 만들어진 후 변경되지 않을 수도 있을 뿐 아니라 작가의 이름이 알려져 있을 수도 있다고 한다.[19]

이들이 구전성을 본질적 특성으로 보지 않는 이유는 문자 문화가 정착되고 문자와 인쇄물에 의한 교육이 보편화된 현대에도 구전문학의 전승이 지속되고 있음을 주장하려는 데 있다. 그들은 조선 시대 패설 작가들과 마찬가지로 구전문학 작품을 문헌에 정착시키는 작가들도 전승자들의 일부이며 문헌에 정착된 자료 역시 구전으로만 전해지는 자료와 함께 새로운 전승 흐름을 형성하면서 공존한다고 생각하였다. '구전문학'이라는 용어보다 '인민창작'이라는 용어를 더 선호하는 이유도 여기에 있다.

구전문학의 문예학적 연구 과제에 대해서도 첫째, 문헌 및 문서들에 보존되어 있는 작품들과 현대 구전 작품들을 대조하면서 동일한 원형에서 출발한 여러 작품들이 역사적으로 어떻게 발전해 왔는가를 살펴보고-이를 위

---

18) 고정옥, 앞의 책, 32면.
19) 고정옥, 앞의 책, 52면.

해 원형을 찾아내고 변종들을 종합하는 과정이 필요하다.- 둘째, 여러 민속학적 자료들을 참고로 하여 종합적인 연구를 시행해야 하며 셋째, 한 작품에 대한 모든 역사적 지리적 변종들 가운데서 사상적으로 가장 선진적이며 예술적으로 가장 걸출한 것을 가려내어 다른 변종들에만 있는 성과들을 첨부함으로써 완벽한 하나의 새로운 작품을 구성할 것을 주장하고 있다.[20]

또한 구전이야기의 갈래에 대해서도 이를 신화, 전설, 민담, 동화, 우화로 구분하고 재담, 야담, 사화 등을 덧붙여 설명하고 있는데 이러한 갈래 구분은 1990년대의 여러 연구 성과에서도 그대로 계승되고 있다. 이처럼 이 시기 구전문학 작품의 수집과 연구는 이후 1990년대까지의 자료 수집 및 연구 성과를 꿰뚫는 원칙과 전통을 마련하는 것이었다. 90년대의 많은 성과들이 이 시기에 마련된 원칙과 전형들을 따르고 있으며 연구 성과 역시 큰 틀에서는 이 시기의 논의 수준을 뛰어넘지 못하고 있다.

그러나 60년대 초중반 북한에서 진행된 구전이야기 수집은 본격적인 현지조사연구의 문제의식에서 출발한 것이 아니었다. 자료 수집에 일차적인 목적이 있었기에 자료의 양적인 축적에 집중하였으며 구전이야기의 연구 성과 역시 현지조사에 기반한 것이 아니었다. 또한 연구자가 현장에 직접 참여하여 조사, 연구하기보다는 서면이나 매개자를 통한 자료 수집에 의존하였으며, 이러한 자료 수집마저도 60년대 후반 이후에는 거의 중단되다시피 하였다.

또한 구전이야기의 '구전성'이나 '연행'에 대한 문제의식이 현장에서의 경험을 통해 심화되지 못한 채 관념적으로 인식되었으며 구전이야기의 '다시쓰기' 역시 철저한 비판의식 아래 재검토되지 못한 상태로 일정한 틀에 따라 반복적으로 답습되었다. 더구나 구전이야기 '선별'과 '다시쓰기'의 기준이 되었던 '과학적이고 역사적인 연구 방법'은 현장과의 교섭을 통해 비판적으로 검토되거나 재구성되는 일 없이 학문적 담론으로서 확고하게 부동의 지

20) 고정옥, 앞의 책, 65면.

위를 고수하였다.

이러한 문제들은 당 지도 아래 전문연구자 집단의 조직적인 활동으로 이루어진 현지조사가 도달할 수밖에 없는 필연적인 도착 지점이었다. 구전이야기는 사실상 다른 어떤 구전문학 갈래보다도 헤게모니 도구로서 활용될 수 있는 가능성과 효용성이 높다. 더구나 60년대 북한에서 이루어진 구전이야기 조사는 정치적이고 이념적인 차원에서 먼저 제기된 것이었으며 중앙 당의 영향권 아래 있는 조직과 집단에 의해 체계적으로 주도된 것이었기에 현지조사의 목적 자체가 다분히 정치적이고 이데올로기적일 수밖에 없었다.

그럼에도 불구하고 이 시기 북한의 구전이야기 현지조사연구는 주목할 만한 몇 가지 성과들을 보여주었다. 우선 현지조사의 대상과 원칙·시각·목적과 초점 등을 학문적 논의 대상으로 삼아 현지조사의 체계화를 시도하였으며 제한된 형태이기는 하나 전국 단위를 포괄하는 자료 수집을 시도하였다는 점을 들 수 있다. 또한 일제강점기부터 구전문학 연구에 몰두했던 몇몇 학자들의 연구 활동을 통해 이전 시기의 학문적 성과와 연구 역량이 일정 부분 계승되었으며, 부분적이나마 당시 소련 구전문학 연구의 학문적 흐름과 교유했다는 점 등을 들 수 있다.

그러나 1967년 이후 북한 사회 내부의 사회정치적 상황의 변화와 함께 구전이야기를 비롯한 구전문학 전반에 대한 연구 활동은 소강 상태에 빠져들었다. 1980년대 '우리 민족 제일주의'가 주창되면서 민족 문화에 대한 관심 고조와 함께 다시 구전이야기 자료집들이 발간되기 시작했으나 학문적 관심에서 비롯된 것이라기보다 관광 사업 등의 부수적인 목적을 위해 시작된 일이었다. 더구나 이들 자료집에 수록된 이야기들은 이미 60년대 조사되었던 것들을 '다시쓰기'한 것이 대부분이었다. 따라서 구전이야기에 대한 북한의 현지조사연구는 60년대 후반을 기점으로 거의 정체된 상태에 있다고 해도 과언이 아닐 것이다.

그러하기에 60년대 초중반의 연구 성과들은 더욱 소중한 가치를 지니고 있다. 남한에서 전국적인 규모의 체계적인 현지조사연구가 70년대 후반에 와서야 비로소 시작되었다는 점을 상기할 때 여러 가지 한계에도 불구하고 이 시기에 북한에서 일구어낸 구전이야기 현지조사연구의 성과는 결코 쉽게 간과할 수 없는 여러 가지 의미를 내포하고 있다. 다른 무엇보다도, 단절되고 이질화된 것이기는 하지만 북한에서의 조사 활동을 통해 구전이야기 현지조사의 맥이 끊어지지 않은 채 지속되었다는 점이 중요하다. 또한 남북한 사이에 어떤 학문적 교류가 없었는데도, 북한에서 구전이야기에 대한 현지조사와 연구가 거의 중단되다시피 했던 1970년대에 남한에서 오히려 그 흐름을 이어받았다는 사실은 우연인지 필연인지 가늠하기 어려운 경이로운 대목이다. 남북은 정치적으로 상반된 길을 가면서도 서로 다른 각자의 방식으로 단절된 전통의 실마리를 찾아나갔던 것이다.

3

북한 사회 연구자들은 북한 사회가 1967년 무렵을 기점으로 커다란 변화를 겪었다고 진술하고 있다.[21] 이 무렵 북한은 대외적으로 중소분쟁, 조소·조중 갈등을 거치면서 소련이나 중국 등 다른 사회주의 국가와는 차별화된 사회주의 국가 건설의 길을 본격적으로 걷기 시작했으며 대내적으로는 여러 번의 반종파 투쟁을 거쳐 김일성이 북한 내 권력을 확실하게 장악하기 시작하였다.

북한 사회의 이러한 변화는 단순한 외교 관계의 변화나 권력 투쟁만을 의미하는 것이 아니라 통치 이데올로기의 변화 과정을 의미하는 것이었다.

21) 1967년에 일어난 북한 사회의 변화는 김일성 개인 숭배의 전면화, 유일사상체계의 확립 등으로 요약될 수 있다. 물론 1967년을 기점으로 사회 변화가 정확하게 구분된다기보다는 그 전후로 북한 사회 내에 큰 변화의 흐름이 있었다는 정도로 이해하는 것이 좋겠다. 다만 1967년에 몇 가지 뚜렷한 변화의 징표가 될 만한 사건들이 일어났기 때문에 그 해를 분기점으로 삼는 것일 따름이다. (이종석, 앞의 책; 임영태, 『민족화해와 협력의 시대에 읽는 북한 50년사 1·2』, 들녘, 1999 참조.)

'사상에서의 주체, 정치에서의 자주, 경제에서의 자립, 국방에서의 자위'라는 명제로만 표현되었던 주체 담론이 철학적 원리·사회역사적 원리인 동시에 사회 전체의 지도 원칙이 되는 하나의 사상으로 자리잡기 시작했던 것이다.[22] 특히 1970년대에는 주체사상의 사회역사적 지도 원리로서의 성격이 강화되어 유일체제 합리화의 틀로서 혁명적 수령관이 제창되고 주체사관이 확립되기에 이르렀다.

주체사상의 확립과 체계화는 필연적으로 북한 사회 내부의 경직화를 불러일으킬 수밖에 없었다. 수 차례의 이데올로기 논쟁과 그로 인한 정치적 숙청의 반복은 김일성에 의해 표명되었던 주체 담론이 권력화하는 과정에 다름 아니었기에, 이는 곧 67년 이전에 존재했던 다양한 이념적 스펙트럼을 무화하는 동시에 자발적인 이념 논쟁을 차단하는 결과를 초래하였다. 이에 따라 이데올로기 논쟁의 핵심에 서 있던 문학 분야의 논쟁 역시 권력화된 단선적인 의사소통 구조 밑으로 가라앉을 수밖에 없었다. 문학의 상대적 자율성은 거의 무너지고 그야말로 당의 정책과 수령의 교시만이 문학의 현재와 나아갈 길을 밝혀주기에 이르렀던 것이다.

구전이야기를 비롯한 구전문학에 대한 논의 역시 1967년 전후를 기점으로 급격하게 쇠퇴하였다. 1960년대 중반까지는 민족 문화에 대한 부정적 인식이 표면화되지 않았다. 1961년에 발족한 북한의 조선문학예술총동맹의 규약에서도 '유구한 역사를 통하여 발전한 진보적인 민족 문화 유산의 계승'을 천명했으며[23] 역사학계나 국문학계를 중심으로 우리 민족의 역사적 뿌리와 문화적 전통에 대한 연구가 활발하게 이루어졌다. 『력사과학』, 『고고민속』, 『조선어문』 등의 기관지가 활발하게 간행되었으며 조선시대 실

22) 이종석은 이에 대해 1967년 이전에는 주체사상이 '북한 사회주의 발전전략적 차원에서 제시된 공동체 전체의 생존을 위한 담론'이었던 데 비해 그 이후로는 '유일체제 구축을 위한 지배권력의 통치담론'적 성격을 띠게 되었다고 분석하였다. (이종석, 앞의 책, 52~53면 참조.)

23) 김재용, 『북한 문학의 역사적 이해』, 문학과 지성사, 1994, 157면.

학자들에 대한 연구나 조선의 민속, 구전문화 등에 대한 자료 수집과 연구가 당의 정책적 뒷받침 아래 조직적으로 광범위하게 이루어졌다.

1966년 초부터 조중 갈등이 심화되어 북한이 모택동사상에 대항하는 '사회주의적 애국주의'를 내세우기 시작하면서 민족 문화에 대한 관심은 오히려 폭발적으로 고조되었다. '사회주의적 애국주의' 교양의 핵심에 민족 문화유산이 자리잡고 있었기 때문이다. 당 사상간부들은 민족의 자랑스러운 역사와 문화유산을 내세우면서 다양한 혁명 전통과 실학파 등 역사적 인물들로부터 국가 생존 발전을 위한 교훈을 얻고자 했으며, 항일빨치산 회상기 학습의 빈도가 대폭 줄어들고 그 혁명전통을 강조하는 분위기가 사그라들 정도로 민족 문화를 내세우는 분위기가 고조되었다.[24)]

그러나 민족 문화를 강조하는 흐름에는 일정한 모순이 존재했다. 무엇보다 민족 문화 유산에 대한 지나친 강조는, 유일체제 확립을 위해 유일한 지도자로서 김일성의 이미지를 더욱 강화하고 항일 혁명기의 전통을 강력하게 내세우려는 당시 핵심 권력층의 의도와는 배치되는 것이었다. 또한 사회주의권 내부에서 일고 있던 수정주의 비판의 흐름으로 인해 북한 사회 내부에서도 정통 맑시즘에 입각한 사회주의 사상 정립의 요구가 강력하게 대두되었는데 민족 문화 유산 가운데 봉건 시대의 잔재가 많다는 사실이 문제가 되었다. 더구나 1967년 초부터는 문화혁명을 주도하는 홍위병들이 공개적으로 김일성을 수정주의자로 비판하기 시작하면서 조중갈등이 더욱 심화되었다. 당시는 사회주의 국가의 공산당들이 모두 '누가 더 정통 맑스-레닌주의자인가'라는 사상적 선명성의 문제를 놓고 경쟁하는 상황이었기에 홍위병들의 이러한 비판은 김일성을 비롯한 북한 사회 지도층을 더욱 긴장시키는 사건일 수밖에 없었다.

이러한 배경 속에서 1967년부터 당내 대대적인 숙청과 함께 김일성에 대한 개인숭배가 전면화되고 유일사상체제가 확고하게 자리를 잡아가기 시

24) 이종석, 앞의 책, 215면.

작하였다. 1967년의 숙청은 사상문화 부분에 집중된 것이었는데 일관되게 김일성을 지지해온 박금철 등이 부르주아 사상, 수정주의사상, 봉건유교사상, 교조주의, 사대주의, 종파주의, 지방주의, 가족주의 조장 등을 이유로 숙청당했다. 주목할 것은 숙청 이유가 봉건적 유산을 정책교양에 활용한 데 있었다－예를 들어 박금철이 『목민심서』 탐독을 권유한 것이 숙청 이유 중 하나였다－는 사실이다.[25]

수정주의 비판에 대한 대항과 김일성 중심의 유일 체제 확립이라는 내외적 과제에 직면해 있던 당시 북한 권력층이 사상적 측면, 특히 문학예술 분야의 사상성 검증에 몰두하면서 민족 문화 유산의 봉건적 잔재를 비판하는 작업이 본격화되었던 것이다.

가장 먼저 실학에 대한 비판이 제기되었으며 그동안 활발하게 진행되어왔던 민족 문화 전통에 대한 조사와 연구가 사실상 금지되었다. 민족적 자긍심과 사회주의적 애국주의를 고양하기 위해서 대대적으로 전개해왔던 실학사상가들과 의병장 그리고 이순신, 강감찬과 같은 전쟁영웅들에 대한 선전이 사실상 금지되었으며 『력사과학』, 『고고민속』 등의 잡지가 정간되었다. 이와 같은 민족주의적 정향성의 급격한 반감은 1966년 8월 『로동신문』에 13회나 실렸던 전통문화유산과 역사적 인물에 대한 기사가 1968년에는 1년 동안 단 한 번도 실리지 않았다는 사실에서도 확인할 수 있다.[26] 유일체제가 확립되고 수령의 권력과 카리스마가 강화되는 동안 민족 전통 문화는 극복해야 할 봉건 시대의 유물이 되고 말았던 것이다.

김일성 중심의 유일 체제가 점차 확고해지고 주체사상이 사회지도원리로 그 지위를 분명하게 확보하기 시작하면서 과거 민족 문화 유산이 담당했던 사상교양적 기능을 항일혁명기의 문학 전통이 대체하게 되었다. 이에 따라 1959년경부터 조직적이고 광범위하게 전개되었던 구전 문화 유산에 대한

25) 이종석, 앞의 책; 임영태, 앞의 책 참조.
26) 이종석, 앞의 책 참조.

조사와 연구 역시 1967년 이후에는 나타나지 않으며 현재 남한에서 확인할 수 있는 한에서는 1970년대를 거치는 동안 단 한 권의 구전이야기 자료집도 발견되지 않는다.

그러나 김정일이 후계자로서의 지위를 확고히 하고 사상적으로나 정치적으로 자신의 입지를 강화하면서 1986년 '우리 민족 제일주의'를 주창한 이후에는 민족 전통 문화에 대한 관심이 다시 폭발적으로 고조되었다. '민족 제일주의'를 하나의 사회 통합 원리로 내세우기 시작했던 것이다. 고고학계에서는 우리 민족의 기원을 앞당기기 위한 연구가 진행되었으며 역사학계에서는 단군릉 발굴이나 『실록』을 비롯한 각종 문헌의 번역 사업이 활발하게 이루어졌다.

대내적으로 우리 민족의 우수성과 북한식 사회주의 국가 건설에 대한 자부심을 고취하고 민족적 특성에 대한 사상적 인식을 드높이기 위해, 그리고 대외적으로는 사회주의권의 위기와 붕괴 속에서도 여전히 사회주의 국가로서 존속하고 있는 북한 사회의 특수성을 널리 알리고 또 그 사회 체제의 우수성을 선전하기 위해 민족 문화 유산이 동원되기에 이르렀던 것이다. 특히 구전문화 유산은 각 지역의 산천, 명소에 얽힌 전설을 포괄하고 있어 문화 관광 사업에도 널리 활용될 수 있었으며 민족을 위기에서 구한 수많은 인민 영웅들의 이야기는 사회주의적 애국주의를 교양하기 위한 사상교양 자료로도 널리 활용될 수 있었다. 과거 지방주의와 봉건 잔재를 유포하는 혐의로 배척되었던 민족 문화 유산들이 사실상 같은 이유로 복권되었던 것이다.

이에 따라 80년대에는 『백두산전설』(근로단체출판사편, 1981), 『묘향산의 력사와 문화』(과학백과사전출판사편, 1983), 『금강산의 역사와 문화』(사회과학원 역사연구소, 과학백과사전출판사, 1984), 『백두산전설집』(김우경, 문예출판사, 1987) 등 관광 명소로 알려진 북한의 주요 산에 전해오는 전설들을 엮은 자료집이 주로 출간되었다. 이들 자료집의 내용으로 미루어 짐작하건대 이 시기에 전국 규모의 조직적인 현지조사가 수행되었던 것 같지는 않다. 60년대 조사하여 채록한 자료들을 '다시쓰기'한 이야기들이 대부분이며 『금강산의 역사와 문화』처럼 지역에 연관된 역사적 사실과 전설을 함께 수록하여 종합적인 인문지리 안내서의 성격을 띤 자료들이 많다. 같은 시기에 대중 교양 서적으로 출간된 『재미나는 옛이야기』 1-3(사회과학원 주체문학연구소 문학사실, 근로단체출판사, 1986)도 현지조사를 통해 새롭게 수집한 이야기들이 아닌, 기존에 수집한 이야기들을 재구성하여 엮은 책이다.

이렇게 볼 때 80년대 이후에 출간된 구전이야기 자료집들은 대부분 기존에 수집한 이야기들을 '다시쓰기'한 것들이다. 이 시기 구전이야기 현지조사의 흔적을 보여주는 것은 김정설의 『조선구전문학자료집(평양전설)』(사회과학출판사, 1989, 뒤에 『평양전설』(1990)로 재출간)이다. 64편의 전설과 야담, 34편의 봉이 김선달 이야기가 실려 있으며 대부분 평양의 명소나 지명, 자연의 유래를 설명하는 이야기이거나, 외적을 무찌르는 이야기, 지배계급에 저항하는 이야기들이다. 주로 전설을 싣고 있으며 연행자나 연행 장소 등을 전혀 기록하지 않았는데 이것은 80년대 후반 이후 나타난 자료집들의 공통적인 특징이다.[27]

김정설은 이 책의 서문[28]에서 자신이 정리한 자료들을 주제별로 분류하고 특정 유형의 작품들을 논평하고 있다. 그는 평양 지역에서 수집한 구전설화들을 주제에 따라 평양의 유구성을 반영한 전설, 반침략 투쟁을 반영한 전설, 반봉건투쟁을 반영한 전설, 우수한 문화를 반영한 전설, 고상한 도덕품성과 생활세태를 반영한 전설, 아름다운 산천을 반영한 전설로 분류하고 있다. 또한 그는 봉이 김선달에 대해 '대상의 취약성과 부패성을 폭로하고 조소하는 것'이 그의 기질이라고 언급하고 있으며 당시 인민들이 이러한 기

27) 그러나 이 자료집에 수록된 이야기들은 이후에 출간된 자료집의 이야기들에 비해 비교적 서사적 윤색의 정도가 강하지 않다. 단 외적을 무찌르는 민족적 영웅을 형상화한 이야기나 지배계급에 저항한 민중의 이야기를 형상화한 이야기의 경우 부연이 많고 서사적인 윤색의 정도도 강하다.

28) 김정설, 『평양전설』, 사회과학원출판사, 1990, 4면.

질을 빌려 자기들을 억압·착취하는 봉건사회의 왕으로부터 봉건관료배, 량반귀족, 지주, 장사군 등에 이르기까지 그들이 행하는 착취의 악랄성과 포악성, 부패성과 비열성을 풍자하고 조소하면서 폭로하였다고 주장하였다.

이 자료집은 이전 시기 구전이야기 수집의 전통을 이으면서, 많은 구전설화집이 발간된 90년대를 여는 중요한 마디 역할을 하고 있다. 무엇보다 책의 표제가 『조선구전문학자료집(평양전설)』이라고 하여 앞선 시기 『구전문학자료집』의 전통을 잇고 있음을 은연중에 드러내고 있으며 지역별 설화집 간행이 시작되었음을 암시하고 있다. 또한 김정설이 자료를 편찬한 것으로 제시되고 있는데 저자나 수집자로는 제시되지 않은 것으로 보아 김정설의 책임 하에 공동 작업으로 자료가 수집, 정리되었다는 사실을 알 수 있다. 특히 김정설은 이 자료집의 내용을 바탕으로 이후에도 여러 차례 평양지역의 구전이야기들을 소개하고 있다. 그는 평양 지역 구전이야기의 전문가라고 할 수 있는데 이후에 간행되는 여러 지역 설화집들을 살펴볼 때 각 지역별 구전이야기 전문가들이 존재했음을 알 수 있다.[29]

김정설은 『구전문학자료집』 간행을 위한 현지조사 성과를 토대로 다시 두 권의 자료집을 더 간행하였다. 『봉이 김선달 전설』(사회과학출판사, 1992)은 일부 자료를 추려내어 재간행한 것이며 『을밀대의 소나무』(문예출판사, 1990)는 몇몇 이야기를 선별하여 노동자들을 위한 소책자의 형태로 다시 간행한 것이다. 오희복의 『저절로 끓는 밥가마』(문예출판사, 1991) 역시 노동자들을 대상으로 한 소책자의 형태로 발간되었는데 이들 자료집은 모두 구전이야기를 대중교양에 활용하고자 한 김정일의 다음과 같은 교시에 따른 것임을 짐작할 수 있다.

> 우리는 과거의 문학예술 작품들 가운데서 저속하고 비과학적인 것은 버리고

---

29) 이 책을 심사한 박사는 정홍교이며 준박사는 장권표인데 이 가운데 장권표는 『조선구전문학개요(고대~중세편)』(평양: 사회과학출판사, 1990)를 저술한 구전문학 연구자이다.

> 진정으로 인민적인 것은 계승발전시켜야 합니다. 그러자면 인민들 속에 파묻혀 있는 이야기와 전설, 고전문학작품을 더 많이 발굴하여 번역하거나 윤색하여 출판하여야 합니다.[30)]

90년대 중반까지 이와 같은 목적의식에 따라 여러 자료집이 간행되었다. 리용준의 『구전문학자료집(금강산전설)』(사회과학출판사, 1990, 『금강산전설』(1991)로 재간행), 장동일의 『칠보산전설』(문학예술종합출판사, 1994), 『백두산의 옛 전설집(1)』(권택무외 수집, 문학예술종합출판사, 1994), 『구월산전설』 1-2(리학남외 수집, 문학예술종합출판사, 1994) 등이 그것이다.[31)] 이들 자료집에 실린 이야기는 반제·반봉건 의식 및 인민적 품성을 강조하는 것들이 대부분이며 그 나머지는 해당 지역의 명승지를 소개하고 안내하는 데 목적을 두고 있다. 이들 자료집에 실린 이야기들은 대부분 전설이며 서사적 윤색의 정도가 강한데, 민족적 영웅의 전형성이 강화되는 방향으로 이야기를 '다시 쓰고' 있다.

주목할 것은 이들 자료집 대부분이 '수집자'를 밝히고 있다는 사실이다. 리용준, 장동일 등이 수집한 이야기는 모두 특정 지역-대부분 북한 지역의 주요 산-에 얽힌 전설들인데 구전이야기 연구자들을 지역별로 안배하여 현지조사를 수행한 것으로 보인다. 따라서 이들 '수집자'는 해당 지역의 구전이야기 전문연구자라고 할 수 있다.

'수집자'를 명기한 것과 달리 연행자에 대한 언급은 전혀 찾을 길이 없다. 연행자의 성명이나 연행 일시, 연행 장소 등 기본적인 사항조차 기록하지

30) 최옥희, 『고전문예작품사화집』, 예술교육출판사, 1991, 3면.

31) 이외에도 다음과 같은 자료집들이 발간되었는데 모두 이전에 수집한 자료들을 다시 편집하거나 재구성한 것들이다.
리용준, 『명소에 깃든 전설(금강산)』, 과학백과사전종합출판사, 1995.
김정설외, 『명소에 깃든 전설(평양)』, 과학백과사전종합출판사, 1995.
박현균편, 『조선사화전설집』 1-14, 문학예술종합출판사, 1990~1998.
박찬수, 『백두산여장수전설집』 2, 문예출판사, 1998.

않은 것으로 보아 이 시기 현지조사에서는 연행 조건이나 연행 상황 등을 전혀 고려하지 않았음을 짐작할 수 있다. 애초에 구전이야기 현지조사의 관점이 아니라 대중교양물을 만들기 위한 자료 수집 차원에서 조사가 이루어졌던 것이다.

80년대 이후 출판된 구전이야기 자료집들의 간행 목적은 현지조사를 통한 구전이야기 자료 수집이나 현지조사연구를 비롯한 구전이야기 연구 자체에 있었던 것이 아니라, 대중 교양을 위한 자료 만들기에 있었다. 따라서 구전이야기 연구자들의 관심은 구전이야기의 연행과 전승을 관찰하고 조사하여 이를 분석하고 정리하는 데 있지 않았다. 이들의 관심은 이야기의 개괄적인 내용을 파악하여 이를 민족의식과 계급의식이 투철한 전형적인 인민 영웅의 이야기로 '다시 쓰는' 데 있을 뿐이었다. 따라서 조사에 참여한 연구자들의 관심은 이야기의 내용과 주제를 인민 전형의 틀에 따라 파악하고 이를 다시 더욱 풍부한 서사로 재창작하는 데 집중되었다.

구전이야기 '다시쓰기'는 민족적 영웅, 인민 영웅의 전형을 창출하는 데 초점을 두는[32] 동시에 민족적 특수성을 부각시키는 데 주력하였다. '우리 민족 제일주의'의 주창과 함께 사회 내적으로는 북한식 사회주의 건설에 대한 자긍심과 주체사상에 대한 사상교양 수준을 드높이고 외적으로는 북한 사회와 전통 문화 유산을 외국인들에게 소개하고 과시하기 위해 구전이야기 자료를 적극적으로 활용하기에 이른 것이다.

주요 지역의 지형 및 인물과 연관된 전설이 주된 관심의 대상이 된 것도 같은 이유에서였다. 전설의 역사성과 지역성이 구전이야기 활용 목적에 정확하게 부합했던 것이다. 장권표의 『조선구전문학개요(고대~중세편)』(사회과학출판사, 1990)나[33] 오희복의 「구전설화작품들의 형태적 특성에 대

32) 1993년 리창유는 「우리식 문학건설에서 고전문학이 노는 중요역할」이라는 논문에서 '주체의 문예리론'의 핵심은 '사회주의적 내용과 민족적 형식을 결합'하는 것이며 이를 위해 '내용과 형식의 모든 요소에서 민족적 특성을 적극적으로 살려나가야 한다'고 주장하였다. (리창유, 「우리식 문학 건설에서 고전문학이 노는 중요 역할」, 『조선고전문학연구(1)』, 문학예술종합출판사, 1993, 4~7면.)

한 간단한 고찰」(『조선고전문학연구(1)』, 문학예술종합출판사, 1993)에서 구전문학의 여러 갈래 가운데 전설을 특화하여 논의한 것이나 80년대 이후 발간된 자료집에 수록된 이야기들이 대부분 전설이라는 사실 역시 같은 맥락에서 이해할 수 있다.

북한의 구전이야기 연구자들이 '연행'에 주목하지 않는 것이나 구전이야기 '다시쓰기'에 주력한 것은, 연구 초기부터 '구두성'[34]을 구전이야기의 본질적인 특성으로 보지 않았기 때문이다. 북한의 구전이야기 연구자들은 '집체성'을 가장 본질적인 특성으로 보기 때문에 문헌에 기록된 구전이야기조차도 여전히 전승 과정 중에 있는 것으로 간주하며 구전이야기를 수집, 정리하여 서사적인 윤색을 가하는 것 역시 전승 행위로 인정한다.[35]

60년대 고정옥이 '인민창작'이라는 용어를 사용했던 것도 이와 같은 이유에서였다. 그러나 1990년 장권표는 『조선구전문학개요(고대~중세편)』에서 '인민창작' 대신 '구전문학'이라는 용어를 사용하면서 다음과 같이 그 이유를 밝혔다.

> 이런 의미에서 오늘 '구전문학'이란 용어는 현대의 인민창작까지를 포괄하는 개념으로서 제한성을 가지고 있다. 그러나 현대에도 인민창작이 서사적 수단에 의해서만이 아니라 구전적 형식으로도 창조되고 있다는 의미에서 특히는 지금까지 인민창작을 '구전문학'이라는 개념으로 써온 것이 관습으로 굳어진 조건에서 현대 인민창작까지도 포괄하는 개념으로 사용하고 있다.[36]

33) 장권표는 이 책에서 전설의 특성을 실재성, 연기성, 향토적 특성으로 규정하고 전설을 주제에 따라 반침략 애국투쟁 전설, 반봉건 투쟁 전설, 인정세태 전설, 명승 전설로 구분하였다.

34) 엄밀한 의미에서 북한에서 사용하는 '구두성'의 개념이 반드시 '구전성'의 개념과 일치하는 것은 아니다.

35) 이들은 이러한 윤색, 혹은 개작을 통한 전승의 전범을 조선 시대 패설 작가들이나 실학자들에게서 찾고 있다. (고정옥, 앞의 책 43면.; 장권표, 앞의 책 9면.)

36) 장권표, 『조선구전문학개요(고대-중세편)』, 사회과학출판사, 1990, 10면.

그러나 장권표 역시 '구전성', 혹은 '구두성'의 문제를 본격적으로 논의하지는 않았다. 만약 구전이야기의 '구전성'에 주목했다면 '연행'과 '전승'을 학문적 논의의 중심 문제로 인식하지 않을 수 없었을 것이다. 그는 '연행'과 '전승'보다는 구전문학의 갈래와 주제, 전형성 등에 더욱 주목하였다. 특히 전설의 특성과 주제별 분류틀을 정식화하여 이후 간행된 여러 자료집에 일정한 규범과 기준틀을 제공하고자 하였다.

80년대 이후 북한에서 전개된 구전이야기 현지조사연구는 자료집의 양적 증대에도 불구하고 60년대에 비해 오히려 뒤떨어진 듯한 느낌을 준다. 퇴보하지 않았다면 적어도 정체된 것으로 보아야 할 것이다. 현지조사연구에 대한 문제의식 자체가 거의 없다고 보아도 좋을 만큼 구전이야기의 사상교양적 가치에 경도된 편향성을 드러내고 있기 때문이다. 주제론을 제외하고는 구전이야기에 대한 시학적 접근 자체가 거의 시도되지 않았다.

분단 이후 남한에서 발생한 구전이야기 현지조사연구의 공백 이면에 60년대 북한의 현지조사연구가 존재했다면 70년대 이후 나타난 북한 구전이야기 연구 정체의 반대편에 70년대 이후 본격화된 남한의 구전이야기 현지조사연구가 자리하고 있다. 70년대 남한의 구전이야기 현지조사연구의 발전은 그 이전부터 개별적으로 활동하던 몇몇 선각자들이 일구어 놓은 토대가 있었기에 가능한 것이었다. 그렇다면 이제 『한국구비문학대계』가 발간되기 전까지 남한에서는 구전이야기 현지조사연구가 어떻게 전개되었는지 살펴보도록 하자.

2. 남한의 구전이야기 현지조사연구

1930년대는 민속학이 학문 분과로서의 지위를 확립해 간 시기로 파악되지만 30년대 후반 이후 현지조사는 오히려 소강 상태로 빠져들었다. 특히 활발하게 전개되던 손진태의 구전이야기 현지조사연구는 1930년대 후반 이후 완전히 중단되었다. 해방 후 1947년에 손진태의 『한국민족설화의 연구』가 발간되지만 이는 이미 1920년대 후반에 발표했던 것을 재간행한 것이었다. 1932년에 창립된 '조선민속학회'가 학회지인 『조선민속』의 창간사에서 '고유 민속자료'가 점차 사라져가는 현실을 민속 전통 소멸의 위기로 인식하고 '자료수집'의 필요성을 역설하기도 했으나[37] 3호로 단간되기까지 가면극 대본이나 세시풍속·민간신앙 관련 자료 외에 현지조사를 통해 수집한 구전이야기 자료를 싣지는 못하였다.

손진태의 뒤를 이어 구전이야기 현지조사연구의 맥을 이어갈 신진 연구자들이 1940년대부터 하나둘 등장하기 시작했으나 중일전쟁과 태평양전쟁 이후 억압적인 일제강점 말기의 사회 분위기 속에서 그들의 조사 및 연구 활동이 본격화되긴 어려웠다. 해방 후에는 이념적 갈등과 분단, 전쟁과 전후의 경직된 사회 분위기 속에서 현지조사는 물론 구전이야기 연구 기반 자체가 흔들리지 않을 수 없었다. 특히 손진태를 비롯한 많은 연구자들이 납북되거나 월북함으로써 남한에서는 연구 역량 자체를 보존하기 어려운 상황이었다.

그러나 척박한 현실 속에서도 몇몇 연구자들이 구전이야기 현지조사의 맥을 이어갔다. 이들의 활동은 자료수집에 머물러 현지조사연구의 단계로까지 나아가지는 못했으나 이들의 노력이 아니었다면 현지조사연구의 역사적 전통은 회복 불능의 상태로 단절된 채 그 맥이 완전히 끊어지고 말았을 것이다.

연구자 개인의 자료 수집 활동 외에도 1960년대 후반에 전국적인 규모의 민속 조사 사업이 착수되었으나 현지조사의 시각과 방법, 체계적인 조사 활동의 측면에서 만족할 만한 성과를 드러내지는 못하였으며, 특히 구전이야기가 그다지 비중 있게 다루어지지 않았다. 전국적인 범위의 체계적인 구

37) 조선민속학회, 『조선민속』 1, 1933, 1면.

전이야기 현지조사연구는 1979년 한국정신문화연구원(현 한국학중앙연구원)이 주관한『한국구비문학대계』발간 사업으로 본격화되었다고 보아야 할 것이다.

그러나『한국구비문학대계』의 성과는 연구사의 단절 위에 갑작스럽게 나타난 것이 아니었다. 해방 이후 70년대까지 최상수, 임석재, 진성기, 유증선 등이 현지조사를 통한 구전이야기 자료 수집을 계속하였고 1960년대 초부터 몇몇 대학의 국문학과에 '구비문학' 강의가 개설되면서 각 대학 국문학과 중심의 현지조사가 지속적으로 전개되었다. 이러한 성과를 토대로 1970년대에는 구전이야기 현지조사방법론이나 구전이야기 연행에 관한 문제의식이 조금씩 구체화되기도 하였다.『한국구비문학대계』발간 작업의 토대가 되었던『구비문학개설』의 현지조사방법론이 1971년에 제기되었으며[38] 같은 해 최래옥은 '설화 구술의 원리'에 관한 논문을 발표하기도 하였다.[39]

해방 이후, 사실상 중일전쟁 이후 구전이야기 현지조사연구는 분명 침체의 늪에 빠졌다. 해방과 분단, 전쟁을 거쳐 전쟁의 폐허가 조금씩 복구되어 가던 1960년대에도 구전이야기 현지조사연구는 정체 상태를 쉽사리 벗어나지 못했다. 그러나 그 와중에도 구전이야기의 현지조사와 연구에 대한 관심은 완전히 소멸되지 않은 채 지속되었으며 그 면면한 흐름에 힘입어 1970년대 초반 현지조사연구의 구체화된 문제의식이 소박한 형태로나마 결실을 맺었다. 분단이 고착화되는 과정에서 구전이야기 현지조사연구는 일정 부분 그 역사적 전통으로부터 단절된 채 이질화의 길을 걸었지만 불씨를 꺼뜨리지 않으려는 개별 연구자들의 노력을 통해 70년대 후반 이후 내실 있는 성과를 거두게 되었다.『한국구비문학대계』라는, 당대의 연구 성과와 한계를 모두 보여주는 주목할 만한 결실을 맺게 되었던 것이다.

38) 구체적인 내용은『한국구비문학대계』의 성과와 한계를 검토하는 다음 항목에서 논의하기로 한다.

39) 최래옥,「설화 구술상의 제문제에 대한 고찰」,『한국민속학』4, 한국민속학회, 1971 참조.

1

해방 이후 1946년 전설학회(傳說學會)가 창립되면서 구전이야기 조사 및 연구의 전통이 이어질 듯했으나 1954년 한국민속학회로 개칭하고 1957년까지 2번의 학회지를 발간한 이후 연구발표회만 개최되었을 뿐 학회지 발간은 중단되었다. 그러나 실질적으로 학회를 이끌었던 최상수는 자신이 조사한 구전이야기 자료를 묶어 『조선지명전설집』(연학사, 1947)과 『조선구비전설지』(조선과학문화사, 1949)를 간행하는 성과를 드러냈다.[40] 그는 특히 전설에 주목하여 1958년에도 『한국민간전설집』을 엮어냈는데 전반적으로 현지조사의 새로운 관점이나 방법론을 제기하지는 못했으나, 이야기 연행자의 성명과 성별, 나이, 연행 일자 등을 표시하는 엄밀성을 드러냈을 뿐만 아니라 분단이 고착화되기 이전에 전국 범위의 자료-현재 북한 지역을 포함하는-를 수집하여 보존하였다는 점에서 큰 의의가 있다.

1946년 7월에 홍이섭은 역사・우언・민속 연구지의 성격을 띤 『향토』를 정음사에서 간행하여 10호까지 발행하였다. 최상수와 마찬가지로 현재 접하기 어려운 시공간의 자료를 수집하였다는 점에서 의의가 있으나 역시 현지조사의 질적 발전에 기여하지는 못하였다. 전쟁 이후에는 1957년에 국어국문학회에서 '민속분과'를 설치함으로써 국문학자들이 참여한 민속 연구가 활발하게 이루어지는 가운데 구전이야기 연구도 조금씩 활성화되어갔으나 현지조사연구 성과가 축적되지는 않았다. 1958년 이후 서울대의 백령도 민속 조사를 비롯하여 성균관대, 단국대, 고려대 등 각 대학의 현지조사도 산발적이나마 지속적으로 전개되었으나 네트워크의 부재로 인해 그 성과가 효과적으로 갈무리되지는 못하였다.

전문 연구자들이 조직적으로 참여한 전국 단위의 현지조사로는 1968년부터 시작된 '전국민속종합조사사업'이 있었다. 문화재관리국이 후원한 이 사업에 한국문화인류학회의 전문 연구자들이 조직적으로 참여하여 그 성과

40) 『조선구비전설지』(조선과학문화사, 1949)는 연구서로서의 성격도 지니고 있다.

를 『한국민속종합조사보고서』(1969~1981)로 발표하였다. 1958년에 창립된 한국문화인류학회는 민속학자들은 물론, 다수의 국문학자들이 참여한 학술단체였는데 장주근, 임석재, 김동욱, 이두현, 김연학, 강윤호, 김기수, 임동권 등이 창립 당시부터 주도적으로 활동하였다.

'전국민속종합조사사업'은 전국 단위의 자료 수집을 목표로 하여 조사 지역이 광범위하였을 뿐 아니라 민속 전반을 조사 대상으로 삼아 개괄적인 조사 수준을 넘어서기 어려웠다. 특히 구전이야기는 주요 조사 대상으로 비중 있게 다루어지지 않았으며, 현지조사의 방법과 목표 등에 대한 논의가 사전에 학문적으로 심도 있게 논의, 합의되지 않은 상태에서 조사가 진행되었다.

서대석은 이 사업에 대해, "전국 민속조사는 도단위로 이루어졌고 민속 전반에 걸친 조사항목 중에서 구비문학의 비중은 매우 작아서 조사 성과도 빈약하였고 전국 조사로서의 의의를 찾기도 어렵다."[41]고 평가하였다. 조사 활동에 직접 참여하였던 임석재는 다음과 같이 평가하였다고 한다.

> 빈약한 경비와 제약된 시일 때문에 여러 가지 隘路가 있음에도 불구하고 조사자들은 담당한 조사사항을 충실히 수행하는 것으로 여겨지나, 조사계획이며 조사항목에 있어서 완벽하였던가 하고 반성하여 본다. 數年來의 조사계획서와 조사보고서를 훑어볼 때, 어느 분야는 항목이 퍽이나 세분되어 있는가 하면, 어느 분야는 지극히 粗笨하여 조사균형을 잃은 것 같고 계획이 엄밀한 검토 없이 이루어진 감을 주고 있다. 유형적이고 유형화할 수 있는 자료의 조사항목은 번거로울 만큼 많이 설정되어 있는데 무형적인 것에 대해서는 소홀하거나 고려되지 않았다. -(중략)- 그러기 때문에 각도의 조사보고서를 비교하여 봐도 道로서의 특유 성격은 看取되지 않고 어디서나 같은 樣相의 것으로 기술되어 있다. <u>민속조사에 있어서 顯現的인 것만으로는 불충분하고 내재적인 것까지도 조사하여야 할 것을 절감한다.</u>[42]

41) 서대석, 「구비문학의 연구현황과 과제」, 『광복 50주년 국학의 성과』, 한국정신문화연구원(현 한국학중앙연구원, 이하 동일), 1996, 509면.

이렇게 볼 때 '전국민속종합조사사업'은 조사 계획의 엄밀성, 조사 활동의 일관성, 조사 항목의 체계화, 무형적인 민속에 대한 관심, 민속 연구의 안목, 민속 조사의 내재적 관점 등의 측면에서 여러 가지 한계를 지녔던 것으로 보인다. 구전이야기 현지조사의 측면에서도 이 사업은 그다지 주목할 만한 성과를 드러내지 못하였다.[43]

이 시기 구전이야기의 현지조사는 정부 산하 기관과 학술 단체의 조직적인 활동보다는 개인에 의해 더 활발하게 이루어졌다. 이 시기에도 여러 권의 구전이야기 자료집이 간행되었지만 현지조사 성과에 기반하여 간행된 자료집은 매우 드물었다. 현지조사를 통해 수집한 구전이야기를 엮은 것 가운데 주목할 만한 것으로는 앞에서 언급한 최상수의 자료집 외에 진성기의 『남국의 설화』(1959, 박문출판사)[44]와 유증선의 『영남의 전설』(1971, 형설출판사)이 있다.

두 책은 모두 구전이야기의 연행에 충실한 전사(傳寫)를 행하지는 못하였으나 가능한 한 윤색을 하지 않고 군더더기 없이 내용을 전달하고자 노력하는 서술 태도를 드러내고 있으며 연행자의 이름과 성별, 연행 날짜와 전승 지역을 부기(附記)하고 있다. 현지조사의 방법과 시각, 현지조사연구의 문제의식 등의 측면에서는 두드러진 성과를 드러내지 못했으나 구전이야기 자료 자체가 부족했던 당시의 연구 상황과 특정 지역에서 전승되는 구전이야기를 집중적으로 조사하여 자료를 수집한 점 등을 고려할 때 의미 있는 성과로 평가할 수 있다.

---

42) 김택규, 「학회활동을 통해 본 한국민속학의 좌표」, 『한국민속연구사』, 지식산업사, 1994, 40~41면.

43) 인용 부분 가운데 밑줄친 대목에 해당하는, 현장의 내재적인 특성에 주목하는 현지조사가 요구된다는 임석재의 평가에 주목할 필요가 있다. 현지조사연구의 성과가 아직 충분히 무르익지 않은 시기였지만, 풍부한 현지조사 경험을 통해 임석재는 형식적으로 유형화된 투망식 조사 방식의 한계를 명확하게 인식하고 있었던 것이다.

44) 진성기가 1959년에 엮은 책으로 『제주도 설화집』도 있는데 이 역시 같은 자료에 기반한 것이며, 『남국의 설화』는 1973년 일지사와 1978년 학문사에서 『남국의 전설』로 재간행되기도 하였다.

이들의 구전이야기 현지조사는 구전이야기 자체에 대한 관심과 구전이야기 전승 쇠퇴에 대한 위기의식이 함께 작용한 데서 비롯되었다. 당시 구전이야기 전승은 분단과 전쟁으로 인한 단절뿐 아니라 산업화·근대화 과정에서 파생된 서구 지향의 문화적 경향과 전자 매체의 보급으로 인한 문화생활의 변화 등으로 심각한 위기 상황에 처해 있었다. 이러한 상황은 70년대 와서 더욱 심화되었는데 진성기는 1973년에 간행된 『남국의 전설』 발문(跋文)에서 구전이야기 전승에 대한 위기 인식에서 비롯된 자료집 간행 동기를 구체적으로 드러내고 있다.

> 그런데, 우리의 현실은 어떻습니까? 오늘날 우리들의 대부분은 조상의 생활을 망각하고, 역사를 무시하며, 문화전통에 무관심함으로써 조상도 역사도 문화전통도 없는, 오직 오늘 하루의 생에만 급급하고 있는 실정이 아닙니까? 이래서는 안되겠읍니다. 이제 재빨리 일어서서, 우리는 우리들의 역사적 문화전통상의 사명을 자각하고 앞으로 내달아야 하겠읍니다. -(중략)- 그것은 제아무리 높은 이상 아래 비약의 자세를 취한다 하더라도, 그 일의 밑바탕에는 '우리의 것'과 '진실'이 없어서는 안 된다는 것입니다. -(중략)- 우방의 원조 또는 멀리 내외 학계에서 보조하는 연구비니 보조금이니 하는 것을 기다려 비로소 착수하는 것보다는, 차라리 우리가 우리끼리 서로 밀고 끌고 일하는 것이 그 얼마나 값진 일이겠읍니까? 물론 외국의 도움을 받았다고 해서 그것이 허물이 될 일은 아니요, 또 그것이 구걸행위가 된다는 것은 아니겠지만, 문제는 우리끼리 아끼고 도와 주고, 또 우리대로 일하여 얻은 보람이 비록 처음은 그 성과가 적다손치더라도 그것이 얼마나 값지고 자랑스럽고 떳떳한 일이겠읍니까? 이제 우리는 먼저 '우리대로' '우리의 것'을 스스로 찾아 내어야 하겠읍니다.[45]

주목할 것은, 위기 인식의 결과 민족 전통 문화의 보존과 확립을 구전이

45) 진성기, 『남국의 전설』, 일지사, 1973, 252~253면.

야기 자료 수집의 목표로 내세우고 있으며 자료 수집 활동의 내용과 구체적인 사업이 외국의 도움 없이 우리 민족의 힘으로 이루어져야 함을 강조하고 있다는 사실이다. 그가 자신의 고향이기도 한 제주도라는 '특정 지역에서 전승되는 전설'에 주목한 이유도 바로 여기에 있을 것이다. 구전이야기를 듣고 자란 어린 시절의 문화적 경험에서 비롯된 구전이야기 전승에 대한 관심이 전통 문화 보존과 확립에 대한 위기 인식과 맞물려, 그의 표현대로 '우리 것'을 제대로 발견하고 드러내기 위한 자료 수집과 정리 활동[46]으로 이어진 것이다.

유증선은 자신이 수집, 정리한 자료가 연구 활동의 참고자료로 쓰이길 바란다는 소망을 서문에서 밝히고 있다. 그는 영남의 전설에 관해 자신이 쓴 연구 논문 형식의 글을 자료집 앞부분에 수록함으로써 그 소망을 스스로 실현하였는데, 서문의 내용을 통해 자신이 수집한 자료가 연구 자료로서 가치를 지닐 수 있도록 자료의 객관성을 확보하는 데 여러 가지 주의를 기울였음을 짐작할 수 있다.

서문에서 그는 호기심으로 신문, 잡지에 실린 '설화'를 수집하는 취미를 갖고 있다가 다른 대학 교수의 의뢰로 학생을 통한 민속자료 채집을 시도하게 되었는데 경험 부족과 학생들이 수집해온 자료의 엄밀성 문제로 본인이 직접 현지조사에 나서게 된 과정을 설명하고 있다. 주목할 것은 이 과정을 통해 그가 현지조사의 방법과 원칙에 대한 문제를 고민하게 되었다는 사실이다.

> 필자는 이것을 계기로 하여 민속연구의 새로운 전기를 얻게 되었으니 곧 이즈음 우리 나라에서도 이에 대한 연구 풍조가 점차 높아져 민속학회 탄생, 몇 권의 전문서 발간 등으로 뜻있는 자에게 촉진제를 부여해 주었다는 점이다. 설

46) 진성기는 여기서 제주도의 전설을 무속적 신화, 지연적 전설, 토속적 민담, 역사적 설화로 분류하였다. (진성기, 『남국의 전설』, 일지사, 1973 참조.)

> 령 의욕은 있다 하더라도 경제적, 시간적 여유가 없는 처지로서는 민속자료 수집은 학생의 협조를 얻을 길밖에 없었던 것이나, 그것도 잿더미 속에서 구슬을 찾는 격으로 만족할 만한 것은 너무나 희소했다. 말하자면 전설이나 민화에 있어서 담화자의 이야기에 충실하지 않고 채집자 자기 나름으로 상상 윤색하였으므로 자료 수집에 큰 성과를 거두지 못하였던 것이다.47)

그는 여기서 70년대 구체화된 구전이야기를 비롯한 민속 연구의 성과와 활성화된 연구 분위기 등이 본격적인 현지조사의 한 계기가 되었다고 기술하였다. 이는 유증선의 경우 학문적 관심과 연구사적 토대가 현지조사 추동의 한 계기가 되었음을 보여주는 것이라 할 수 있다. 연구자적 관점에서 현지조사에 관심을 가졌기에 그는 학생들이 수집해온 자료의 객관성과 엄밀성 등을 문제삼지 않을 수 없었을 것이다. 그리하여 객관적 자료 수집을 위한 현지조사 태도 등에 대해 구체적인 고민을 하게 되었던 것으로 보인다.

그러나 그는 본격적인 구전이야기 현지조사연구를 수행하지는 못하였다. 그의 조사 활동은 현지조사를 통한 구전이야기 연구보다는 구전이야기 연구를 위한 자료 수집에 초점을 둔 것이었고, 그가 생각한 자료는 구전이야기 연행과 전승의 특성을 포괄하는 것이 아니라 '기록'된 텍스트에 국한된 것이었다. 활자화된 텍스트 연구의 방법과 관점에 기반하였기에 구전이야기 역시 채록을 통해 일단 텍스트화한 후 이를 연구 대상으로 삼고자 했던 것이다. 따라서 그의 현지조사는 '구전'의 여러 맥락을 고려할 수 없었다.48)

47) 유증선, 『영남의 전설』, 형설출판사, 1971, 9~10면.

48) 더구나 유증선은 현지조사를 통한 자료 수집 외에, 교육청을 비롯한 여러 관공서에서 발간하는 책자 등 각종 문헌 자료를 통한 자료 수집과 지역 인사, 혹은 지역 내 각급 학생들을 통한 간접적인 자료 수집에 치중하였기에 『영남의 전설』은 철저하게 현지조사에 기반한 자료집이 아니었다. (유증선, 앞의 책, 10면 참조.)

2

1940년에 종간된 『조선민속』이 그 역사를 좀더 이어갈 수 있었다면 해방 이후 민속 연구의 역사는 다른 양상으로 전개되어 갔을 것이다. 해방 이후 민속 연구의 정체가 연구사적 단절 때문이라면 이러한 단절은 분단 이전에 이미 일제 강점 말기부터 시작된 것이었다. 중일전쟁과 태평양전쟁 이후 일제 말기의 파시즘은 식민지의 민족 전통 말살에 기반한 동화 정책으로 일관되었다. 『조선민속』 3호가 일문(日文)으로 간행된 것이나 발행인이 秋葉隆인 점, 또 今村鞆의 고희를 기념하여 간행된 점 등이 모두 이러한 정황을 대변하고 있다.

『조선민속』 3호에서는 이전에 간행된 책들에 비해 일본인 학자들의 참여가 두드러지게 늘어났는데 전체 저자 11명 가운데 6명이 일본인이었다. 저자들 가운데는 손진태, 송석하 등 초기 민속 연구자들 외에 신진 연구자들도 눈에 띄는데 『조선민속』이 종간되지 않았더라면, 즉 조선민속학회의 활동이 중단되지 않았더라면 민속 연구의 전통이 다음 세대 학자들에게 자연스럽게 계승될 수 있었을 것이다.

당시 연구자들 사이에 차세대 연구자로 주목을 받았던 이는 바로 임석재였다. 『조선민속』 3호에 이류교혼담(異類交婚譚)에 대한 논문을 발표했던 그는 해방 이후에도 한국문화인류학회에서 주도적인 역할을 하며 민속 조사·연구에 몰두하였으며 앞에서 언급한 전국민속종합조사사업에서도 핵심적인 역할을 수행하였다. 임석재는 여러 민속 가운데 특히 구전이야기에 관심이 많아 평생을 두고 구전이야기 현지조사에 매진하였다. 일제 말기와 분단, 전쟁을 거치면서 완전히 끊어질 뻔했던 구전이야기 현지조사연구의 맥이 그의 개인적인 노력을 통해 이어질 수 있었던 것이다.

임석재는 심리학을 전공하던 중 한국인의 심성을 더 잘 이해하기 위해 한국에서 전승되는 구전이야기에 관심을 갖게 되었다고 하였다.[49] 그가 처

49) 임돈희, 「임석재 선생님 이야기」, 『한국문화인류학』 31, 1998 참조.

음 구전이야기를 접한 것은 1918년 봄에 수학(修學) 차 서울에 올라온 후 1927년까지 각 도 출신의 동료, 선후배, 지인들에게서 여러 구전이야기를 들으면서부터였다고 한다. 1920년대 후반은 조선 민속에 대한 조사와 연구가 점차 활발해지던 시기였는데 그는 1927년 이후 구전이야기를 문헌화할 필요성을 절감하고 구전이야기 현지조사에 본격적으로 나서게 되었다고 밝히고 있다.[50]

이렇게 시작된 그의 현지조사는 1990년대 초까지 이어져 약 70년 간 지속되었으며 그 성과는 원고지 5만 장 분량으로 정리되어 『한국구전설화』(1987년~1993년) 12권으로 간행되었다. 이 방대한 자료는, 그간 학계에서 분단 전 이북의 자료들까지 포괄하고 있는 소중한 구전이야기 자료이기는 하지만 『한국구비문학대계』와 비교했을 때 체계적으로 조사되지 않았다는 단점이 있는 것으로 인식되었다. 그러나 북한 지역의 이야기들뿐만 아니라 『한국구비문학대계』에 수록되지 않은 무가, 창세신화, 동화와 음담류의 자료들이 다수 포함되어 있어 그 자료로서의 가치가 점차 새롭게 인식되고 있다.

임석재의 구전이야기 현지조사는 한 개인에 의한 조사라고는 믿기 어려울 정도로 방대한 분량의 성과를 결실로 맺었으며 구전이야기 현지조사연구가 체계화되기까지 손진태 이후 단절되었던 현지조사의 맥을 잇는 다리 역할을 했다는 점에서 중요한 의의를 지닌다. 특히 임석재는 『한국구비문학대계』 이전에 녹음기를 활용한 구전이야기 채록과 전사를 실시하였으며, 1970년대에 이미 민속학 연구자들에게 자료의 표현과 의의를 왜곡시키지 않는 충실한 민속지 기술의 필요성을 역설하고 현지조사가 단순한 자료의 나열에 그치지 않고 연구 활동으로 나아가야 한다는 견해를 피력한 바 있다.[51]

50) 임석재, 『한국구전설화-경기도 편』 5, 평민사, 1989, 7~8면.

51) 임석재, 「한국문화인류학의 반성과 지향-학회활동 분야」, 『한국문화인류학』 6, 한국문화인류학회, 1973 참조.

물론 녹음기를 사용하기 전인 조사 초기에는 임석재 역시 학생들이 조사해온 자료를 활용하거나 이야기를 듣고 기억을 되새김질하는 방식으로 이야기를 채록했다고 한다.[52] 그러나 녹음기를 구비한 후에는 현장에서 화자가 구연하는 것을 직접 녹음한 후 이를 원고지에 옮기는 방식으로 자료를 정리하였다.

그는 『한국구전설화』의 서문에서, 구전이야기를 본격적으로 채기(採記)하기 시작한 1927년 이전에 청취한 이야기들은 최대한 착오・일탈・망각・왜곡 없이 구술한 내용에 가깝게 회상・채록하기 위해 노력했으며 1927년부터 1960년 사이에 채록한 구전이야기는 '청취한 직후나 청취 기억이 사라지기 전'[53]에 원고지에 옮겨두기 위해 노력했음을 밝혔다. 그러나 그는 구전이야기를 채록하여 정리하는 단계에서 '시제, 수동・피동의 오용(誤用)을 수정하는 정제(整齊) 작업'을 행하였다.

문제는 이러한 정제 작업이 녹음기를 사용한 이후에도 중단되지 않았다는 데 있다. 그는 녹음기가 등장한 1960년 이후부터는 구술 내용을 그대로 녹음하여 전사하기 시작했는데 이 때에도 정제 작업을 거친 후 이를 문헌화했다고 하였다. 그가 '정제'하고자 한 것은 주로 '구술자의 장만한 해주, 견해, 설화의 본 줄거리와는 별 관련이 없는 삽입 서술, 동일 서술의 되풀이, 서술의 전후 도착, 그리고 구술 장면에서 우연적 또는 돌변적인 사건의 야기 등등으로 인한 불필요한 서술'이었다.[54]

녹음 장치를 구비하기 전의 '회상과 기억에 의한 채록'은 불가피한 것이었으나 녹음 장치를 구비한 이후에도 계속된 '정제' 작업은 표본 수집과 같

52) 특히 함경도와 평안도 등 현재 군사분계선 이북 지역의 자료들이 이와 같은 방식으로 채록되었다. (임석재, 『한국구전설화-함경북도・함경남도・강원도 편』 4, 평민사, 1989, 13면.)

53) 전라북도 자료의 경우 청취와 기록 사이에 10여 년의 시차가 나는 것도 있다. 또한 그의 기록에 따르면 1960년 이전의 채록은 대체로 1945년 이전에 이루어진 것이다. (임석재, 『한국구전설화-전라북도 편』 7, 1990, 7~8면.)

54) 임석재, 『한국구전설화-경기도 편』 5, 평민사, 1989, 8면.

은 형태의, 각기 다양한 유형의 이야기 '채집'에 관심이 있었던 그의 조사 목적에서 비롯된 것이었다. 그의 조사는 '현지조사'보다는 '자료 채집'에 가까운 것이었으며 이에 따라 조사 방식이나 목적 등이 체계화되는 단계에는 이르지 못하였다. 조사 대상의 범주를 이야기 각편에 한정하였기에 '구술자의 해주 및 견해, 동일 서술, 구술 과정의 우연적이고 돌발적인 사건' 등은 '불필요한 서술'로 간주될 수밖에 없었던 것이다.

후대 연구자들은 바로 이러한 점 때문에 임석재 자료집이 지니는 근본적인 한계점을 지적하고 『한국구비문학대계』(이하 『대계』)의 자료들을 연구대상 텍스트로 삼곤 하였다. 연구자들이 인정하고 평가한 것은, 임석재 개인의 노고가 아니었다면 사장되고 말았을 1910년대부터 1990년대까지의 자료가 '정제'된 형태로나마 남게 된 것이었으며, 무엇보다 분단 이후 접하기 어려워진 휴전선 이북 지역의 자료들이 그의 작업을 통해 일부나마 보존된 것이었다. 그러나 임석재의 『한국구전설화』는 자료적 가치 외에도 현지조사연구의 측면에서 중요한 문제를 우리에게 시사하고 있다.

비록 임석재 본인은 체계적인 현지조사방법론을 전개하지 않았으나 오랜 조사 과정을 통해 축적된 그만의 '경험적 현지조사방법론'이 그가 채록한 이야기들의 이면에 숨어 있는 것이다. 그의 '경험적 방법론'이 가장 선명하게 드러나는 지점은 『대계』와 비교했을 때 월등하게 많은 음담과 동화, 민담류의 이야기들이다. 주목할 것은 음담이나 동화, 민담류의 이야기들은 특정한 연행 환경이 아니면 조사하기 어렵다는 사실이다. 『대계』의 자료들이 주로 대낮에 대학교수들을 위주로 조직화된 조사 일행에 의해 다소 '공적인 담화 분위기' 속에서 조사된 데 비해, 『한국구전설화』의 자료들은 개인적으로 직접 연행자의 집으로 찾아가 제한적이나마 생활을 함께 하는 가운데-때로는 밤늦게까지, 혹은 함께 자기도 하면서- 다소 '사적인 담화 분위기' 속에서 녹음된 이야기들이라는 점에서 연행 조건의 차이가 있다.

그의 현지조사에 동행하였던 임돈희의 증언에 의하면 그는 "뛰어난 유머와 격의 없는 태도로 쉽고 친밀하게 주민들과 어울렸고", 화자들과 "서로 경쟁적으로 이야기를 해 나갔다"고 한다.[55] 따라서 임석재는 일시적이고 일회적인 만남을 통해 '지적인 분석자'의 지위에서 이야기 연행을 관찰한 것이 아니라, 현장에 직접 참여하여 연행자들과 일정한 '관계'[56]를 형성하고 이 관계에 기반하여 연행 현장에서 청중의 한 사람이 된 가운데 이야기 연행을 관찰하고 조사했던 것이다. 따라서 조사자와 연행자 사이의 관계 거리와 상호 작용 양상의 측면에서 임석재의 현지조사 자료는 다른 조사 자료와 차별화되는 고유한 특징을 지니고 있다.

이렇게 해서 임석재의 『한국구전설화』는 체계적인 현지조사론에 입각한 조사는 아니었으나 참여관찰에 기초한 현지조사연구의 단초를 보여주고 있다. 또한 연행 현장의 미세한 조건들, 특히 조사자의 조건-연행자와의 관계 양상, 조사 태도 등-이 연행에 어떻게 영향을 미칠 수 있는지 등의 문제가 현지조사연구에서 중요한 문제로 다루어져야 한다는 사실을 암시적으로 드러냈다는 점에서 그의 현지조사연구는 큰 의의를 지닌다.

55) 임석재는 현장조사 며칠 전부터 녹음기를 점검하는 등의 준비를 철저히 했으며, 현장조사에서는 정확하고 자세하게 기록했을 뿐만 아니라 돌아온 직후 녹음된 이야기를 기록하고 화자들의 인적사항 등을 정리하는 일을 직접 마무리했다고 한다. (임돈희, 「임석재 선생님 이야기」, 『한국문화인류학』 31, 1998, 114면.)

56) 인류학에서는 조사자와 정보제공자 사이의 관계를 '라포(Rapport)'라고 한다. '라포'는 프랑스어에 기원을 둔 용어로 일치나 조화를 특징으로 하는 관계, 화합 등을 의미하며 강령술에서 영매를 사용한 교신을 의미하기도 한다. (한경구 · 김성례 공역, 줄리아 크레인 · 마이클 앙그로시노 공저, 『문화인류학 현지조사방법』, 일조각, 1996, 역자서문 11면 각주 7번 참조.)

Ⅱ-3. 『한국구비문학대계』 이후 : 체계적인 현지조사연구의 성과와 한계

구전이야기의 현지조사연구가 이전에 비해 좀더 미시적인 시각을 확보하고 '연행'으로 관심을 좁혀 들어간 것은 1970년대 일어난 중대한 변화였다. 이러한 변화는 과학적인 연구 태도와 자료의 객관성 확보 문제에 대한 연구자들의 관심이 증대되면서 나타나기 시작했는데 이미 1970년대 초반부터 그와 같은 문제의식이 조금씩 가시화되고 있었다.

『한국구비문학대계』(이하 『대계』) 간행 사업의 토대가 되었던 『구비문학개설』의 현지조사방법론이 이미 1971년에 제기되었으며 같은 해 최래옥이 현지조사 성과를 토대로 '설화' 구술의 세부 조건들을 면밀히 분석하기도 하였다.[1)] 특히 최래옥은 '설화' 구술상의 '통일질서 원리'의 작용 및 '망각과 환기' 현상, '휴식과 반복'의 의미, 화자의 구술태도나 음성의 변화, 화자의 적극성과 소극성, 청자들의 태도와 이야기판의 분위기 등을 거론함으로써 연행 분석의 미시적인 관점을 현지조사연구론으로 갈무리하고자 하였다. 그러나 그의 관심은 연행 자체보다는 '설화' 구술 및 전승상 변화와 지속의 원리를 파악하는 데 있었다.

'민족'과 '민중'이라는 패러다임에 집중할 수밖에 없었던 시대적인 흐름에 따라 70년대에는 '민족문학'이자 '민중문학'으로 정의된 '구비문학'에 대한 관심이 고조되기도 하였다. 이에 따라 특히 '민중적 영웅'을 형상화한 인물 전설이 주목을 받았는데, 70년대 후반에 이르러서는 '민중의식'이 구전이야기를 통해 어떻게 구현되는가 하는 측면에서 연행 현장에 대한 관심이 고조되

1) 최래옥, 「설화 구술상의 제문제에 대한 고찰」, 『한국민속학』 4, 한국민속학회, 1971 참조.

기도 하였다.[2] 이러한 흐름은 90년대 초 연행집단의 성격과 사회문화적 배경, 연행집단의 계층 의식과 역사 인식, 이야기판의 질서와 이야기판 내에서의 상호작용 양상 등을 유기적인 관계망 속에서 고찰하는 논의로 발전하기도 하였다.[3]

이와 같이 개별적인 구전이야기 현지조사의 흐름이 지속되는 가운데 현지조사의 방법과 시각에 대한 다양한 문제의식이 제기되었다. 그리고 이러한 문제의식들이 구체적인 현지조사 활동을 통해 비약적으로 성장하는 계기가 마련되었는데 그것은 바로 『한국구비문학대계』의 간행이었다. 『대계』는, 과학적인 연구에 대한 지향이 객관적인 자료 확보에 대한 요구로 이어지면서 체계화된 현지조사를 통한 연구 대상 자료의 확보를 목표로 다수의 전문가들이 참여한 가운데 조직적인 활동을 통해 갈무리되었다.

『대계』는 여러 가지 측면에서 구전이야기 현지조사연구의 질적인 변화를 이루는 중대한 계기가 되었다. 특히 전공자들의 네트워크에 기반함으로써 현지조사연구의 전문 역량이 성장・축적되었고[4] 후대 연구자들에게 현지조사의 전형으로 수용되었다는 점에서, 현지조사연구의 현단계를 점검하는

2) 조동일, 『인물전설의 의미와 기능』, 영남대 출판부, 1979 참조.
강진옥, 「한국 전설에 나타난 전승집단의 의식구조 연구」, 이화여대 석사학위논문, 1980 참조.

3) 신동흔은 연행집단의 '현실대응방식'이 이야기의 내용과 이야기 연행을 어떻게 변화시키는지 고찰하였다. 특히 그는 연행집단 내부의 상호 충돌하는 역사 인식과 현실대응방식에 초점을 두고 이것이 이야기 연행을 통해 어떻게 드러나는지 현지조사를 토대로 논증하였다. (신동흔, 「역사인물담의 현실대응방식 연구」, 서울대 박사학위논문, 1993 참조.)

4) 이 조사작업의 성과에 기반한 논문들이 『구비문학』(1-9집)이라는 잡지를 통해 발표되었으며 조사에 참여했던 연구자들을 중심으로, 『대계』 작업의 성과에 기반한 석박사학위논문들 또한 여러 편 발표되었다. 천혜숙(「구비문학연구 50년, 그 성과와 전망」, 『국어국문학회 50년』, 국어국문학회, 태학사, 2002, 504면.)과 강진옥(「구비문학연구 50년」, 『국문학 연구 50년』, 이화여자대학교 한국문학연구원, 혜안, 2003, 251면.)은 『대계』 이후 '구비문학' 연구에 종사할 후속 학문세대가 확충되었음을 지적하였다. 강진옥은 이외에도 방법론적 토대 마련, 학술적 연구 토대 마련, 연행 상황의 입체적 재현을 지향한 자료집 간행을 『대계』의 성과로 평가하였다.

데 있어 매우 중요한 의미를 지니고 있다. 오늘날 구전이야기의 연행과 전승이 급격히 쇠퇴함에 따라 구전이야기 현지조사연구의 필요성과 그 의미가 점차 소극적으로 인식되고 있음을 생각할 때, 『대계』의 성과와 한계를 점검하는 것은 현단계 현지조사연구론의 모색에서 필수적인 일이다. 『대계』의 간행이 바로 산업화 이후 본격화된 구전이야기 전승의 위기에 대한 인식에서 비롯된 일이기 때문이다.

1. 체계적인 현지조사연구의 시작과 정체(停滯) : 『대계』의 성과와 한계

『대계』는 한국정신문화원 어문연구실이 1978년부터 준비하여 1979년에 조사방법을 논의, 확정한 후 1984년까지 5년 동안 전국 60개 군, 120개 면에서 '구비문학'-설화, 민요, 무가-을 조사하여 총 85권(색인집 3권 포함)으로 발간한 자료집이다. 1985년 이후 정리 및 색인 작업을 거쳐 1992년 마지막 색인집이 나오기까지 10년 이상 걸린 대작업이었다.[5] 『대계』의 현지조사방법은 1978년 8월 25일에서 26일 사이에 한국정신문화연구원 어문연구실에서 개최된 구비문학 연구자들의 모임에서 처음 논의된 후 토론, 수정, 정리 과정을 거쳐 1979년 5월에 협의, 같은 해 7월에 『구비문학 조사방법』[6]이라는 책으로 발행되었다.[7]

5) 자료집 발간은 88년에 완료되었으므로 조사방법 논의, 확정에서부터 자료집 발간까지 걸린 시간은 10년이다.

6) 한국정신문화연구원 어문연구실, 『구비문학 조사방법』, 한국정신문화연구원, 1979. 7.

7) 이 책은 현지조사의 의의와 역사, 일반적인 방법론 외에 설화·민요·무가별 현지조사 방법론과 조사보고서의 실례·녹음 테이프 기재 양식·설문지 양식 등을 실어 현지조사의 지침서 성격을 띠고 있다.
이 책에 실린 현지조사방법론의 대체적인 틀은 장덕순·조동일·서대석·조희웅의 『구비문학개설』(일조각, 1971.)에서 언급된 바 있다. 『구비문학개설』에서는 현지조사

『대계』로 갈무리된 현지조사연구의 목적이 어디에 있었는가는 이 책의 내용을 통해 확인할 수 있다. 이 책에서는 가장 먼저 왜 '구비문학'의 범주에서 현지조사가 이루어져야 하는가의 문제를 언급하였다. 당시에는 '기록문학'과 '구비문학'이라는 이분법적 구도에 입각한 '기록문학' 위주의 문학사 구성과 문학 연구가 하나의 흐름을 형성하고 있었기에, 구전이야기와 민요, 무가 등을 '문학'의 범주에서 연구하고 문학사에서 이를 비중 있게 다루어야 할 필요성을 제기하는 것이 '구비문학' 연구자들에게 연구사적인 과제로 인식되었던 것이다.

또한 유럽을 중심으로 다른 나라 현지조사의 역사와 흐름을 개괄하였는데, 특히 민족 문화에 대한 관심이 고조되었던 낭만주의 시대의 독일과 제국주의의 지배에서 벗어나 새로운 민족적 전통을 확립해야 했던 에이레와 핀란드의 사례를 강조하였다. '민족 문화 전통의 확인·확립' 차원에서 '구비문학' 현지조사의 필요성을 제기하고자 했던 것이다.

현지조사연구의 이론적 배경으로는 역사지리학파와 형식주의·구조주의, 현장론을 소개하였다. 작품을 유형과 화소로 분석하여 원형을 추정하고 원형으로부터의 전파를 연구하는 역사지리학파의 논의와, 작품을 요소 혹은 기타 세부 단위로 구분하기는 하지만 여기에 그치지 않고 이러한 요소 및 부분들 사이의 유기적인 관계와 질서를 문제삼는 형식주의 및 구조주의의 이론을 개괄적으로 언급하였으며, 마지막으로 제보자의 창조적인 능력과 청중과의 관계, 구연 조건 및 사회적 상황과의 연관성에 주목하는 현장론을 소개하였다.

이를 통해 볼 때 『대계』의 목적은 일차적으로, '문학'으로서 '구비문학'의 위상과 '민족 문화'의 한 원형으로서 '구비문학'의 실체를 확인하는 데 있었

의 필요성과 종류, 범주, 현지조사의 단계와 각 단계별로 주의해야 할 사항, 조사에 필요한 장비, 실제 조사시 활용할 수 있는 접근 및 유도 방법, 채록·관찰·면담, 각종 카드 작성법 및 구체적인 양식, 조사결과의 정리 순서 등을 개괄하였다. 이 책의 내용은 다시 조동일의 『구비문학의 세계』(새문사, 1980.)에 부분적으로 보강, 재수록되었다.

다. 따라서 현지조사 과정에서부터 '문학적 가치'와 '민족 문화의 원형'이라는 두 가지 잣대가 작용하지 않을 수 없었을 것이다. 현지조사에 참여한 연구자들은 수많은 연행 중에서도 문학적 성격이 선명하게 드러나는 이야기, 민족 문화의 원형으로 내세울 만한 이야기에 관심을 기울였고 이는 현지조사 과정에서 연행에 영향을 미치는 주요한 조건 가운데 하나였다.

'구비문학'을 '민족 문화의 원형'이자 '한국 문학의 보고(寶庫)'로 자리매김하기 위해서는 '설화·민요·무가'의 대표 유형을 수집, 정리할 필요가 있었다. 이는 곧 한국의 '구비문학'을 대표할 '전집'을 만드는 작업이었다.[8] 따라서 조사자들의 관심은 자연스레 연행 자체보다는 문학 텍스트로서의 '구비문학' 각편을 총망라하는 데 놓일 수밖에 없었다. 이렇게 해서 『대계』는 전승의 기본 단위가 되는 마을의 사회역사적 배경과 '제보자'에 관한 정보를 수집해 놓고는 있으나 그보다는 구전이야기의 텍스트-연행 과정을 녹음하여 이를 전사한-를 제시하는 데 초점을 둔 자료집이 되었다.

『대계』의 두 번째 목표는 '과학적 연구'의 기반이 되는, 객관적으로 신뢰할 만한 연구 자료를 만드는 것이었다. 앞에서 서술한 대로 당시 연구자들이 주목한 '과학적 연구'의 방법론적 경향들은 역사지리학파, 형식주의·구조주의, '현장론(contextual)'[9] 등에 맞닿아 있었다. 따라서 '과학적 연구'의 관심은 대체로 수집한 자료를 일정한 체계에 따라 분류하거나 원형을 추출하여 전파 경로를 추적하고 지역적 분포도를 확인하는 등의 작업에 집중되었다.[10] 또한 원형으로부터의 변이 양상을 추론하여 전승·연행의 원리

8) '구비문학' 전질 구성에 대한 열망은 산업화에 의한 전승 현장의 붕괴 및 '구비문학'의 쇠퇴에 대한 인식에 기반한 것이기도 하였다. '이르다고 할 수는 없지만 지금이라도 서두르지 않는다면 한국의 '구비문학'을 정리, 보존할 기회를 영영 놓치게 될지도 모른다'는 위기의식이 연구자들 사이에 공유되어 있었던 것이다.

9) 『구비문학 조사방법』에서는 구체적으로 린다 데그(Linda Dégh)와 단 벤-아모스(Dan Ben-Amos)를 언급하면서 이를 '현장론'이라고 명명하였다. (한국정신문화연구원 어문연구실, 앞의 책, 23~25면.) '현장론'은 연행 현장의 여러 맥락(context)에 주목한다는 점에서 '상황론'으로 번역되기도 하였다.

10) 조희웅은 『구비문학』 1집(한국정신문화연구원 어문연구실, 한국정신문화연구원, 1981.

를 제시하거나 구전이야기 전승에서 지속적으로 나타나는 유형 화소나 구조를 분석하여 주제를 탐색하는 등의 작업에도 주력하였다.

이와 같은 연구를 위해 가장 시급한 일은 객관적으로 신뢰할 만한-과학적인 조사방법론에 기초한- 연구 자료를 확보하는 것이었다. '과학적 연구'에 대한 지향이 '체계적이고 과학적인' 현지조사의 성과를 요구하기에 이른 것이다. 이에 따라 『대계』는 연구자의 개입을 최소화하는 현지조사를 지향하였다. 연구자가 연행 현장에 개입하지 않는 것을 원칙으로 하였으며 개입이 필요한 경우에는 이를 최소화할 것을 권장하였다. 또한 자료에 대한 연구자의 주관적 개입을 최소화하기 위해 녹음한 자료를 최대한 있는 그대로 전사하는 것을 원칙으로 삼았다.

이처럼 『대계』는 목적의식이 매우 뚜렷하면서도 과학적이고 객관적인 태도를 지향하는 현지조사에 기반하였다. 그러나 '뚜렷한 목적의식'과 '객관적인 태도'는 서로 양립할 수 없는 조건이었다. 현장에 참여하는 연구자의 목적의식이 뚜렷할수록 이는 연행에 영향을 미치는 핵심 조건으로 작용한다. 조사 목적에 부합하는 소기의 성과를 달성하려는 연구자의 욕망은 필연적으로 의식적·무의식적인 연행 현장에의 개입을 불러오기 때문이다. 따라서 목적의식이 분명한 연구자의 개입을 무화(無化), 혹은 최소화하겠다는 원칙의 천명은 결과적으로 실제로 존재하는 연구자의 개입과 영향력을 은폐하는 효과를 낳게 된다.

결국 현장에서의 경험이 축적될수록 체계적이고 과학적인 현지조사 틀에

12.)에서 '설화 수집'의 역사를 개괄한 후 '설화' 조사의 가속화·'설화' 자료 보관 및 연구 기관 설립·면 단위 혹은 군 단위의 정밀조사·'설화' 분포지도 작성·'설화' 채집 및 '제보자' 상황에 대한 상세한 기술·우수한 '제보자'에 대한 집중 반복 조사 등을 제안하였다. 그는 특히 '설화' 분포지도 작성의 필요성을 역설하였다. (앞의 책, 17~23면.)

조희웅은 『대계』의 작업을 평가하는 『구비문학』 9집(한국정신문화연구원 어문연구실, 한국정신문화연구원, 1990. 2.)에서 이야기꾼의 집중 연구, 지속적인 조사 및 연구 기관의 설립을 주장하는 동시에 색인집과 유형선집 간행의 필요성을 역설하였다. (앞의 책, 32~33면.)

내재한 문제가 하나둘 드러나기 시작했다. 이는 『대계』 작업에 참여한 연구자들의 평가를 통해 표면화되었는데[11] 『대계』의 자료와 『구비문학 조사방법』의 지침을 참고하면서 이들의 평가를 분석해 보면 다음과 같은 몇 가지 문제들을 발견할 수 있다.

우선 『대계』의 작업은 짧은 기간 안에 전국을 포괄해야 한다는 부담을 안고 있었으며 '객관적 조사'의 원칙에 따라 연행자들과 일정한 거리를 유지하는 방식을 취했다. 따라서 『대계』의 조사 작업에 참여한 연구자들은 연행자들의 생활 현장에 직접 '참여'하여 연행 현장으로 스며들어가기보다는 마을회관이나 노인회관 등의 공공장소에 연행 현장을 설정하고 연행자들을 불러들이는 방법[12]을 취할 수밖에 없었다.

『대계』는 처음부터 끝까지 자연스러운 환경에서의 조사를 지향했으나[13] 오히려 현장에서는 조사자의 정형에 따라 현장을 '만드는' 결과를 초래하였다. 현지조사 평가에서 몇몇 연구자들은 연행자들을 한 자리에 불러 모아 이야기판을 벌이고자 했으나 뜻대로 잘 되지 않았음을 토로하였다.[14] 결국 '자연스러운' 연행 환경 자체가 하나의 연행 조건으로 정형화된 것이었음을

11) 『대계』 작업에 참여한 연구자들의 평가는 『구비문학』 9집(앞의 책)으로 갈무리되었다. 이들이 공통적으로 지적한 것은 '설화'에 치중한 조사, 조사자의 전공·관심에 따라 다르게 나타나는 조사 결과, 설문지 활용의 비효율성과 신뢰도의 문제, '설화' 제목의 통일성, 조사지역 선정의 일관성, 단기적인 조사 일정과 경비 문제 등이었다.

12) 성기열은 '개인 대 개인의 채록 장소보다는 그 마을의 노인정이나 마을회관 같은 곳을 정하여 모이게 하거나 찾아가서 활동을 하는 것을 원칙으로 하는 것이 보다 시간의 허비나 효율에 있어서 바람직하다'고 하였다. (『구비문학』 9, 앞의 책, 25면.)

13) 조사상의 유의점에서 '인공조건이라도 자연조건에 되도록 가깝도록 만들려고 애써야 한다. 청중도 많이 모여들어, 분위기가 저절로 무르녹아서, 조사자가 계속 개입하지 않아도 구연이 자연스럽게 이루어지도록 해야 조사가 잘 된다'고 하였다. (『구비문학 조사방법』, 앞의 책, 26~27면.)

14) 성기열은 이야기판의 흐름이 '모임의 취지와는 동떨어진 분위기'로 흘러가는 것과 이야기판에 불청객이 끼어드는 것을 현지조사의 어려움 가운데 하나로 지적하였다. (『구비문학』 9, 앞의 책, 17면·21면.) 또한 그는 일상생활에 대한 묘사나 농촌 현실에 대한 토론이 이야기판에 끼어드는 것에 대해서도 지적하였다. (『구비문학』 9, 앞의 책, 22면.)

짐작할 수 있다. 또한 일부 조사자들은 연행자들이 구연한 자료 가운데 일부분은 '불필요하고', '부적절한' 것이었으며 이에 따라 자료 선정의 문제가 어려웠다고 기술하고 있는데[15], 이는 곧 조사자들에게 이미 필요한 자료의 원형이 선험적으로 존재했음을 뜻한다.

또한 조사자들은 한 마을에서 오랜 기간 머물 수도, 같은 마을을 반복적으로 조사할 수도 없었다. 애초에 『대계』는 이후의 본격적인 현지조사를 염두에 둔, 표본조사의 성격을 띤 현지조사였기에, 시・군・구의 2개 면이나 2개 동 단위로 한 마을씩 조사하여 전국을 포괄하는 데 목표를 두고 있었다.[16] 따라서 연행자들의 노동이나 놀이에 함께 참여하거나 잠시 동안이나마 연행자의 집에서 기거하는 기회를 갖기 어려웠다.[17] 그러나 일회적이고 단편적인 조사는 연행자와의 관계를 심화시키기 어려운 조건이다. 조사자와 연행자 사이의 관계에 따라 연행이 달라진다는 점을 고려할 때 이것은 『대계』의 주요 한계 가운데 하나였다.

사실상 『대계』의 현지조사는 처음부터 조사자와 연행자 사이의 관계를 현지조사의 주요한 조건으로 고려하지 않았다.[18] 연행자와의 상호 작용을 통해 현지조사를 진행시켜 나간다는 생각을 투철하게 갖지 못했던 것이다. '제보자'의 창조적인 역량이 발휘되는 조건과 환경에 대한 관심이 전혀 없었

15) 조희웅은 불필요한 자료가 부득이 포함되는 현상의 문제점을 제기하였다. (『구비문학』 9, 앞의 책, 32면.)

16) 조사 대상 마을 선정시에는 '반촌과 민촌, 산촌과 평야촌, 농촌과 어촌, 동족촌과 각성촌' 등을 고려하였는데, '역사가 오래되고 주민이 많으면서 전통을 유지하는 마을'을 우선적인 조사 대상으로 삼았다. (『구비문학 조사방법』, 앞의 책, 27~28면.)

17) 조사자들의 평가를 살펴볼 때 마을에서 하루 이상 머물지 않은 경우도 많았다.

18) 예를 들어 『구비문학 조사방법』(앞의 책, 33면.)에서는 '조사 진행방법'의 항목에서 행정기관을 통해 접근할 것을 지침으로 제시하고 있다. 또한 현지에 공문을 보내고 특별한 안내자가 없을 때는 군수, 면장, 동장 등에게 안내를 부탁하며 동장을 만나 마을 개관을 알아 볼 것을 지침으로 언급하였다. 현지조사에서 이처럼 행정기관의 도움을 받거나 군수, 면장, 동장 등의 안내를 받으면 한정된 부류의 연행자들만을 만나게 되는 등 현지조사 내용이 일정한 한계를 지니게 된다. 『대계』는 이 점을 고려하지 못하고 있다.

던 것은 아니나 '제보자'에 대한 정보를 정리하는 데 그쳤을 뿐, 연행집단 내부나 연행자와 조사자 사이의 상호 작용 양상을 드러내는 데까지 나아가지는 못하였다. 또한 '제보자'에 대한 정보 역시 조사 항목의 '일람표'와 '질문지'에 따라 진행된 인터뷰 결과를 정리한 것일 뿐이었다.

조사 항목과 조사보고서 양식을 통해 드러나듯이 당시 연구자들의 관심은 조사 대상 지역인 마을의 사회역사적, 문화적 환경을 개괄하고 제보자의 연행 역량 및 생활환경, 교육 수준 등을 기술하는 데 집중되었을 뿐[19] 연행 현장의 실질적인 분위기나 연행 조건, 연행 현장에서의 우발적인 사건 등을 기술하는 데까지 미치지는 못하였다. 그러나 이는 애초에 『대계』의 목표가 세부적인 연행 상황이나 연행 조건에 주목할 정도로 '연행'을 미시적으로 조명, 분석하는 데 있지 않았기 때문에 불가피한 결과이기도 했다.[20]

19) 조사 및 보고 양식의 세부 항목은 대략 다음과 같다. (『구비문학 조사방법』, 앞의 책, 29~31면.)

(1) 조사 단위 지역 개관(구, 시, 군) : 연혁, 행정구역의 구분, 행정구역별 인구 및 주민구성, 자연환경 및 산업상의 특징·근대화의 양상, 교육 기타 문화적 특징·종교상의 특징, 전통문화의 일반적 양상·전통문화에 대한 의식, 민속 및 구비문학의 특징, 기타 참고 사항, 조사의 일정·경과, 조사자, 조사한 마을, 조사 성과에 대한 개략적 설명.

(2) 마을 개관 : 마을을 택한 이유. 나머지 항목은 (1)과 같다.

(3) 제보자 설명 : 직업 및 사회적 위치·구사회에서의 신분, 생애 및 거주 경력, 성격·외모·말씨·교육 정도, 만나서 자료를 제공하게 된 경위, 구비문학에 관한 능력·지식·이해·태도, 기타 참고사항(사진 포함).

(4) 자료 보고 : 구연상황, 구연방식, 음악적 가락 또는 억양에 관한 소견, 자료의 유래, 기타 참고 사항.

그러나 (4)의 항목은 『대계』에서 구체적인 항목으로 제시되지 않았다. 조사자에 따라 항목 (4)의 내용을 기술하기도 했으나 대체로 자료의 유래를 중심으로 한두 문장으로 끝맺는 경우가 많았다. 『대계』 발간을 위한 현지조사에 참여했던 박순호는 구연상황 정리의 어려움을 토로하기도 하였다. (『구비문학』 9, 앞의 책, 81~82면.)

20) 구체화된 조사방법론의 부재는, 조사자의 문제의식과 경험에 따라 조사 결과에 차이가 나타나는 문제를 빚어내기도 하였다. 이러한 문제는 조사 결과의 정리 단계, 즉 전사(傳寫)와 주석(註釋)의 단계에서도 나타났는데 일관된 기준이 제시되지 않아 연구자마다 다양한 차이가 나타났다. 연구자에 따라서는 간투사 등을 자의적으로 생략하거나 방언의 발음을 표준 발음화한 경우도 있었다. 김영돈은 『대계』 활동을 평가하는 논의에서 방언 표기와 주석의 문제를 구체적으로 제기하였다. (『구비문학』 9, 앞의

이와 같은 문제들을 고려할 때 『대계』는 '객관적인 조사'를 지향하는 가운데 실제로 존재하는, 연행 현장에 대한 연구자의 영향력을 명시적으로 드러내지 못했으며, 조사 양식과 질문지의 항목-선험적인 틀에 따라 구성된-에 따라 해당 '정답'을 구하는 방식으로 조사를 진행함으로써 '현장'을 대상화하고 말았다. 이로써 조사자와 연행자 사이의 관계나 상호 작용 양상은 물론 현장의 다양한 맥락과 연구 활동 사이의 어떠한 역동도 조사 대상이 되지 못했다.

또한 『대계』의 조사 활동은 '참여' 없는 '관찰'에 의거함으로써 연행 현장을 심층적으로 분석할 수 있는 '내부의 관점'을 확보하지 못했으며 이로 인해 연행의 미시적인 결을 읽어낼 만한 분석 틀을 마련하지 못했다. 반복적인 만남과 이 만남을 통해 형성되는 관계가 현지조사의 내용과 질을 결정하는 핵심적인 전제 조건이라고 할 때, 『대계』의 현지조사가 행했던 '일회적인 관찰'은 '이야기 각편 수집'이라는 피상적인 목표를 넘어서지 못하는 한계를 노정한 것이었다. 아직 질적 성과보다는 양적 성과에, 연행 자체보다는 그 결과물인 텍스트에 현지조사의 시각이 머물러 있었기 때문이다.

이렇게 볼 때 『대계』의 현지조사(1979-1984)는 그 자체로 완결된 것이 아니라 후속작업을 통해 조금씩 발전해 가야 할, 본격적인 현지조사연구의 시발점에 가까운 것이었다. 조사에 참여했던 연구자들은 대부분 그들이 참여한 작업이 일차적인 단계의 활동이었음을, 반드시 후속 작업을 통해 지속되어야 할 활동이었음을 인식하고 있었다.

따라서 『대계』는 규범화되고 정전화될 것이 아니라 끊임없이 재평가되고 발전적으로 재생산되어야 할 현지조사연구의 첫 실험이었다. 그러나 안타깝게도 전공자들이 참여한 전국적인 규모의 체계적 현지조사는 그것으로 종결되었으며, 그와 함께 『대계』의 성과와 한계 또한 화석화되고 말았다.[21)]

책, 105~109면.)

21) 『대계』의 한계는 이후의 현지조사 및 현지조사연구에서도 비슷하게 되풀이되었다. 90년대에는 민속학에서 현지조사방법론이 자주 등장하였는데 이전 논의와 크게 다르

2. 새로운 현지조사연구 모색의 징후 : 『대계』의 '발견'과 '연행 중심 이론'의 수용

1

개별 연구자들에 의해 축적된 현지조사연구의 성과는 『대계』의 '현장' 경험을 통해 비약적으로 성장, 발전하면서 '연행'에 주목하는 새로운 현지조사연구론의 관점에서 유의미한 '발견'들을 이루어냈다. 이론적으로만 추론하던 문제들이 '현장'을 통해 구체성을 얻게 되었으며 '현장'의 자극을 통해 미처 생각하지 못했던 구전이야기 연행의 여러 맥락들이 새롭게 '발견'되었다.

『대계』에 참여한 연구자들 가운데는 조사 초기에 이미 '연행'에 대한 미시적인 접근을 생각한 이들도 있었다. 김열규는 '민담 구전 문체 확립'의 필요성을 역설하면서 이를 위해 구성·전승과정에 대한 연구, 전승자와 전승상황을 포괄하는 현장·연행에 대한 주목, 당대 민속에 대한 관심, 대중문화와의 관계 규명, 현대 문학과의 교류, 역사 및 문화적 원동력으로서의 민속에 대한 논의 등을 제안하기도 하였다.[22] '민담 구전 문체'에 대한 문제의식은 아직 구체화되지 않은 것이었으나 '연행'에 대한 분석 시각을 좀더 예각화하는 데 일정한 자극이 되었다.

또한 최래옥은 조사 방법면에서 주목할 만한 몇 가지 사항을 언급하기도 하였다. 그는 '사람 있는 곳에 이야기가 있다'고 하면서 할머니는 물론 어린이들까지 모두 '화자'로 고려해야 한다는 점을 강조하였고, '화자의 모든 것

지 않았다. 대표적으로는 김선풍의 논의가 있다. (김선풍 외, 「현지조사방법론」, 『민속이란 무엇인가』, 집문당, 1993, 437~464면.) 김선풍은 이후 다시 「민속조사의 방법」이라는 논문을 발표하였는데 『대계』 작업을 평가하는 글에서 언급했던 '오독떼기' 사례를 그대로 인용하면서 현지조사방법론들을 개괄하는 데 그쳤다. 다만 골드스타인(Kenneth S. Goldstein)의 논의를 중심으로 '상황주의적 조사방법'을 덧붙여 소개하고 있다. (김선풍, 「민속조사의 방법」, 『한국민속학의 새로운 인식과 과제』, 집문당, 1996, 11~26면.)

22) 김열규, 「설화연구의 현황과 문제점」, 『구비문학』 1, 앞의 책, 24~27면.

은 가치 있다'고 하면서 '화자에 관한 모든 것, 건강상태, 이빨상태, 손짓하는 것, 구술하면서 더듬거나 쉬거나 군소리를 집어 넣는 것, 이야기하고 나서 자평(自評)하는 것, 도중에 구술이 빠르거나 늦은 것, 다른 사람에게 화를 내거나 청중의 반응에 민감한 것' 등을 모두 고려해야 한다고 주장하였다. 또한 '보이는 것에서 안 보이는 것을, 들리는 것에서 안 들리는 것을' 찾아야 한다고도 하였다.[23] 이는 부분적이나마 '화자'의 성별과 나이, 기타 연행의 세부 조건들, 연행 이면의 의미 등에 주목했다는 점에서 한층 치밀해진 연구 시각을 보여주는 것이었다.

『대계』의 가장 주목할 만한 '발견'은 조사자의 영향력에 관한 것이었다. 『대계』 작업에 대한 평가에서 여러 연구자들은 조사자의 전공과 관심에 따라 연행자들의 연행 내용이 달라지는 현상을 지적하였다.[24] 특히 김선풍은 조사자가 '제보자'의 연행을 칭찬하고 적극적인 태도로 연행에 호응할수록 '제보자' 역시 더 적극적으로 연행에 참여한다는 사실을 '발견'하였다.[25] 또한 정상박은 조사원 가운데 여성이 존재하지 않거나 그 역할이 미미하여 여성 '제보자'를 만나지 못하거나 여성 '제보자'와의 관계 형성이 어려웠다는 사실을 토로하기도 하였다.[26]

이들은 모두 현장에서 조사자의 개입을 최소화하고자 했으나 이미 조사자의 여러 조건들이 연행에 깊숙히 개입하고 있음을 '발견'하였다. 조사자의 전공과 관심, 연행에 대한 태도, 성별 등이 모두 연행에 영향을 미치는 요소들로 작용하고 있음을 인식한 것이다.

23) 최래옥, 「설화 조사와 문제점」, 『구비문학』 1, 앞의 책, 77~79면.

24) 성기열은 대학교수라는 신분을 밝히지 말 것을 제안하였다. 덧붙여 상대방으로 하여금 위화감을 느끼게 하기보다는 조사자 본인이 배우러 왔다는 인상을 느끼게 해야 한다고 주장하였다. (『구비문학』 9, 앞의 책, 25면.)

25) 『구비문학』 9, 앞의 책, 45면.
김선풍은 제보자와의 관계와 제보자에 대한 윤리적 책임 문제 등을 조사시 주의사항으로 거론하기도 하였다. (앞의 책, 50면.)

26) 『구비문학』 9, 앞의 책, 64~65면.

또한 조사자와 연행자 사이의 상호 작용이나 연행집단 내부의 관계에 대한 고려가 필요하다는 문제도 제기되었다. 김영진은 안내자의 소개에 따라 '마을의 이름난 이야기꾼'을 만났을 때의 경험을 언급함으로써, 조사자와 정보 제공자 사이에 훌륭한 이야기꾼에 대한 인식이 서로 다를 수 있음을 암시하였다. 정보 제공자가 생각한 훌륭한 이야기꾼은 중국의 고사와 우리 나라의 야사에 밝은 사람이었던 것이다. 또한 그는 구전이야기나 민요를 연행하는 것이 연행자들에게 '점잖지 못한 일'로 받아들여지는 현상과, 연행집단 내부의 '점잖은 어른' 때문에 이야기를 알면서도 연행하지 않거나 연행을 중단하는 상황에 대해서도 기술하였다.27)

이와 같은 『대계』의 발견들은 아직 그 자체로 완성된 시각은 아니었으나 새로운 현지조사연구론의 문제의식을 이끌어내는 하나의 동력으로 작용하였다. 새로운 현지조사연구론의 등장을 자극하는 또다른 동력은 '연행 중심 이론(Performance-centered Theory)'의 수용에 있었다. 물론 '연행 중심 이론'의 수용은 『대계』를 통한 현장에서의 경험이 '연행'에 대한 연구자들의 관심을 촉발시킨 결과였다. 현장의 복합적인 역동이 연구자들의 선험적인 틀에 균열을 만들어 새로운 연구 관점과 분석 틀에 대한 요구를 낳은 것이다.

2

1960년대 이후 70년대까지 미국 민속학계에서는 자료 중심의 민속 연구에서 벗어나 연행 자체에 주목하는 연구 경향이 나타났는데 이들의 논의가 80년대 이후 본격적으로 한국에 소개되었다. 연행 중심적 접근을 주장한 학자들은 전승의 측면에만 집중되었던 연구자들의 관심을 연행자의 창조성으로 이동시켰고, 민속을 단지 '수집된 것'으로 보지 않고 '현존하는 것'으로

27) 『구비문학』 9, 앞의 책, 56~57면.

파악함으로써 잔존하는 문화, 원시 문화로 인식되었던 것을 현존하는 문화, 당대의 문화로 인식하는 계기를 마련하였다. 민속에 대한 이러한 관점의 변화는 곧 연행에 대한 주목으로 이어졌고 연행을 틀지우는 조건이나 연행이 존재하고 작용하는 맥락에 대한 분석으로 구체화되었다.

연행 중심 이론의 소개는 임돈희와 로저 L. 자넬리, 최정무, 양종승, 윤교임에 의해 이루어졌다. 가장 먼저 임돈희와 로저 L. 자넬리가 미국 민속학계의 연행 중심적 연구 경향을 개괄적으로 언급하였다.[28] 이들은 연행 중심적 연구가 연행 법칙을 발견하는 데 목적을 두고 있으며 노래나 이야기 텍스트(text)만이 아니라 연행이 벌어지는 상황(context)을 자세하게 관찰, 기록하는 것을 주요 내용으로 삼는다고 하였다.[29]

연행 중심 이론은 1982년 최정무에 의해 다시 언급되었는데[30] 그는 민담 연구의 역사적 맥락에서 연행 중심 접근의 특성을 변별해 내고 그 전후 영향 관계를 고찰하면서 개별 학자들마다의 핵심 논의를 기술하였다.

70년대 이후 연행 중심 이론의 연구 성과들은 1994년과 2002년에 양종승과 윤교임에 의해 다시 한 번 한국에 소개되었다. 양종승은 1990년대 초까지의 연행 중심 이론가들의 논의를 통시적으로 고찰하고 이들에 대한 비판-텍스트 분석의 도외시, 언어 분석에 치중하는 편향성 등-과 그에 대한 연행론자들의 반비판을 함께 소개하였다.[31)]

---

28) 임돈희・로저 L. 자넬리, 「연희중심으로 본 민속」, 『월간조선』, 조선일보사, 1981. 12, 252~259면.
다음 해 임돈희는 미국으로 이민한 한 남성 화자에 대한 조사를 토대로 화자들이 특정 이야기를 선택・구연하는 이유와 다른 이야기 각편과의 차이 및 변화요인, 화자의 구연 동기와 구연 대상 등을 분석하기도 하였다. (임돈희, 「A Teller and His Tale」, 『동국대 논문집』 21, 동국대, 1982 참조.) 이는 본격적인 구전이야기 연구라기보다 연행 중심 이론의 분석 틀을 응용한 하나의 사례를 보여준 것이었다.

29) 이들은 또한 알랜 던데스(Alan Dundes)의 민중(folk) 개념과, 연행을 '존재하는 자체로서의 현상'이자 '의사소통과정'으로 보는 벤 아모스(Ben-Amos)의 견해 등 여러 학자들의 주장을 요약, 제시하였다.

30) 최정무, 「연행중심의 민담학과 그 역사적 배경」, 『민담학개론』, 일조각, 1982 참조.

31) 양종승, 「민속학과 연희학설」, 『비교민속학』 11, 비교민속학회, 1994 참조.

윤교임은 2000년대 초까지의 연구 성과들을 개괄하면서 연행 중심 이론의 후기 경향들을 주로 언급하였는데 그중에서도 '구술(연행)시학의 민족지'적 연구의 가능성을 특히 강조하였다.[32] 그는 여기서 연행 중심 이론의 목적이 연행의 법칙을 규명하는 데 있지 않다고 하여 연행 중심 이론에 대한 오해를 해명하고자 했으며, 연행론자들이 최근 민족시학(ethnopoetics)적 연구에 주목하는 이유와 그 연구 방향성 등을 상론하였다.

수용 초기 단계에 연행 중심 이론은 현지조사에 기반한, 구전이야기 연행에 대한 본격적인 탐구로 재생산되지 못하였다. 연행 중심 이론이 구성하고 있는 일부 개념을 빌려오거나 그 분석 틀을 부분적으로 차용하여 『대계』의 텍스트 분석에 치중하는 편향들이 나타나기도 하였다.

예를 들어 김재용은 연행자의 역할이 전승의 매개자에 머무르는 것이냐, 창조자의 지위에 가까운 것이냐에 관한 도슨(R. Dorson)과 아브라함스(R. Abrahams)의 논의를 인용하여 이 두 측면-전승 매개자와 창조자-이 한국에서 전승되는 '구비문학' 갈래들에서 각각 어떻게 나타나는지 살펴보고자 하였다.[33] 이 논의는 현지조사에 기반한 논의도, 연행 현장에 주목한 논의도 아니었으며 그보다는 오히려 구술 전승의 지속과 변이 양상을 갈래별로 고찰하는 데 목적을 둔 것이었다.

또한 김영만은 교훈적 기능을 하는 민담에 대한 '상황론적(contextual)' 연구를 시도하였는데 주로 민담의 사회적 기능과 민담에 대한 구연자들의 태도 및 의미 해석, 의사 소통 양상 등을 분석하였다.[34] 그러나 그의 논의는 『대계』에 수록된 텍스트에 기반한 것으로, 가장 중요한 '맥락(context)'인 실제 연행의 국면을 포착하지 못한 것이었다.

32) 윤교임, 앞의 글 참조.
33) 김재용, 「한국 구술전통에 있어서 구연술의 안정과 변이에 관한 연구」, 서강대 석사학위논문, 1979 참조.
34) 김영만, 「민담의 교훈성에 대한 상황론적 연구」, 『한국문학논총』 5, 한국문학회, 1982 참조.

텍스트 분석에 치중한 편향은 기록·창작된 서사 텍스트 분석의 틀을 구전이야기 분석에 응용하는 방식으로도 나타났다. 김성자는 서사 이론의 서술시점 논의를 응용하여 화자의 발화와 구연 태도를 중심으로 '구비설화'의 서술시점을 분석하고자 하였다.[35] 그러나 이는 구전이야기의 존재 및 전승 조건인 '연행'을 도외시하였기에 근본적인 한계를 지닐 수밖에 없는 논의였다.

90년대 들어 본격화된 화자론 중에도 이와 같은 연구 경향을 계승한 논의가 있었다. 강성숙은 이야기 구연 상황과 이야기꾼의 구연 양식에 대한 분석을 통해 이야기꾼의 개성에 따른 의미구현 양상을 파악하고자 하였는데, 메타 나레이션과 서술자의 거리 두기, 장면화 양상 등 서사 이론의 분석 틀을 그대로 응용함으로써 텍스트 분석의 시각으로 '연행'에 접근하는 태도를 반복하였다.[36]

텍스트 분석에 기초한 논의는 90년대 이후 구술성에 대한 분석으로 이어졌는데, 이들은 대체로 패리(M. Parry)와 로드(A. Lord)의 '구술 공식구 이론'을 이론적 근거로 삼았다. 곽진석은 민담 언어 표현의 구술적 특성을 분석하였고[37] 김현주는 일상경험담과 민담의 구술성을 분석한 후 구술서사물의 구성요소 가운데 '평가절'을 중심으로 고소설과 비교하기도 하였다.[38] 김경섭은 개인서사담을 중심으로 구술성에 대한 텍스트 언어학적 분석의 틀을 정교하게 보여주고자 하였다.[39] 이들의 논의는 현지조사연구에

35) 김성자, 「한국구비설화의 서술시점 연구」, 이화여대 석사학위논문, 1984 참조.

36) 강성숙, 「이야기꾼의 성향과 이야기의 특성에 관한 연구」, 이화여대 석사학위논문, 1996 참조.

37) 곽진석, 「언어의 구술성 연구-민담을 대상으로」, 『우암어문논집』 2, 부산외국어대 국어국문학과, 1992 참조.

38) 김현주, 「'일상경험담'과 '민담'의 구술성 연구」, 『구비문학연구』 4, 한국구비문학회, 1997 참조.
김현주, 「서사체 평가절의 전통」, 『시학과 언어학』 1, 시학과 언어학회, 2001 참조.

39) 김경섭, 「설화 연행의 텍스트 언어학적 연구-구술성의 문제를 중심으로-」, 『한국고전연구』 5, 한국고전연구학회, 1999 참조.

서 주목해야 할 연행의 세부 요소들을 밝히고 언어학적 측면에서의 미시적인 분석 틀을 보여주었지만, 연행 담화의 본질적인 특성인 '구술성'의 문제를 텍스트 분석의 차원에서만 접근하는 한계를 극복하지 못했다.

이런 가운데 연행을 조건 지우는 다양한 맥락을 체계화한 알랜 던데스(Alan Dundes)의 논의가 연구자들의 관심을 끌었다. 그는 텍스트 지향적인(text-oriented) 태도를 비판하면서 역동적이고 유기적인 연관 속에 파악해야 할, 연행에 대한 구조적 분석의 세 차원으로 ①구성 요소 및 요소들 간의 결합의 층위에 해당하는 'Texture'와, ②이야기 각편과 연행의 층위에 해당하는 'Text', ③이 두 가지 차원이 생성하고 작용하는 장으로서 이들을 조건화하고 맥락화하는 층위에 해당하는 'Context'를 제시하였다.[40]

『대계』를 통해 현장에서의 경험에 기반할 수 있었던 임재해는 알랜 던데스(Alan Dundes)의 논의를 적극 수용하여 연행 중심 방법과 상황론적 방법을 효과적으로 통합한 '현장론적 방법'을 제안하였다.[41] 두 방법은 각각 연행 현장과 전승 현장에 주목하고 있는데 실제 연구에서는 두 현장 모두에 주목해야 한다는 것이다. 그는 '현장론적 방법'을 바탕으로 전승 현장과 연행 현장의 특정 조건과 맥락이 연행과 이야기, 상황[42]에 각각 어떻게 영향을 미치는지 구체적으로 논증하고자 하였다.[43]

임재해는 90년대 이후 '현장론적' 관점을 더욱 구체적으로 명시하여 '구비문학'을 포함한 민속학 연구의 자료는 '텍스트가 아니라 컨텍스트'라는 명

40) Alan Dundes, "Texture, Text, Context", *Interpreting Folklore*, Indiana University Press, 1980, pp.20~32.

41) 임재해, 「민속연구의 현장론적 방법」, 『정신문화연구』 20, 한국정신문화연구원, 1984 참조.

42) 임재해는 알랜 던데스의 논의와 함께 '요소의 구조(structure of the material)', '극적 구조(dramatic structure)', '상황의 구조(structure of context)'를 분석의 구조적 차원으로 제시한 아브라함스의 견해를 응용하였다.

43) 임재해, 「마을공동체의 성격과 설화의 전승양상」, 『한국민속학』 18, 한국민속학회, 1985 참조.
임재해, 『설화작품의 현장론적 분석』, 지식산업사, 1991 참조.

제를 내걸기도 하였다.[44] 이를 통해 그는 자료와 현장의 유기적 관계를 파악하는 일, 즉 특정한 사회적 상황 속에서 자료를 파악하는 일이 긴요함을 주장하였다.[45]

3

『대계』 이후 구전이야기 연구에서 가장 두드러지게 드러난 변화는 이야기꾼, '화자'에 대한 연구가 확대, 심화된 점이다. 『대계』 작업에 참여했던 사람들은 한결같이 능력 있는 '제보자'에 대한 연구가 필요함을 역설하였는데 이는 현지조사 과정에서 다양한 유형의 이야기꾼들을 직접 만날 수 있었기 때문이다. 현장에서의 경험과 함께 연행에 주목하는 연구 경향에 힘입어 1980년대 초에 곽진석, 박미영, 홍태한 등이 '화자'와 연행, 이야기판, 연행집단 사이의 유기적인 연관을 고려하는 '화자론'을 전개하기 시작하였다.

곽진석은 여러 가지 연행 조건에 따라 이야기꾼의 이야기 구성과 문체, 기교 등이 어떻게 변화하는지 고찰하였고[46], 박미영은 적극적 화자와 소극적 화자의 문제를 거론하였다.[47] 이들의 논의가 주로 이야기꾼 혹은 '화자'의 능력과 구연 변화의 원리 등에 국한된 데 반해 홍태한은 이야기판과 이야기꾼의 유기적 관계에 주목하였다. 그는 이야기가 구연되는 이야기판 자

44) 임재해, 「민속자료와 향토사」, 『향토사의 길잡이』, 수서원, 1995 참조.
임재해, 「민속문화의 자료와 현장 상황을 읽는 체계」, 제9회 실천민속학회 전국학술발표대회 발표지, 실천민속학회, 2000. 8, 17~18면.
임재해, 「구비문학의 연구동향과 세기적 전환의 기대」, 『한국민속학』 32, 한국민속학회, 2000, 245면.

45) 임재해는 '구비문학' 연구에서 연행 중심 논의의 필요성과 가능성을 구체적으로 제기하기도 하였다. (임재해, 「구비문학의 연행론, 그 문학적 생산과 수용의 역동성」, 『구비문학연구』 7, 한국구비문학회, 1998 참조.)

46) 곽진석, 「이야기꾼의 이야기 구성과 변화에 대한 연구」, 서강대 석사학위논문, 1982 참조.

47) 박미영, 「제보자의 전승에 있어서의 적극성·소극성 문제」, 『추계학술답사보고서』, 한국학대학원, 1982 참조.

체의 분위기와 질서에 주목하여 이야기판이 어떻게 구성되는지, 이야기판에서 이야기가 어떻게 진행되는지, 화자의 태도와 청자의 반응은 어떠한지 등을 고찰하고자 하였다.48) 그러나 현지조사에 기반한 구체적인 논증이 충분하지 않았으며, 이야기판이나 연행집단의 성격 등을 간과한 채 구연시 나타나는 청자의 반응과 화자의 대응, 그리고 그들의 관계 양상이 이야기를 어떻게 변이시키는지 등의 문제를 논하는 데 머무르고 말았다.

'화자론'에 주목한 연구자들 가운데는 분석 시각과 분석 틀의 측면에서 린다 데그(Linda Dégh)의 논의에 기댄 이들이 많았다. '화자'에 관한 '린다 데그'의 논의는 80년대 이후 한국 구비문학 연구자들 사이에서 폭발적인 반응을 불러일으켰다.

그는 사회적 맥락 속에서 이야기꾼의 역량을 분석할 것을 제안하면서, 뛰어난 기억에 의한 전통의 충실한 재현과 현장에서 자유자재로 발현되는 창조적인 구성력을, 연구자가 이야기꾼의 연행을 분석할 때 주목해야 할 중요한 두 가지 특성으로 기술하였다. 그는 특히 이야기꾼의 창조적 구성력을 강조하면서 이를 가늠하는 요소로 구성의 기술, 이야기하기의 전통적 관습, 적절한 연출 등을 제시하였는데, 이러한 요소들은 고정불변의 것이 아니라 청중의 성격·반응·태도, 이야기하는 상황에 따라 변하는 것이라고 하였다. 따라서 '화자'에 대한 연구는 '화자'가 집단 앞에서 어떻게 행동하는지, 이야기 자료를 어떻게 활용하는지, 이야기를 어떻게 구성하는지, 이야기를 만들어내는 데 있어서 어떤 의미를 사용하는지 등의 문제에 주목해야 한다는 것이다.49)

린다 데그의 논의가 어느 정도 일반화된 이후 화자에 대한 연구는 연행태도와 역량에 따라 이야기꾼을 분류하거나50) '유능한 이야기꾼', '전문적

---

48) 홍태한, 「이야기판과 이야기의 변이 연구」, 경희대 석사학위논문, 1983 참조.

49) Linda Dégh, "The Storytellers", *Folktales and Society*, Indiana University Press, 1969, pp.165~186.

50) 김기형은 연행과 수용태도에 따라 적극적 화자와 소극적 화자를 분류하고 이들의

인 이야기꾼'에 주목하여 이들 연행의 유형적 특질을 분석하는 논의로 그 무게 중심을 옮겨가기 시작하였다. 전문적인 이야기꾼에 대한 논의를 본격적으로 시작한 사람은 천혜숙이었다.[51] 천혜숙은 현지조사를 토대로 전문적인 이야기꾼의 개념과 범주, 그리고 다소 전문적으로 유형화된 그들의 연행 기법 등을 분석하였다.

천혜숙 이후 다소 소강 상태에 빠졌던 이야기꾼에 대한 논의는 80년대 후반 황인덕에 의해 다시 시작되었다. 그는 '설화' 구연의 투식적 표현의 개념과 의미를 규정하고 현지 조사를 통해 토박이 이야기꾼이 지닌 투식적 표현의 실제 양상을 분석하였다.[52] 90년대 초반에는 조선 후기 야담집에 등장하는 이야기꾼 '김중진(金仲眞)'을 중심으로 이야기꾼의 개념과 유형, 사회적 기능, 시대별 양상 등을 기술하였고[53], 90년대 후반에는 현지조사에 기반하여 생애사와 구연능력, 구연기술, 구연목록, 시대인식, 이야기꾼이 속한 집단이나 이야기판의 성격 등에 이르기까지 그 논의 범위를 넓혀나갔다.[54] 90년대 후반 이야기꾼에 대한 황인덕의 논의는 체계적이고 미세한 분석 시각을 드러냄으로써 10년 이상 지속된 '화자론'의 성과를 보여주는 것이었다.

황인덕이 이야기꾼에 대한 본격적인 논의를 시작할 무렵 이인경은 현지

연행 특질을 고찰하였다. 그는 이외에도 화자의 제약성과 자율성, 설화의 전승문법, 화자의 세계관과 설화의 의미구조 등 여러 주제에 주목하였다. (김기형, 「설화와 화자의 관련양상」, 고려대 석사학위논문, 1986 참조.)

51) 천혜숙, 「이야기꾼의 이야기 연행에 관한 고찰」, 『계명어문학』 1, 계명어문학회, 1984 참조.

52) 황인덕, 「설화의 투식적 표현 一考」, 『논문집』 16권 2호, 충남대 인문과학연구소, 1989 참조.

53) 황인덕, 「이야기꾼의 한 고찰-金仲眞의 경우」, 『어문연구』 23, 어문연구회, 1992 참조.

54) 황인덕, 「이야기꾼 유형 탐색과 사례 연구-부여지역 여성 화자 이인순의 경우-」, 『구비문학의 연행자와 연행양상』, 한국구비문학회편, 박이정, 1999 참조.
황인덕, 「유랑형 대중 이야기꾼 연구-'양병옥'의 경우-」, 『한국문학논총』 25, 한국문학회, 1999 참조.

조사에 바탕한 여성 화자 연구를 전개하였다.55) 그는 '유능한 화자'의 기준과 범주에 대한 논의를 전제로 남성 화자와 대비되는 여성 화자의 여러 특징을 규명하고자 하였다. 비교의 범주는 이야기판의 구성 및 분위기, 이야기 갈래, 갈래별 구연방식 등이었다. 이 연구에서 가장 주목할 점은 화자의 성별에 따른 이야기 연행상의 차이를 밝히려 했다는 것과 이러한 논의를 통해 여성 화자의 젠더 의식을 규명하고자 했다는 것이다. 그러나 현지조사연구의 관점에서 볼 때, 서사 텍스트에 대한 시학적 분석의 틀을 구전이야기 연행 분석에 그대로 적용하여 일반화하려 했다는 한계를 드러내고 있다.

90년대 후반에는 폭넓은 레퍼토리를 보유하고 있으면서 다양한 구연 능력을 드러내는 화자들에 대한 연구가 집중적으로 나타났다. 이는 한국구비문학회의 기획에 의한 것이기도 했지만 보다 근원적으로는 '화자론'의 성과가 양적·질적으로 축적되면서 자연스럽게 나타난 현상이기도 하였다. 이수자와 이복규는 각각 많은 양의 이야기를 풍부하게 구연한 남성 화자를 대상으로 현지조사를 수행하고 그들이 구연한 이야기를 자료집으로 발간하는 동시에 그들의 생애와 의식, 구연한 이야기의 갈래적 특징과 이야기 구성방식, 연행상의 특질 등을 분석하였다.56)

이후, 탑골 공원 이야기꾼들의 사례를 통해 이야기꾼으로서의 뛰어난 능력이 창조적 역량에 있음을 강조하고 이야기꾼의 생애와 의식, 구연 기법 등을 작가적 의식과 작가적 표현의 관점에서 조명하고자 한 신동흔의 논의가 있었다. 그는 또한 '특출한 이야기꾼'과 '전문적 수준의 이야기꾼'을 구분하고 분류 기준과 범주를 제시하기도 하였다.57) 그리고 다시 탑골 공원 이

55) 이인경, 「화자의 개성과 설화의 변이-금산군 진산면 여성화자 최순애를 중심으로-」, 서울대 석사학위논문, 1992 참조.

56) 이수자, 「이야기꾼 이성근 할아버지 연구-남성화자론 정립을 위한 기초 연구의 일환으로」, 『구비문학연구』 3, 한국구비문학회, 1996 참조.
이복규, 「이야기꾼의 연행적 특성-전북 익산 이강석 할아버지의 경우를 중심으로」, 『구비문학연구』 7, 한구구비문학회, 1998 참조.

57) 신동흔, 「이야기꾼의 작가적 특성에 관한 연구-탑골공원 이야기꾼들의 사례를 중심

야기꾼들 가운데 '전문적인 이야기꾼'으로 분류한 김한유를 중심으로 그의 구연 기법과 이야기 구성 원리 등을 분석하였다.[58]

화자론의 연구 시각과 방식은 90년대 후반 큰 변화 없이 일정하게 정형화되어 가는 양상을 보였다. 이러한 경향은 2000년 김승필의 화자론에서도 반복되었다.[59] 그러나 2002년 화자론의 이러한 한계를 극복하고자 하는 시도가 나타났다. 강진옥·김기형·이복규는 한정된 자료와 텍스트 중심의 구조분석에 의지한 기존 논의를 비판하면서 컨텍스트 속에서 구전이야기의 전승과 변이를 이해해야 한다는 관점을 보다 명확히 천명하는 가운데 익산 지역 두 화자의 이야기 구연을 비교, 분석하였다.[60] 그들은 이 논의에서 화자들의 사회문화적 배경과 주거 지역의 특수성, 이야기에 대한 인식과 이야기 구연에 대한 태도, 고소설 탐독 등의 문화적 경험, 구연 시차와 세계관 변화에 따른 이야기 변이, 이야기 내용 구성과 갈래 선택의 개성적 측면, 청중의 성격·화자의 성향 및 구연 능력 등 화자의 연행 조건에 따른 이야기 변이 양상을 폭넓게 고찰하고자 하였다.

'화자론'의 성과는 연행 중심 이론의 성과와 함께 구전이야기 연구에서 '연행'과 '현장'의 문제를 본격적으로 제기하였으며 이를 통해 현지조사연구의 의의와 필요성을 새롭게 부각시켰을 뿐 아니라 현지조사연구에서 고려해야 할 다양한 맥락들을 폭넓게 환기시켜 주었다. 때로 한 개인의 창작과 기록에 기반한 문학 텍스트의 작가론을 그대로 답습하는 경향을 드러내기도 했지만 '제보자'에서 '화자'로, '화자'에서 '이야기꾼'으로, 다시 '연행자'와 '연행집단', '이야기판'으로 논의가 확대되어 온 과정[61]은 '화자론'에서 연행

으로」, 『구비문학연구』 6, 한국구비문학회, 1998 참조.

58) 신동흔, 「탑골공원 이야기꾼 김한유(금자탑)의 이야기세계」, 『구비문학연구』 7, 앞의 책 참조.

59) 김승필, 「이야기꾼 심병준·김달봉 연구-전북 전주시·익산군 설화를 중심으로」, 목포대 석사학위논문, 2000 참조.

60) 강진옥·김기형·이복규, 「구전설화의 변이양상과 변이요인 연구-익산지역 이야기꾼과 이야기판을 중심으로」, 『구비문학연구』 14, 한국구비문학회, 2002 참조.

에 대한 인식이 어떻게 심화되어 왔는가를 확인시켜 준다.

그러나 이와 같은 '새로운' 연구 경향은 분명 '연행'에 주목하고 있으면서도 '새로운' 현지조사에 기반하지는 못하였다. 현지조사의 시각과 방법이 연행 중심 논의와 '화자론'의 앞선 문제의식을 따라가지 못했던 것이다. 기존과 다른 시각으로 '연행'을 분석하고자 하면서 그 분석 자료는 '연행'의 다양한 맥락을 드러내지 못하는, 기존의 시각과 방법에 의한 것이었던 셈이다. 따라서 연행에 대한 연구 시각은 성숙했으나 그러한 시각이 반영된 자료는 어디에도 존재하지 않았다.

연행에 기반한 논의들이 현지조사연구의 변화, 발전으로 자극받지 못하면서, 곧 연구 시각이 현지조사 단계에서부터 일관성 있게 관철되지 못하면서 연행에 주목한 연구에도 여러 가지 편향이 나타날 수밖에 없었다. 연구 시각에 걸맞는 자료를 찾지 못함으로써 다시 서사 텍스트 분석 시각으로 회귀하거나 외국에서 수입한 이론을 기계적으로 응용하기도 하고, 연구 시각이 더 이상 확장되거나 심화되지 못한 채 답보 상태에 머무르기도 하였다.[62]

그러므로 연행을 중심으로, 컨텍스트를 중심으로 구전이야기를 이해하고 분석해야 한다는 인식에 공감할 때, 현단계 구전이야기 연구의 가장 시급한 과제 가운데 하나는 새로운 현지조사연구론을 모색하는 일이다. 사실상 '현장'의 위기는 연행 현장 자체보다는 연행 현장을 드러낼 '자료'의 위기, '현지조사'의 위기로 인식될 필요가 있는 것이다.

---

61) '제보자'는 정보 제공에, '화자'는 발화에, '이야기꾼'은 구연에, '연행자'는 연행에 주목한 개념이라고 할 수 있다.

62) '화자론'의 경우 작가 연구 혹은 서사 시학적 연구의 관점 및 방법에 머물거나, 연구 시각과 방법을 확장시키지 못한 채 선행 연구의 성과에 안주하면서 이를 반복하는 논의들이 많았다. 또 연행자 및 연행집단과 연관된 여러 맥락과 다양한 층위의 연행 주체들을 고려하지 못한 채 유능하고 뛰어난, 혹은 전문적인 화자에 대한 연구에만 골몰하는 경향도 나타났다.

Ⅱ-4. 현단계 구전이야기 현지조사연구의 과제

1. 민족지적(ethnographic)[1] 현지조사연구의 필요성 : 무엇이 민족지적인 접근을 요구하는가

새로운 자료와 새로운 현지조사연구의 필요성은 이미 몇몇 연구자들에 의해 제기된 바 있다. 천혜숙과 강진옥은 '구비문학' 연구 50년사를 정리하고 이후 연구를 전망하면서 마을 단위 또는 지역 단위의 미시적 조사와 연구의 필요성을 주장하였다. 천혜숙은 장기 지속적인 참여 관찰을 통해 구비문학 일체의 실상을 자료화할 필요성을 제기하면서 자료가 구연된 현장상황과 자료가 전승된 공동체의 상황이 상세하게 기술된 '구비문학 전승지'[2] 또는 '구전민속지' 작성을 제안하였다.[3] 강진옥도 같은 제안을 하면서 특히 '전통적인 구비문학은 물론, 생활 및 의식공동체 내부의 생활문화 속에 침윤된 전통의 세세한 국면들과 현재적 변화의 양상들까지 파악할 수 있을 만

1) 'ethnography'는 주로 '민족지'로 번역된다. 원어의 사전적 의미를 살린 이 번역어는, 최근 'ethnography'가 특정 민족의 문화에 대한 연구보다는 주로 하위문화(subculture) 연구에 활용되면서 '문화기술지'로 변형되기도 하였다. 최근에는 원어의 의미를 살리면서 '기술지'의 특성을 드러내기 위해 '인종기술지'라는 용어가 채택되기도 하였다. 이는 별도의 논의를 요하는 문제이므로 여기서는 우선 기존 연구자들 사이에 통용되고 있는 번역어인 '민족지'를 사용하기로 한다.

2) 천혜숙은 이를 '구비전승의 민속지'라고도 하였다. (천혜숙, 「구비문학과 민속학: 공유와 분기, 제휴의 문제」, 『구비문학연구』 13, 한국구비문학회, 2001, 276~280면.)

3) 천혜숙은 여기서 지금 존재하는 현장과 기억을 통해 재구된 현장의 층위를 구분해서 서술할 것을 주장하였다. (천혜숙, 「구비문학연구 50년, 그 성과와 전망」, 앞의 책, 544면.) 임재해는 전자를 현장조사, 후자를 현지조사로 구분하고 현장조사의 필요성을 역설하였다. (임재해, 「마을민속 조사 무엇을 어떻게 할 것인가」, http://limjh.andong.net/ (『마을민속 조사 어떻게 할 것인가』, 안동대학교 민속학연구소 편, 민속원, 2002.), 19~20면.)

큼 치밀하고 자세한 조사와 채록, 그리고 기술이 이루어져야 한다'고 주장하였다.4)

임재해는 '구비문학'의 자료는 연행 상황이 고스란히 살아 있는 자료여야 한다는 점을 강조하면서5) 몇 가지 대안이 될 만한 현지조사연구 성과들을 언급하였다. 그는 현지조사 전 과정을 고스란히 옮겨 적은-구연 전후에 조사자와 제보자가 주고받은 이야기나 청중이 개입한 이야기까지 자세하게 옮겨 적은- 조사보고서와 연행의 입체적인 측면을 가능한 상세하게 재현하고자 한 연구 경향들을 소개하였다.6)

이처럼 연구 관점의 변화에 따른 새로운 자료에 대한 요구는 자연스럽게 현지조사 관점과 방법의 질적 변화를 요구하였다.7) 그리고 이러한 변화에의 요구는 '현장'에서 조금씩 구체화되었다. 『대계』 이후 『대계』의 방식을 답습한 현지조사가 거듭되면서 조사방식과 '현장' 사이의 불협화음이 계속

4) 강진옥, 「구비문학 연구 50년」, 앞의 책, 292~293면.

5) 이런 관점에서 『대계』는 '구연된 원문 그대로 채록했다'는 점에서 의의가 있지만 전승상황-마을 단위의 사회 조사와 역사적 변화에 주목하는-에 대한 기술이 미흡한 것으로 평가되었다. (임재해, 「구비문학의 연구동향과 세기적 전환의 기대」, 『한국민속학』 32, 한국민속학회, 2000, 248~249면.)

6) 여기서 언급된 조사보고서는 나승만(『목포시의 문화유적』, 목포대학교 박물관, 1995. : 「민요와 소리꾼의 생애담」, 『화순군의 민속과 축제』, 남도민속학회, 1998.)과 강릉대학 국문학과(「강원도 평창군 제2차 학술조사보고서」, 『강릉어문학』 12, 1998.)의 현지조사 성과물이다. (임재해, 앞의 글, 249면.) 또한 연행의 세부 국면까지 조명하고자 한 연구 성과로 박경신의 『한국의 별신굿 무가』 1-12(국학자료원, 1999.), 이균옥의 『동해안 별신굿』(박이정, 1998.), 표인주의 『공동체신앙과 당신화 연구』(집문당, 1998.)를 들고 있다. (임재해, 앞의 글, 251~252면, 285~288면.)

7) 민족지적 연구에의 제안이 맨처음 이론적인 차원에서 제기된 것은 아니다. 50년대 중반에 '구술 예술' 개념을 처음 도입했던 바스콤(William R. Bascom)은 이미 53년에 구비전승의 언어 예술 연구에서 문화인류학적 관점과 방법을 응용하는 것이 필수적이며 민족지학적인 연구 없이 연행의 제반 상황을 충분히 묘사하는 구전이야기 연구자료를 만들 수 없다고 단언하였다. (William R. Bascom, "Folklore and Anthropology", *The Study of Folklore*, Prentice-Hall, Inc., Englewood Cliffs, N. J., 1965, pp.25~33. (Reprinted from the Journal of American Folklore, Vol. 66, 1953, pp.283~290.)) 민족지적 연구의 필요성이 이론적인 차원에서 제기된 것이라면 바스콤의 논의가 수용되었던 7, 80년대 이미 민족지적 조사와 연구가 제안되었을 것이다.

되어, 텍스트 차원에서 접근하는 기존의 현지조사 시각으로는 더욱 복잡해진 '현장'의 미세한 결을 읽어낼 수 없게 된 것이다.

'현장'이 요구하는 미세한 시각은 지속적이고 반복적이며 현장에 '참여'하는 현지조사를 통해서만 획득될 수 있는 것이었다. '새로운 이야기'를 듣기 위해, '현장'을 체험하기 위해 떠나는 현지조사가 아닌, 연구자의 지평을 변화시키고 견고했던 연구자의 시각에 균열을 만드는 '현장과의 만남'이 요구되기에 이른 것이다. 그리고 이 '만남'은 연구자의 시선을 민족지적 연구로 이동시켰다. 무엇보다 같은 '현장'을 계속해서 참여관찰함으로써 질적 연구를 심화시켜 간다[8]는 점에서 민족지적 연구가 기존의 현지조사 방식이 지닌 한계를 극복할 가능성을 보여 주었기 때문이다.

참여관찰과 민족지적 연구의 필요성은 1990년대 후반 이후 이미 몇몇 연구자들에 의해 제기된 것이었다. 황루시는 현지조사론의 연구사를 개관하고 현지조사에 대한 강의 초안을 제시하면서 '라포' 형성의 필요성과 조사자의 윤리성, 참여관찰적인 현지조사방법 등을 언급하였다.[9] 박환영은 이러한 문제 외에 참여관찰의 구체적인 활동 내용과 주의사항, 조사자의 생업활동 참여, 자료제공자와의 관계 형성과 공감대 활용, 자료제공자·참여하고 있는 동료들·조사가 진행되는 공간이 자료조사에 미치는 영향 등을 구체적으로 지적하였다.[10]

또한 윤교임은 해당 문화 공동체에 속한 사람들의 관점(에믹, emic)에서

8) 민족지적 연구는 현지인의 입장에서 현지인의 눈으로 행한 참여관찰에 기반하기 때문에 다른 어떤 사회과학의 조사방법보다도 내면화된 문화 규약과 문화적 코드를 이해하는 데 유용한 측면이 있다. 그러나 다른 한편으로는 연구자가 결코 완전한 현지인이 될 수 없다는 사실을 명확히 인식시켜 이중의 시선-현지인의 시선과 연구자의 시선, 내부의 시선과 외부의 시선-을 견지하게 함으로써 문화 현상을 입체적으로 이해할 수 있는 기틀을 마련해 준다. 또한 민족지적 연구는 자료의 수량화에 기반한 일반화나 보편화를 목표로 하지 않는 질적 연구이기에, 어떤 현상도 전체 맥락을 대표하는 표본으로 보지 않고 오로지 개별 현상의 질적 측면에만 천착한다.

9) 황루시, 「구비문학 현지조사론」, 『구비문학연구』 6, 한국구비문학회, 1998 참조.

10) 박환영, 「민속학은 현지조사로부터」, 『우리민속학의 이해』, 월인, 2002, 519~526면.

그들이 내면화한 문화적 코드를 경험적으로 발견하는 민족지적 연구가, 암시적으로 드러나는 구술예술의 의미와 미학에 접근하기 좋은 방법이라고 하면서 민족지적 연구에 기반한 구술시학의 문제의식을 개괄적으로 소개하였다.11)

그러나 참여관찰에 기반한 민족지적 연구의 필요성을 제기하는 것만으로는 새로운 현지조사연구를 구체화하기 어렵다. 구체적으로 '어떤 관점에서, 무엇에 주목할 것인가'라는 가장 핵심적인 문제에 대한 논의가 본격화되지 않았기 때문이다. 전자 매체의 형태로 자료를 만드는 것이 궁극적인 대안이 될 수는 없다. 이 때에도 시각과 해석의 문제는 여전히 남기 때문이다. 캠코더의 뷰파인더나 카메라의 렌즈 뒤로 숨는다 해도 조사자의 존재, 조사자의 시각과 지평은 연행 현장에서 여전히 생생한 조건으로 살아 있다.

다양한 연관 속에서 역동적으로 움직이는 연행에 대한 미시적 관찰과 분석은 '참여'를 전제로 하지 않을 수 없으며 이는 곧 현장의 '내부' 깊숙히 들어가는 조사 연구를 의미한다. 따라서 조사자는 매 순간 자신의 관점과 지평에 근거한 해석에 기반하여 조사를 계속해 갈 수밖에 없다. 그러므로 조사자의 시각과 지평을 드러내지 않는 민족지는 오히려 객관적인 타당성을 인정받기 어렵다. 결과적으로 조사와 연구 현장에 실재하는 '조건'과 '힘'을 은폐하기 때문이다.

또한 민족지적 조사와 연구는 연행자·연행집단과 조사자의 관계, 연행·전승 현장과 조사자 사이의 관계와 역동에 기반해야 하며 민족지 기술을 통해 이를 드러내야 한다. 연행에 기반한, 연행 중심의 연구를 주장하는 연구자들은 억양·어조·수사적인 표현·극적인 표현과 연출력·동작과 표정 등의 연행 기교 및 형식과, 연행집단의 성격·화자의 연행집단 내부에서의 지위·연행집단 내부의 상호 작용 양상, 그리고 이야기판의 상황과 연관된 제반 요소들 모두에 주목한다. 민족지적 연구를 제기하는 이들은, 이와

11) 윤교임, 앞의 글, 265~272면.

같은 요소들을 발견하고 분석하기 위해서 미시적인 접근이 필요한데 바로 이러한 접근을 가능하게 하는 것이 민족지 기술이라고 설명하고 있다.

그러나 문제는 이와 같은 요소들이 '어떤 조건 속에서 드러나는가'라는 데 있다. 연행의 발현과 변화는 연행자와 연행집단, 연행자와 조사자 사이의 관계 양상을 주요한 조건으로 한다. 연행을 둘러싼 여러 주체들이 맺는 관계의 내용과 상호 작용 양상에 따라 연행의 내용이 어느 정도 결정되기 때문이다. 따라서 현지조사시에 이러한 관계와 상호 작용 양상을 조건으로 인식하여 민족지 기술을 통해 이를 명시적으로 드러내지 않으면 연행을 둘러싼 컨텍스트(context)를 온전히 보여줄 수 없다.

리차드 바우만(Richard Bauman)은 의사소통 양식으로서 연행이 지닌 독특한 해석적 틀에 주목하여 연행임을 드러내는 의사교환적 단서들[12]을 분석하였는데, 그는 이러한 것들이 연행자와 청중의 상호 관계를 통해 규정된다고 보았다. 자신의 의사소통 능력을 청중들에게 드러내 보이고 이를 평가받겠다는, 연행자가 스스로에게 부과한 책임과 청중에 대한 무언의 초대, 그리고 연행의 기술과 효과를 평가하겠다는, 청중이 스스로에게 부여한 책임과 무언의 응대가 이 해석적 틀 안에 내포되어 있다는 것이다. 그러나 리차드 바우만은 연행을 규정하는 연행자와 청중 사이의 관계 및 상호 작용에는 주목하면서도 다른 청중과 구분되는 조사자의 지위와 역할, 조사자가 연행자 및 연행집단과 맺는 관계에 대한 문제는 간과하고 있다.

민족지적 연구의 효과는 '현장'을 대상화하지 않는 태도를 통해 드러난다. '현장'을 대상화하지 않기 위해서는 연구자의 지평과 연행 현장을 분리된 것

12) Richard Bauman, "The Nature of Performance", *Verbal Art as Performance*, Waveland Press, 1984, pp.7~14.
의사교환적 단서는 최소한 다음의 7가지 요소를 포함한다.: '특수 코드(special code, 특별한 표현이나 용어, 속담, 고사성어, 시적 용어 등)', '수사어구(figurative language)', '대응구(parallelism, 부분적 변형을 포함하는 반복)', '비발화적 요소(special paralinguistic features)', '특수 정형구(special formulae)', '전통에의 호소(appeal to tradition)', '연행에 대한 거부(disclaimer of performance)'. (Ibid., pp.15~24.)

으로 인식하지 않아야 한다. 오히려 연구 주체와 연행 주체 사이의 관계 문제를 정면에서 문제 삼을 필요가 있다. 연행자와 연구자 사이의 관계를 구체적으로 드러냄으로써[13] 조사자의 시각이나 위치를 은폐하지 말아야 하는 것이다. 그러므로 조사자의 역할을 최소화하고 조사자를 투명하게 만드는 것을 통해 자료의 객관성을 확보할 수 있다고 믿었던 과거의 현지조사 시각은 이제 새롭게 재조명되어야 한다.

2. '객관주의 신화'의 해체 : 연구자의 개입을 배제한 현지조사연구는 가능한가

『대계』 이래 현지조사는 과학적 연구를 위해 객관적으로 신뢰할 만한 자료를 만들려는 목적에서 시행되었다. 이에 따라 『대계』로부터 '객관적인' 조사에 대한 지향이 꾸준히 지속되었다. 그리하여 조사자의 개입이 없는, 순수하게 '자연적인' 연행 환경 조성이 추구되었으며 마치 '투명인간'처럼 자신의 존재를 '무화'시킬 수 있는, 연행 현장에 '존재하지 않는 것처럼 존재할 수 있는' 연구자가 가장 훌륭한 조사자로 평가되었다.

그러나 이는 실제로 불가능한 것이었다. 『대계』의 평가를 통해서도 드러났듯이 현지조사자는 연행 현장에 '존재할 수밖에 없으며 실제로 존재하고 있다.' 그것도 연행 현장에서 가장 강력한 영향력을 행사하는 주요한 '조건'으로 존재한다. 물론 현장에 적극적으로 개입하는 것이 가장 좋은 조사 방법이라고 말하는 것은 아니다. 그러나 조사자가 자신의 개입을 최소화하더라도, 심지어 한 마디의 말이나 어떤 행동을 하지 않더라도-실제로는 불가능한 일이지만- 조사자가 연행 현장에 있다는 사실 자체가 연행에 영향을

13) 연행자가 공동체에서 어떤 지위에 있는지, 기대되는 사회적 역할이 무엇인지, 공동체 내 다른 사람들과의 관계가 어떤지, 조사 활동에 대해 어떻게 생각하고 있는지 등을 모두 명시해야 한다.

미치는 주요 조건이 된다는 사실을 인식해야 한다.

현지조사에 임하는 수많은 연구자들의 관심과 시선은 오로지 연행자, 혹은 연행집단의 상황과 조건을 향해 있지만 실제로 연행 주체의 조건 못지않게, 때로는 그 이상으로 연행에 영향을 미치는 것이 바로 조사 및 연구 주체의 조건이다. 조사자의 피로도, 옷차림, 표정, 열의, 말투, 처음 건넨 인사말이나 질문 등 아주 사소한 것에서부터 연행 공간에서의 조사자의 자리, 연행 현장에 참석한 조사자의 수, 조사에 동원한 기기, 조사자의 교육 수준과 문화적 환경에 이르기까지 연행에 영향을 미치지 않는 것은 거의 아무것도 없다.

최근 민족지적 연구 방법을 적극적으로 수용하고 있는 구술사 연구에서는 현지조사의 이러한 측면을 구술사 연구의 가장 특징적인 부분이자 장점으로 인식하고 있다. 역사인류학적 관점에서 구술사 연구를 본격적으로 전개하고 있는 윤택림은 구술사 연구를 "연구자, 즉 인터뷰를 하는 자, 해석자와 연구대상자, 즉 이야기를 하는 자, 화자가 하나의 사회적 상황 속에서 상호작용을 통해 만들어 내는 작업"이라고 설명하고 있다.[14] 또한 그는 해석자인 연구자가 자신의 이야기를 하지 않고 텍스트 이면에 숨어 있기보다는 화자와 해석자의 관계나 해석자 자신의 이야기를 구술사 연구의 한 부분으로 인식해야 한다고 주장하였다.[15]

14) 윤택림, 「기억에서 역사로 -구술사의 이론적, 방법론적 쟁점들에 대한 고찰-」, 『한국문화인류학』 25, 한국문화인류학회, 1993, 278면.

15) 윤택림, 앞의 글, 288면.
인류학에서는 이러한 견해를 좀더 적극적으로 확장시켜 연구 주체인 민족지 연구자와 연구 대상인 현지인을 이분법적으로 구분하는 것이 어떤 효과를 생산하는지 반문하고 있다. 연구자와 연구 대상자 사이의 상호작용으로 인해 주체가 타자가 되고 타자가 주체가 되는 넘나듦이 가능하기에 구분 자체가 무의미하다는 것이다. 물론 이때에도 민족지 연구자가 완벽하게 현지인이 될 수 있다고 말하는 것은 아니다. 그는 현지인이 되어 가고 있는 것이 아니라 완전한 외부인도, 완전한 내부인도 아닌 존재로 남을 뿐이다. (Renato Rosaldo, Smadar Lavie, and Kirin Narayan, "Introduction: Creativity in Anthropology", *Creativity / Anthropology*, Cornell University Press, 1993, p.6.) 같은 책에서 돈 핸델만은 현지인의 시각이나 목소리가 소거된 채 나타나

인문학의 여러 분야에서 민족지적 접근법을 수용하고 있는 이유 가운데 하나는 민족지적 접근이 '선험적으로 가정된 동일성' 아래 그동안 드러나지 못했던 타자들의 목소리를 복원해내기 때문이다. 가장 단순한 문화 현상에 대해서조차도 단일한 해석이 나올 수 없다는 어느 인류학자의 주장처럼 민족지적 연구는 중심통합적이고 단선적인 시각을 거부한다. 민족지 기술을 통해 하나의 목소리가 아닌 다수의 목소리가 드러남에 따라 '가정된 동일성' 아래 무화되었던 차이들이 기지개를 켜고 일어나는 것이다. 그리고 바로 이러한 차이들로부터 이질적이고 중층적인 의미들이 생성된다.

구전이야기 연구에서 민족지적 관점이 지니는 장점은 연구 주체와 연행 주체 사이, 연행 주체들 사이의 분열된 시각을 그대로 드러내는 데 있다. 연구자와 연행자, 혹은 연행집단 내부의 서로 다른 지평이 갈등하고 충돌하는 양상을 그 자체로 중요한 연구 대상으로 삼는 것이다. 중요한 것은 바로 이 단절과 균열에서 생성되는 의미가 담론 분석의 핵심이라는 사실이다.[16)]

연행 현장에는 수많은 입장과 시각의 차이들이 존재한다. 연행에 참여한 사람들의 성별이 다르고 마을에서의 지위와 역할이 다르며 이해 관계가 다르고 계층과 문화가 다르기 때문에 연행 현장은 곧 수많은 헤게모니들이 작용하는 장이다. 가장 주의할 점은 연행 현장에서 연구자는 막강한 헤게모니를 소유한 존재라는 사실이다. 따라서 연구자는 결코 '객관적'일 수 없다.

지 않고, 연구자 본인도 텍스트 이면에 숨어서 자신의 시각을 밝히지 않는 민족지 기술 태도를 비판적으로 고찰하였다. (Don Handelman, "The Absence of Others, The Presence of Texts", *Creativity / Anthropology*, Cornell University Press, 1993, pp.133~151.)

16) 예를 들어 구전이야기 연행 현장을 참여관찰하는 연구자는 지배 이데올로기에 반항하는 연행집단의 의식과 오랜 세월 내면화된, 지배 이데올로기에 대한 순응적 태도를 동시에 발견할 수 있다. 또한 여성 연행자의 목소리를 통해 '여자에게 중요한 비밀을 말해 주어서는 안 된다'거나 '여자가 잘못 입을 놀려 집안에 재앙이 닥친 것'이라는 이야기를 듣게 될 때 연구자는 여성 연행자의 젠더 의식을 동질적인 어떤 것으로 규정할 수 없다.

연구자가 '객관주의'를 표방할수록 연행 현장의 다양한 목소리들은 연구자의 시각이라는 무차별적인 동일화의 폭력 속에 조금씩 배제된다.

그러므로 연행 현장의 이질적이고 다양한 목소리들을 불러내기 위해서는 먼저 연행 현장과 연구 현장을 단절시켰던 장막을 걷어내고 양자 사이의 연관을 회복해야 하며 연구자가 현지조사연구의 전면에 드러나야 한다. 이렇게 해야 연행 현장이 더 이상 박제화된 대상이 아닌 당당한 주체로 연구자와의 만남에 나설 수 있으며 연구자의 목소리 또한 더 이상 군림하지 않고 연행 현장의 다른 목소리들과 함께 공존할 수 있는 것이다.

현지조사연구의 시각과 태도를 이처럼 변화시키기 위해서는 연행 현장을 성실하게 묘사하는 데서 한 걸음 더 나아가야 한다. 앞에서 살펴본 대로 연행 중심 이론과 화자론의 발달로 연행에 대한 관심이 점차 미시적인 분석 방향으로 이동해 오긴 했지만 이들은 연행을 통한 의미 생성 과정을 균질적이고 통합적인 과정으로 인식하였다. 그러나 실제 연행의 장에서는 많은 이질적인 요소들이 모순과 충돌을 일으키고 있기 때문에 연행의 세밀한 부분을 재현하는 것만으로는 단절과 균열로부터 생성되는 의미를 파악하기 어렵다.[17]

현지조사연구에서 조사자가 처음부터 명시적으로 드러나야 하는 이유 가운데 하나는 조사자와 연행자 사이의 '전이' 현상 때문이다. 정신분석학은 모든 담화에서 대화 상대 간에 다양한 방식으로 무의식적 욕망의 전이가 일어난다고 가정하였다.[18] 현지조사시 조사자와 연행자 사이에도 이러한 '전

17) 바우만도 90년대 후반 이러한 문제를 의식하여 자연 발생적인 담화, 발화가 이질적이고 다기능적이라는 논의가 구술시학적 접근과 상당히 부합하는 면이 있음을 지적하고 연행이 해석학적 양식의 원천, 맥락에 민감한 의미, 이데올로기의 충돌 등을 비평적으로 검토할 수 있는 반영적인 장으로 작용하는 양상에 주목하고자 하였다. (Richard Bauman & Charles Briggs, "Poetics and Performance as Critical Perspectives on Language and Social Life", *Creativity in Performance*, Greenwich CT: Ablex Publishing, 1997, pp.227~263. (Reprinted from Annual Review of Anthropology, vol. 19, 1990, pp.59~88.))

18) 알랭 바니에 지음, 김연권 옮김, 『정신 분석의 기본 원리』, 솔, 1999, 124~128면.

이'는 얼마든지 가능하며 또 존재할 수밖에 없다.

조사자는 현지조사에 임하면서 연구자이자 분석자로서의 욕망을 갖게 되는데 대화와 연행을 통해 이는 곧 연행자의 욕망으로 대체된다. 조사자의 욕망을 내면화한 연행자는 조사자의 의도에 부합하는 연행을 하고자 노력하게 되며 이렇게 해서 연행자에게서 '있는 그대로'의 자료를 얻고자 하는 조사자의 욕망과 조사자의 의도에 부합하는 연행을 하고자 하는 연행자의 욕망은 결코 만날 수 없는 길을 계속 가게 된다. 물론 이와 반대되는 방향으로의 전이도 마찬가지다.

분석 주체와 분석 대상 사이에 욕망의 전이가 일어나면 둘은 모두 상대가 말하는 것을 자기 언어로 이해하면서 이를 다시 상대방에게 보낸다.[19)]그러므로 주체는 대상에 대해 '진실'을 알고 있다고 생각하지만 실상 주체가 알고 있는 것은 애초에 그가 알고자 했던 것에 지나지 않는다. 그래서 라깡은 주체의 무의식이 타자의 담론이라고 하였다.[20)]

그러므로 현지조사연구에서 연구자는 자신이 경험하는 연행이 '실제 연행'이며 이것이 곧 '연행자의 의도'라고 주장할 만한 근거를 가질 수 없다. 어떻게 보면 그의 연구는 결코 '진실'에 근접할 수 없는 것이다. '객관적인 연구'는 애초에 신화에 불과하므로 연구자는 처음부터 자신의 시각과 생각, 인식의 틀과 방향성 등을 명확하게 보여줄 필요가 있다. 이미 그의 현지조사는 이러한 것들에 의해 굴절된 것이기 때문이다.

따라서 연구자는 연행 현장을 '실상'에 가깝게 재현하기 위해 노력할 것이 아니라 자신이 보고 듣고 느낀 것을 중심으로 연행자와의 관계와 상호작용 양상을 성실하게 드러낼 필요가 있다. 연행을 의사소통과정으로 파악했던 연행 중심 연구자들의 논의에서 한 걸음 더 나아가 현지조사 자체를 의사소통과정으로 이해할 단계에 이른 것이다.

---

19) J. Lacan, *The Language of the Self*, trans. by Anthony Wilden, Baltimore and London: The Johns Hopkins University Press, 1981, pp.71~79.

20) Ibid., p.27.

이제까지 '현장'은 스스로를 드러내지 못한 채 분석자의 손길을 기다리는 대상으로만 인식되었다. '현장'의 목소리가 사장되면서 오직 분석자의 목소리만 남게 되었으며 분석자의 시각이 객관적이고 신뢰할 만한 유일한 해석이 되었다. 더구나 분석자는 대상에 대한 자신의 해석만을 드러낸 채 정작 자기 자신을 드러내지는 않았다. 따라서 현지조사연구에서 드러난 것은 연구자에 의해 분석되고 해석된 '현장'뿐이었다. 그리고 이것은 곧 '진실'이 되었다. 연구자가 텍스트의 문면에 자신을 드러내지 않고 자신의 눈에 '포착된' 현장만을 드러냄으로써 연구자의 텍스트가 '가장 객관적인 텍스트'가 되는 권력 효과가 나타났기 때문이다. 연구자가 자신을 드러내지 않고 텍스트 이면에 숨어들어갈수록 이 권력 효과는 강화된다.

인류학자 버나드 콘(Bernard S. Cohn)은 연구자의 시각으로 대상을 재단하고 이를 가장 합리적인 해석으로 정전화하는 중심통합적인 시각을 비판하면서 이를 '나룻배의 선교사'들에 비유하였다.[21] 서양 문물로 무장한 선교사들이 나룻배를 타고 와서 '행복한 원주민'들의 사회 구조, 가치, 생활양식들을 파괴하고 뒤이어 인류학자가 나타나 원주민들의 (역사의식이 없었던) 과거를 단언하려 했던 것과, 중심통합적인 시각이 지닌 폭력성 사이에 차이가 없음을 드러내 보인 것이다.

사실상 어떤 연구자라도, 분석을 위해 대상을 타자화하고 지식과 담론의 권력 작용을 통해 대상을 장악하려는 욕망을 갖고 있다는 점에서 '나룻배의 선교사'로부터 자유로울 수 없다. 선교사들이 원주민들에게 서구적 합리성의 축복을 선사함으로써 비로소 그들에게 역사가 시작되었다고 믿고 있는 것과 마찬가지로 연구자들 역시 자신의 시각에 따라 '현장'의 의미를 읽어내고는 그 의미만이 '현장'의 참된 모습이라고 은연 중에 우겨왔는지 모른다.

그러나 '현장'은 화석화되지 않고 살아있기에 끊임없이 균열을 생성하고 있으며 그 균열로부터 들려오는 타자의 목소리를 막을 수 있는 것은 아무것

21) 알프 뤼트케 외 지음, 이동기 외 옮김, 『일상사란 무엇인가』, 청년사, 2002, 70면.

도 없다. 그러나 그 역시도 온전히 드러날 수는 없다. 모든 인식과 인식 내용의 텍스트화에는 오인(誤認)과 오역(誤譯)의 구조가 존재하기 때문이다. 이미지는 현실의 반영이 아니라 인식의 양태에 의해 창조되는 것이기에 '현장'은 연구자에 의해 텍스트로 옮겨지는 순간 '연구자가 바라본 현장'이 된다. 따라서 중요한 것은 얼마나 '실상'에 부합했느냐가 아니라 현장을 바라본 연구자의 시각이 무엇이었느냐는 것이다.

민족지적 현지조사연구의 가능성은 민족지적 현지조사연구방법론이 구체화되고 이것이 민족지 기술로 가시화되었을 때 논할 수 있는 것이다. 이 글에서는 민족지적 연구를 요구하는 현지조사연구의 현단계를 진단하고 실제로 민족지적 관점을 취했을 때 현지조사연구에서 어떤 효과가 나타날 수 있는지 그 전망을 실험하였다. 이를 위해 밀양시 산외면의 숲골마을을 대상으로 다소 제한적이나마 참여관찰에 기반한 현지조사를 수행하고 그 과정을 민족지 형태로 기술하였다.

구전이야기 연행 현장에 대한 민족지 기술은 아직 본격적으로 시도되지 않았다. 연행자에게 초점을 맞춰 그의 상황을 최대한 충실하게 기술하고자 한 시도는 있었으나 이는 민족지 서술과는 본질적으로 다른 것이었다. 따라서 구전이야기에 대한 민족지적 현지조사연구는 이제 걸음마 단계에 와 있기에 앞으로 수많은 시행착오와 모험을 계속할 것으로 보인다. 오류와 수정은 반복하되 어리석은 자부심과 맹목적인 사명감에 가득찬 '나룻배의 선교사'가 되지 않기만을 바랄 뿐이다.

부 록

밀양 숲골마을의 현지조사 관련 자료

1. 밀양 숲골마을 관련 문헌기록

1) 『태종대왕실록(太宗大王實錄)』 <七年十二月辛巳>1)

○ 議政府請以名刹代諸州資福, 從之. 啓曰, "去年, 寺社革去之時, 自三韓以來, 大伽藍反在汰去之例, 亡廢寺社差下住持者, 容或有之, 僧徒豈無怨咨之心? 若擇山水勝處大伽藍, 以代亡廢寺院, 則庶使僧徒得居止之處." 於是, 諸州資福寺, 皆代以名刹, (-중략-) 華嚴宗, 長興金藏寺 · 密陽嚴光寺 · 原州法泉寺 · 淸州原興寺 · 義昌熊神寺 · 江華梅香寺 · 襄州成佛寺 · 安邊毗沙寺 · 順天香林寺 · 淸道七葉寺 · 新寧功德寺. (-후략-)

○ 의정부(議政府)에서 명찰(名刹)로 여러 고을의 자복사(資福寺)를 대신할 것을 청하니, 그대로 따랐다. 아뢰기를, "지난 해 사사(寺社)를 혁파하여 없앨 때 삼한(三韓) 이래의 대가람(大伽藍)이 도리어 완전히 없어지는 예가 되고, 망하여 폐지된 사사(寺社)에 주지(住持)를 잘못 두는 일이 간혹 있었으니, 승려의 무리들이 어찌 원망하는 마음이 없었겠습니까? 만일 산수(山水) 좋은 곳의 대가람(大伽藍)을 택하여 폐망한 사원(寺院)을 대신한다면, 승려의 무리들이 거주할 곳을 얻게 할 수 있을 것입니다."라고 하였다. 이에 여러 고을의 자복사(資福寺)를 모두 이름난 사찰로 대신하였는데, (-중략-) 화엄종(華嚴宗)에서는 장흥(長興)의 금장사(金藏寺) · **밀양(密陽)의 엄광사(嚴光寺)** · 원주(原州)의 법천사(法泉寺) · 청주(淸州)의 원흥사(原

1) 『태종대왕실록(太宗大王實錄)』 권14 417면(『태종공정대왕실록』 3, 세종대왕기념사업회, 1975).

興寺)·의창(義昌)의 웅신사(熊神寺)·강화(江華)의 전향사(栴香寺)·양주(襄州)의 성불사(成佛寺)·안변(安邊)의 비사사(毗沙寺)·순천(順天)의 향림사(香林寺)·청도(淸道)의 칠엽사(七葉寺)·신녕(新寧)의 공덕사(功德寺)이다. (-후략-)

2) 『세종실록지리지(世宗實錄地理志)』 <밀양도호부(密陽都護府)>[2)]

使一人.

本推火郡, 新羅景德王改爲密城郡, 高麗因之, 顯宗九年戊午置知郡事. 忠烈王元年甲戌〔卽元世祖至元十一年.〕, 以郡人趙仟殺郡守, 以應珍島叛賊三別抄, 降爲歸化部曲, 十二年乙酉復陞爲密城郡. 恭讓王二年庚午, 以曾祖益陽侯妃朴氏內鄕, 陞爲密陽府. 本朝太祖元年壬申〔洪武二十五年.〕, 還爲密城郡, 甲戌以郡人宦者金仁甫入侍大明奉使而來, 復陞爲密陽府. 太宗元年辛巳, 還爲郡, 乙未以千戶以上, 陞爲都護府.

屬縣二, 守山本穿山部曲, 豐角本上火村, 右二縣高麗改今名. 鄕一來進, 部曲三豆也保·伊冬音·今音勿.

鎭山華嶽〔俗號屯德山.〕, 靈井山〔在府東. 山下石潭有龍, 遇旱, 沈虎頭以禱, 則輒應.〕. 海陽江, 自靈山南流, 東入梁山界. 凝川其源有二, 一出慶州之西, 一出淸道之西, 合流于楡川驛, 南東過府城東, 南入于海陽江. 四境來距, 梁山三十六里, 西距玄風五十二里, 南距金海三十五里, 北距淸道二十里. (-중략-) 嚴光寺〔在府東, 有雀舌茶.〕.

2) 『세종실록지리지(世宗實錄地理志)』 권150 5~6면(『세종장헌대왕실록』 25, 세종대왕기념사업회, 1973).

사(使) 1인.

본래 추화군(推火郡)인 것을 신라 경덕왕(景德王)이 밀성군(密城郡)으로 고쳤는데, 고려에서 그대로 따르다가 현종(顯宗) 9년 무오(戊午)에 지군사(知郡事)를 두었다. 충렬왕(忠烈王) 원년(元年) 갑술(甲戌)〔곧, 원(元)나라 세조(世祖) 지원(至元) 11년이다.〕에, 고을 사람 조천(趙仟)이 군수(郡守)를 죽여서 진도(珍島)의 반적(叛賊) 삼별초(三別抄)에 호응하였기 때문에 낮추어서 귀화부곡(歸化部曲)을 삼았다가, 12년 을유(乙酉)에 다시 올려서 밀성군(密城郡)으로 하였다. 공양왕(恭讓王) 2년 경오(庚午)에 증조(曾祖) 익양후(益陽侯)의 비(妃) 박씨(朴氏)의 내향(內鄕)인 까닭에 올려서 밀양부(密陽府)로 삼았다.

본조(本朝) 태조(太祖) 원년(元年) 임신(壬申)〔홍무(洪武) 25년이다.〕에 도로 밀성군(密城郡)으로 하였다가, 갑술년(甲戌年)에 고을 사람 환자(宦者) 김인보(金仁甫)가 명나라에 입시(入侍)하여 사명(使命)을 받들고 나오매 다시 밀양부(密陽府)로 승격시켰다. 태종(太宗) 원년(元年) 신사(辛巳)에 도로 군(郡)으로 하였다가 을미년(乙未年)에 1천 호(戶) 이상이 되므로 올려서 도호부(都護府)로 삼았다.

속현(屬縣)이 둘이니, 수산(守山)은 본래 천산부곡(穿山部曲)이며 풍각(豊角)은 본래 상화촌(上火村)인데, 두 현(縣)은 고려 때 지금의 이름으로 고친 것이다. 향(鄕)은 하나이니 내진(來進)이요, 부곡(部曲)은 셋이니, 두야보(豆也保)·이동음(伊冬音)·금음물(今音勿)이다.

진산(鎭山)으로 화악산(華嶽山)〔시속(時俗)에서는 둔덕산(屯德山)이라고 한다.〕과 영정산(靈井山)〔부(府) 동쪽에 있다. 산 밑 석담(石潭)에 용(龍)이 있어, 가뭄을 당하여 범의 머리를 담그고 빌면 곧 응험(應驗)이 있다.〕이 있다. 해양강(海陽江)은 영산(靈山) 남쪽에서 흘러나와 동쪽 양산(梁山) 경계로 들어간다. 응천(凝川)은 그 근원이 둘이니, 하나는 경주(慶州) 서쪽에서 나오고 하나는 청도(淸道) 서쪽에서 나와서, 유천역(楡川驛)에서 합류하여 남동쪽으로 흘러서 부성(府城) 동쪽을 지나 남쪽으로 해양강(海陽江)으로 들어간다. 사방 경계와의 거리는, 동쪽으로 양산(梁山)까지 36리, 서쪽으로 현풍(玄風)까지 25리, 남쪽으로 김해(金海)까지 35리, 북쪽으로 청도(淸道)까지 20리이다. (-중략-) **엄광사(嚴光寺)**〔부(府) 동쪽에 있는데 작설차(雀舌茶)가 난다.〕.

3) 『동국여지승람(東國輿地勝覽)』 <밀양도호부(密陽都護府)>[3]

古蹟 : (-전략-) 嚴光寺〔在實惠山.〕

고적(古蹟) : (-전략-) **엄광사(嚴光寺)**〔실혜산(實惠山)에 있다.〕

4) 『밀주지리인물문한지(密州地理人物文翰誌)』 <밀양도호부지리(密陽都護府地理)> (일명 『밀주지(密州誌)』)[4]

中東面
南嘉谷 : 〔一名'嚴光', 在府東十五里, 俗稱通'實惠山'.〕 山中古有嚴光

3) 『동국여지승람(東國輿地勝覽)』 권26 17면(『고전국역총서42 신증동국여지승람 Ⅲ』, 민족문화추진회, 1969).

4) 『밀양문헌집람(密陽文獻輯覽) 제1호 밀주지(密州誌) 지리편(地理篇)』, 밀양문화원, 2001, 181~182면.
자료를 소개한 밀양문화원에서는 이 문헌을 조선 숙종대에 편집된 것으로 추정하였으며, 원본 서두에 '밀양 퇴로리(退老里) 이익성가(李翼成家) 소장본'이라는 표시가 붙어 있는 석판 활자 인쇄본이라고 소개하고 있다. (앞의 책, 3면 참조.)

寺. 〔名出『勝覽』.〕. 古人詩曰, "谷裏飛泉百道分, 空階春色長苔文, 登樓客醉千峰雨, 持鉢僧歸萬壑雲, 傲吏亦能談四諦, 淸尊兼得共諸君, 自多豊草長林思, 妬殺溪邊麋鹿群." 寺廢有基址. 東南有官竹田.

중동면(中東面)

남가실 : 〔'**엄광(嚴光)**'이라고도 하는데 부(府) 동쪽 15리에 있으며 속칭 '실혜산(實惠山)'으로도 통한다.〕 산 속에 예전에는 **엄광사(嚴光寺)**가 있었다. 〔이름이 『동국여지승람(東國輿地勝覽)』에 나온다.〕

옛 사람이 시에서 이르기를,

"골짜기에 굽이치는 물줄기는 백 갈래로 나뉘고
빈 층계에 봄빛은 이끼 무늬에 짙어오네
높은 누(樓)에 오른 나그네는 온 산 비에 취하고
바리 든 승려는 골짜기 가득한 구름 속으로 돌아가네
거만한 관리도 능히 사제(四諦, 苦·集·滅·道)를 말하며
맑은 술을 함께 얻어 그대들과 나누네
무성한 풀과 우거진 숲에 대한 마음 절로 깊어지니
시냇가 사슴 무리를 시샘하노라."[5]

절은 사라지고 그 터만 남아 있다. 동남쪽에 관죽전(官竹田)이 있다.

5) 『밀주지(密州誌)』[6]

嚴光里〔上村·中村合.〕 ○ 〔東希谷里, 西上東面, 南南沂里, 北上東面.〕

5) 『밀양지(密陽誌)』에서는 이 시의 작자를 1421(세종 3)년 경에 경상도 감사를 지낸 최이(崔迤)로 추정하고 있다. (『밀양지』, 밀양문화원, 1987, 469면.)

6) 『밀주지(密州誌)』 권1, 밀양향교, 1932, 27면 뒤~28면 앞.

山嶽 嚴光山

河川 嚴光川

嶺峴 希谷嶺 金谷嶺 飛巖峴

名勝及古蹟 步斗巖〔步斗僧所居.〕 嚴光寺〔出『勝覽』.〕 有題詠.

題詠

谷裏飛泉百道分, 空階春色長苔文, 登樓客醉千峰雨, 持鉢僧歸萬壑雲, 傲吏亦能談四諦, 淸樽兼得共諸君, 自多豊草長林思, 妬殺村邊麋鹿群.

엄광리〔상촌(上村)과 중촌(中村)을 합쳤다.〕 ○ 〔동쪽으로 희곡리(希谷里), 서쪽으로 상동면(上東面), 남쪽으로 남기리(南沂里), 북쪽으로 상동면(上東面)이 있다.〕

산악(山嶽) **엄광산(嚴光山)**

하천(河川) **엄광천(嚴光川)**

영현(嶺峴) 희곡령(希谷嶺) 금곡령(金谷嶺) 비암현(飛巖峴)

명승(名勝)과 고적(古蹟) **보두암(步斗巖)** 〔**보두승(步斗僧)**이 살았던 곳이다.〕 **엄광사(嚴光寺)** 〔『동국여지승람(東國輿地勝覽)』에 나온다.〕 제영(題詠)이 있다.

제영(題詠)

골짜기에 굽이치는 물줄기는 백 갈래로 나뉘고
빈 층계에 봄빛은 이끼 무늬에 짙어오네
높은 누(樓)에 오른 나그네는 온 산 비에 취하고
바리 든 승려는 골짜기 가득한 구름 속으로 돌아가네
거만한 관리도 능히 사제(四諦, 苦·集·滅·道)를 말하며
맑은 술을 함께 얻어 그대들과 나누네
무성한 풀과 우거진 숲에 대한 마음 절로 깊어지니
마을가 사슴의 무리를 시샘하노라[7]

6) 『밀주징신록(密州徵信錄)』 <군세(郡勢)>[8]

山外面六區 : 南沂里・嚴光里〔古蹟嚴光寺・步斗巖.〕 ○ 〔有驪州李氏墓閣・一直孫氏光山齋・密城孫氏墓閣.〕, 琴川里, 茶竹里, 金谷里, 希谷里.

산외면 6구 : 남기리(南沂里) · **엄광리(嚴光里)** 〔고적(古蹟)으로 **엄광사(嚴光寺)**와 **보두암(步斗巖)**이 있다.〕 ○ 〔여주(驪州) 이씨(李氏) 묘각(墓閣), 일직(一直) 손씨(孫氏) 광산재(光山齋), 밀성(密城) 손씨(孫氏) 묘각(墓閣)이 있다.〕, 금천리(琴川里), 다죽리(茶竹里), 금곡리(金谷里), 희곡리(希谷里).

7) 『밀양지(密陽誌)』[9]

〈엄광사지(嚴光寺址)와 그 유물〉

산외면 엄광리 숲마을〔藪村〕 뒤편 엄광산(일명 實惠山) 골짜기에 있는 고려시대의 사찰지(寺刹址)이다. 『태종실록(太宗實錄)』, 『동국여지승람(東國輿地勝覽)』, 『밀주지(密州誌)』 등 여러 문헌에서 절에 대한 기록을 볼 수 있으나 정확한 창건 연대는 알 수 없다. 다만 문헌상의 기록과 절터 부근에 산재하고 있는 석조(石造) 유물 등의 조형 양식으로 미루어 고려 초기 이전에 창건되었을 것으로 추정할 수 있을 뿐이다.

7) 각주 5번 참조.

8) 『밀주징신록(密州徵信錄)』 권1, 예림재(禮林齋), 1936, 9면.

9) 『밀양지(密陽誌)』, 밀양지편찬위원회, 밀양문화원, 1987, 467면~470면 참조. 아래 기술한 내용은 『밀양지』의 유적・유물 항목에서 엄광사에 관한 부분을 발췌, 요약한 것이다.

엄광사가 화엄종(華嚴宗)을 대표하는 사찰이었으며 의천(義天)[10]의 영향으로 화엄종이 한창 교세를 떨치고 있던 시기에 건립되었을 가능성을 고려하면 창건 연대는 고려시대 전기인 숙종 연간(肅宗 年間, 1095~1105) 이전으로 추정할 수 있겠다. 조선 태종(太宗) 때 수천 개의 사찰(寺刹) 가운데 12종파에 소속된 242사(寺)를 선정하여 이를 공인된 사찰로 두고 그 외 사찰은 혁파(革罷)한다는 정책이 이행될 때도 엄광사는 밀양을 대표하는 가람(伽藍)으로 남았다. 조선 중기에 절 동남쪽(지금의 竹村)에 관죽전(官竹田: 관에서 쓰는 대밭)이 있었는데 역시 엄광사의 사찰 재산이었다고 하니 그 무렵까지는 절이 있었을 것으로 추정된다.

1960년에 밀양교육청 주관으로 절터에 대한 조사가 이뤄졌으나 당시 사찰 건물이 있었을 만한 자리는 경작지로 변하여 그 흔적을 찾기가 힘들었다. 다만 부근 산기슭과 밭두렁에서 석탑(石塔)의 기단석(基壇石), 건물의 주춧돌, 석축(石築)으로 쌓은 방형(方形)의 우물 등을 발견하였다.

『세종실록지리지(世宗實錄地理志)』에 작설차(雀舌茶)가 생산된다는 기록이 있는데, 이 차는 한때 밀양의 명산물로 알려졌다. 지금 다촌(茶村)이라는 마을 이름은 엄광사에 딸린 차밭〔茶田〕이라는 데서, 죽촌(竹村)이라는 마을 이름은 관죽전(官竹田)에서 파생된 듯하다.

10) 의천(義天): 1055~1101. 고려시대 승려. 천태종(天台宗)의 개조(開祖). 성은 왕(王). 이름은 후(煦). 호는 우세(祐世). 시호는 대각국사(大覺國師). 고려 11대 왕인 문종(文宗)의 넷째 아들. 어머니는 인예왕후(仁睿王后) 이씨.

2. 밀양 숲골마을 관련 지도

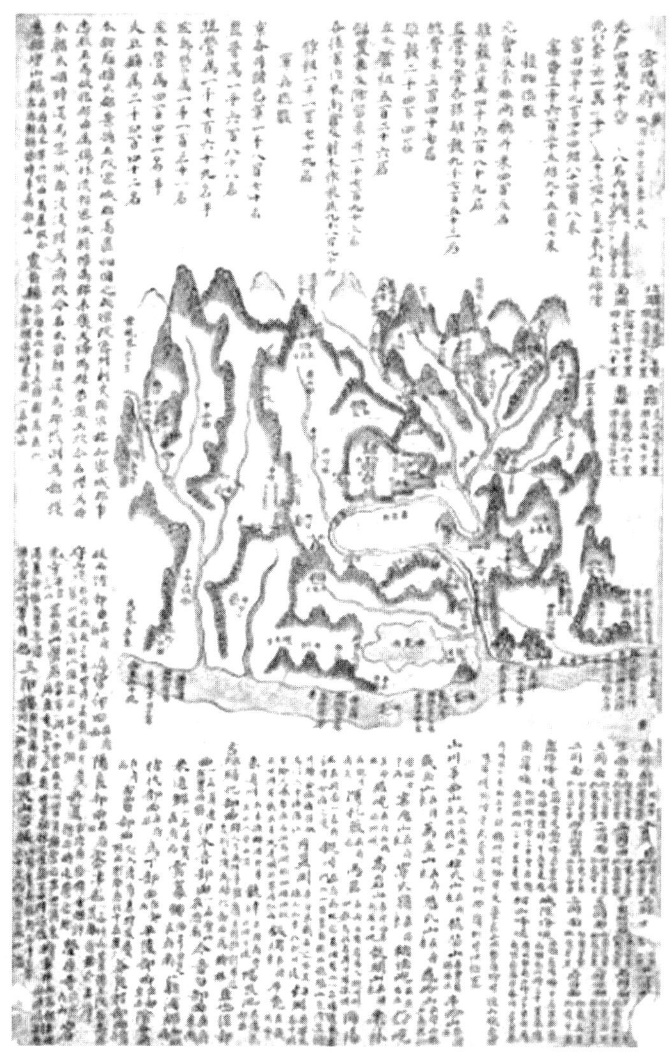

〈지도1-1〉 해동지도(밀양부 전체)

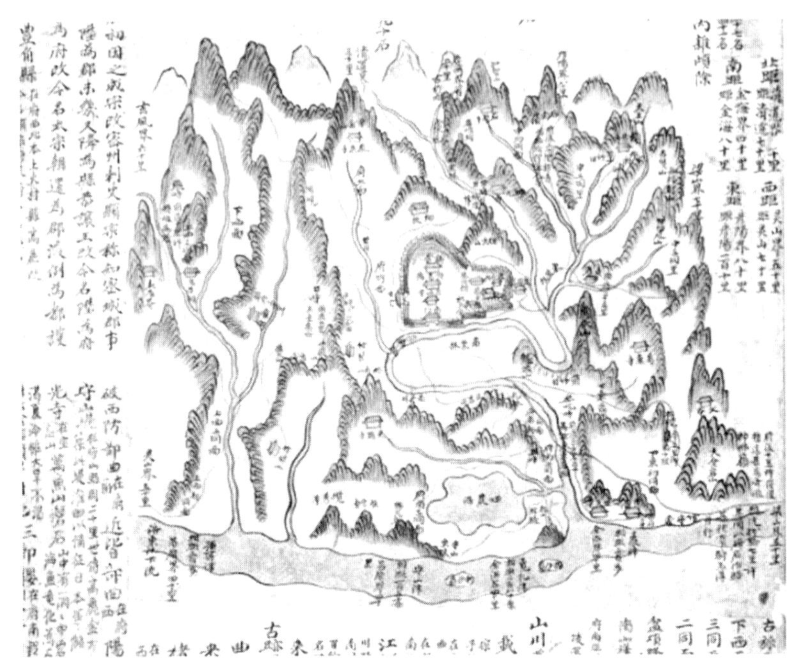

〈지도1-2〉 해동지도(부분 확대)

〈지도1-3〉 해동지도(엄광사)

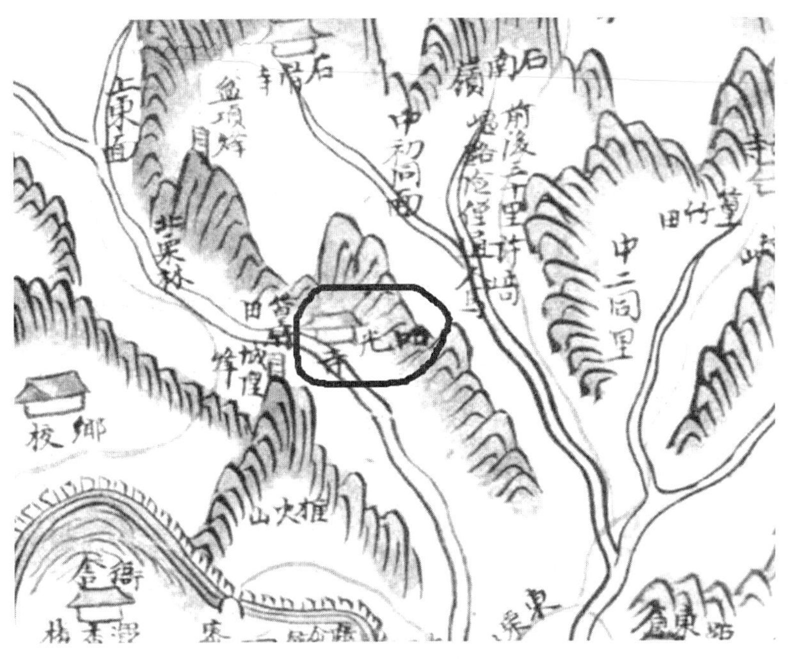

〈지도1-4〉 해동지도(엄광사 부분 확대)

지도1(1-1~1-4) : ≪해동지도(海東地圖)≫(규장각 소장, 8책, 필사본, 1750년대 초.) 1750년대 초에 필사된 것으로 추정되는 관찬(官撰) 군현도(郡縣圖). 위 지도는 전체 지도 가운데 ≪밀양부(密陽府)≫ 부분을 확대한 것으로, 당시 밀양부는 현재 밀양시내・부북면・상동면・상남면・하남면・초동면・무안면・산내면・산외면・단장면 일대를 포함한다. '읍치(邑治)'로 표시된 지역은 현재 밀양시내 내일동 일대에 해당하며, 읍치 동북쪽에 '엄광사(嚴光寺)'로 표시된 지역이 오늘날 밀양시 산외면 숲골 일대이다.

〈지도2-1〉 여지도(밀양부 전체)

〈지도2-2〉 여지도(상단 확대)

지도2(2-1~2-4) : ≪여지도(輿地圖)≫(규장각 소장, 6책, 필사본, 1736~1767년 추정.) 관찬(官撰) 군현도(郡縣圖). 전체적으로 ≪해동지도(海東地圖)≫의 내용과 유사하다. '중물동면(中物同面)'으로 표시된 지역이 오늘날 밀양시 산내면 일대에 해당하며, 읍치 북쪽에 '엄광사(嚴光寺)'가 보인다.

〈지도2-3〉 여지도(엄광사)

〈지도2-4〉 여지도(엄광사 부분 확대)

〈지도3-1〉 광여도(밀양부 전체)

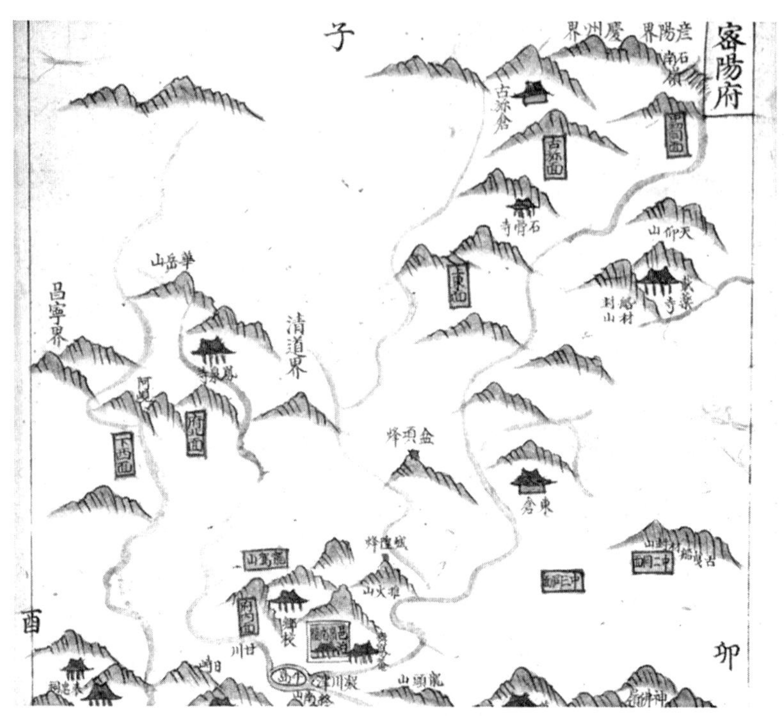

〈지도3-2〉 광여도(상단 확대)

〈지도3-3〉 광여도(엄광사 부분 확대)

지도3(3-1~3-3) : ≪광여도(廣輿圖)≫(규장각 소장, 2책, 필사본, 1800년대 전반.) 관찬(官撰) 군현도(郡縣圖). 전체 구성은 ≪해동지도(海東地圖)≫와 유사하지만, 지도와 설명이 분리된 체제를 갖추었다. 위 지도는 ≪광여도≫의 ≪밀양부(密陽府)≫에 해당하는 자료이다.

〈지도4-1〉 경주도회-좌통지도(밀양부 전체)

지도4(4-1~4-3) : ≪경주도회(慶州都會)-좌통지도(左通地圖)≫(규장각 소장, 1책, 필사본.) 관찬(官撰) 군현도(郡縣圖). 전체 지도 가운데 〈밀양부(密陽府)〉에 해당하는 위 지도는 ≪해동지도(海東地圖)≫와 전체 구도 및 내용이 상당히 유사하여, 이를 바탕으로 제작된 것으로 추정하고 있다. 읍치 동북쪽에 보이는 '엄광사(嚴光寺)' 부근이 오늘날 밀양시 산외면 숲골 일대이다.

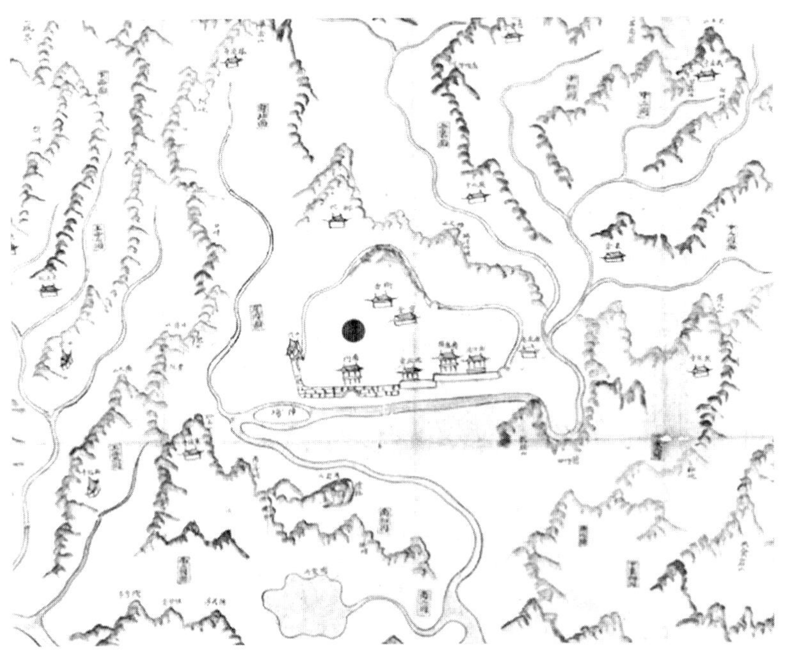

〈지도4-2〉 경주도회-좌통지도(부분 확대)

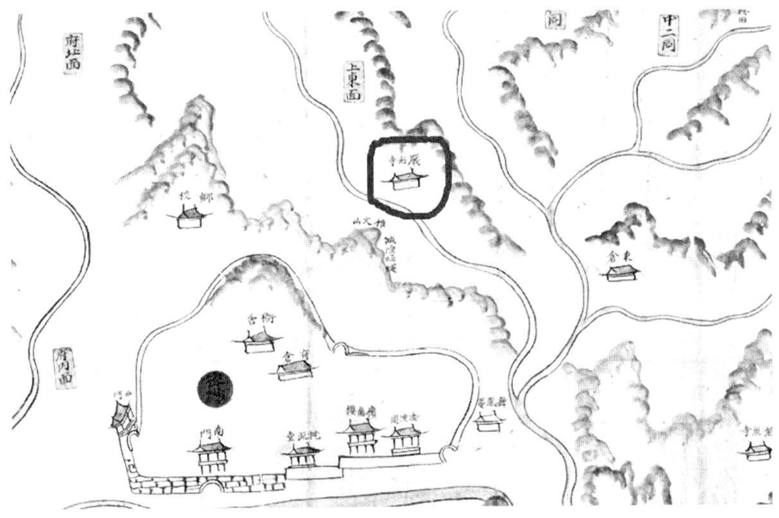

〈지도4-3〉 경주도회-좌통지도(엄광사 부분 확대)

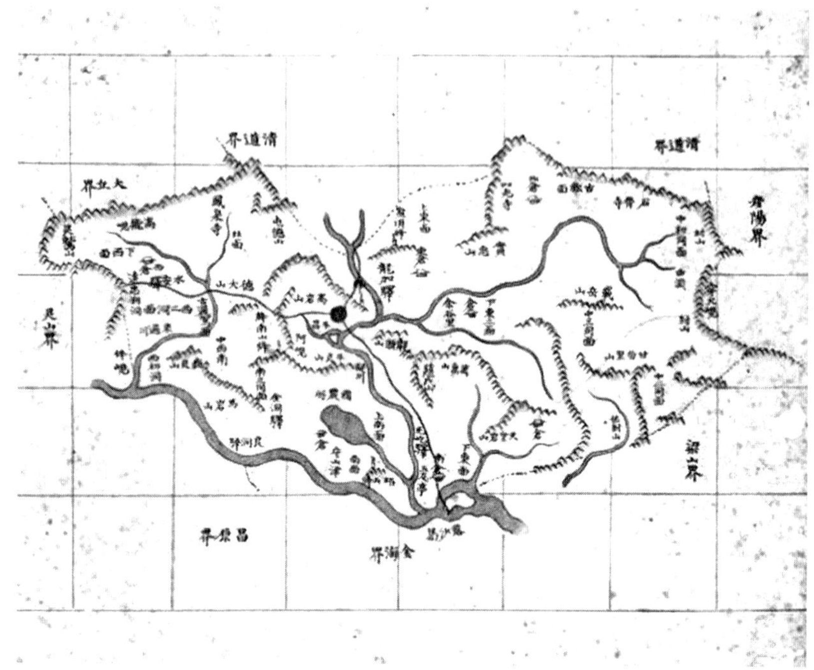

〈지도5-1〉 조선지도(밀양부 전체)

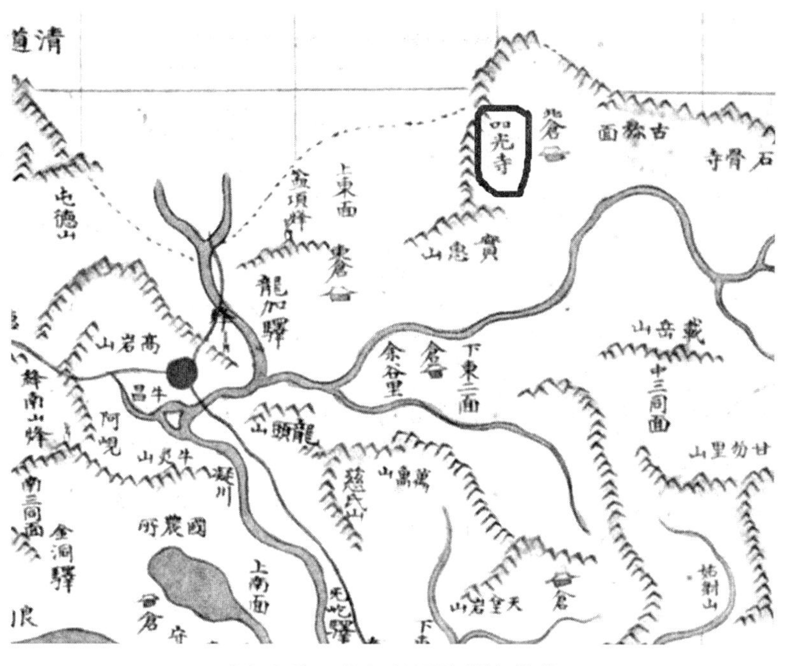

〈지도5-2〉 조선지도(엄광사 부분 확대)

지도5(5-1~5-2) : ≪조선지도(朝鮮地圖)≫(규장각 소장, 필사본, 1750~1768년 추정.) 위 지도는 전체 지도 가운데 '밀양(密陽)'에 해당하는 자료로, 붉은색의 동그라미로 표시한 읍치 동북쪽에 '실혜산(實惠山)' 능선이 보이고, 그 산자락에 '엄광사(嚴光寺)'가 있다.

〈지도6-1〉 청구도(제22층 8판)

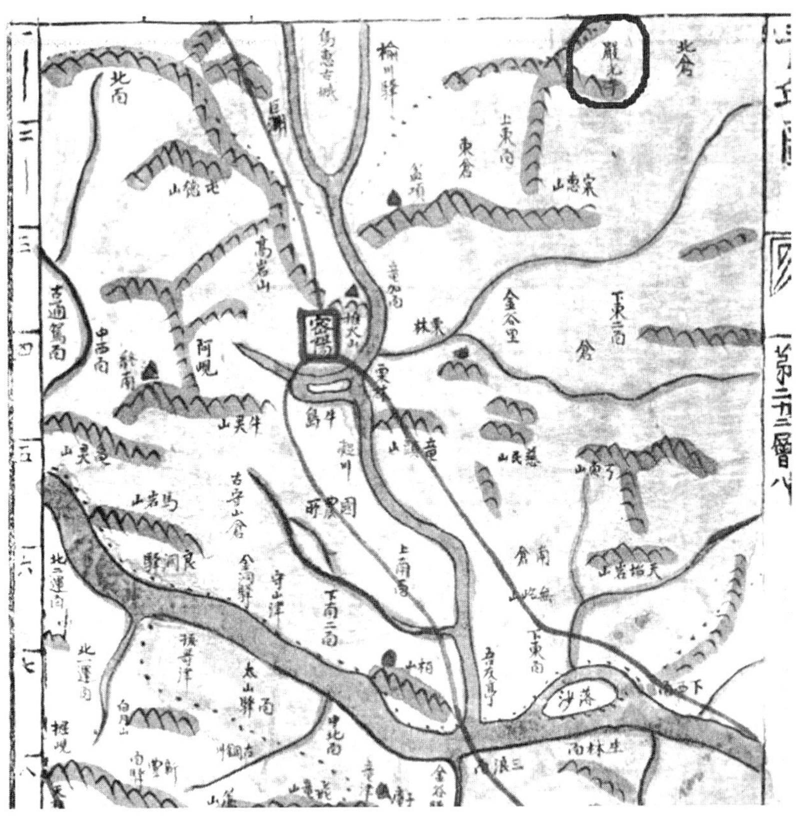

〈지도6-2〉 청구도(부분 확대)

지도6(6-1~6-2) : ≪청구도(靑邱圖)≫(규장각 소장, 2책, 필사본, 1834년 추정, 김정호 제작.) 위 지도는 전체 지도의 제22층 8판에 해당한다. 당시 지도에 표시된 지역의 윗부분은 청도부(淸道府), 아랫부분은 김해부(金海府)와 창원부(昌原府)에 속해 있었다. 왼쪽에서 오른쪽으로 가장 굵게 표시된 하천이 낙동강이고, 밀양부 읍치를 지나 낙동강에 합류하는 하천이 밀양강이다. 지도 우측 상단에 '엄광사(嚴光寺)'가 보인다.

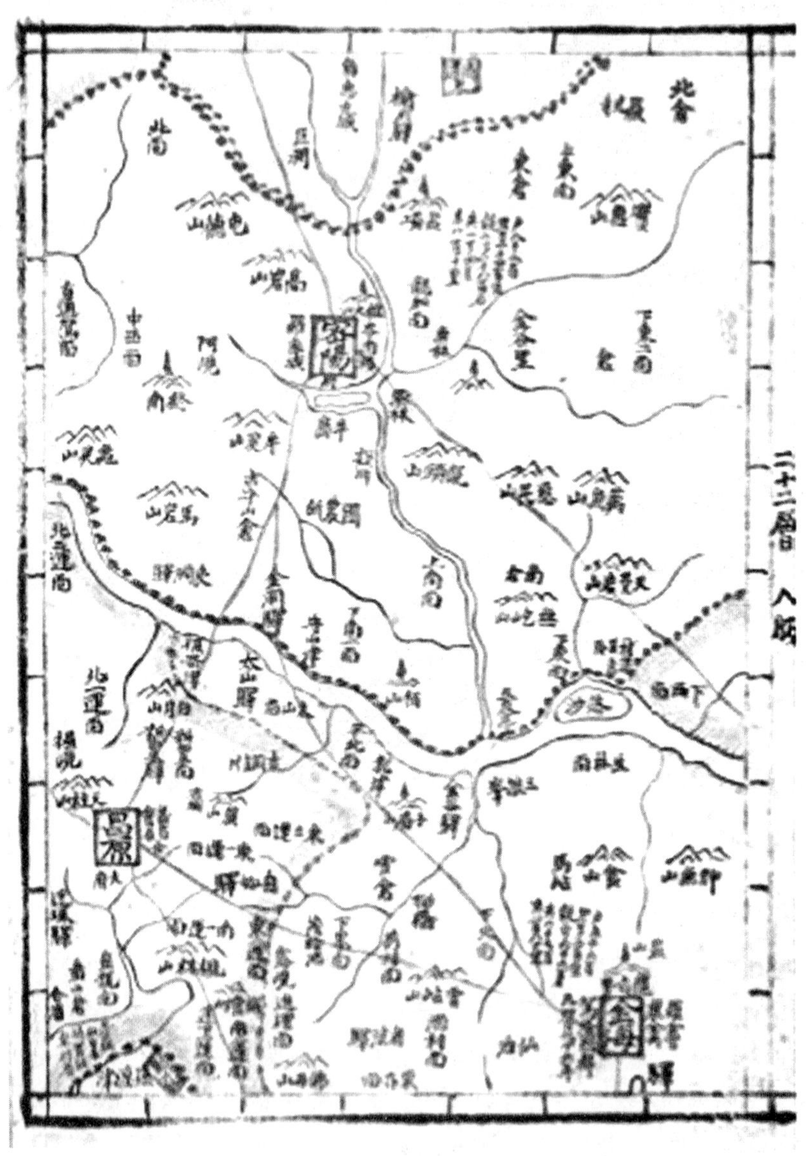

〈지도7-1〉 청구요람(제22층 8판)

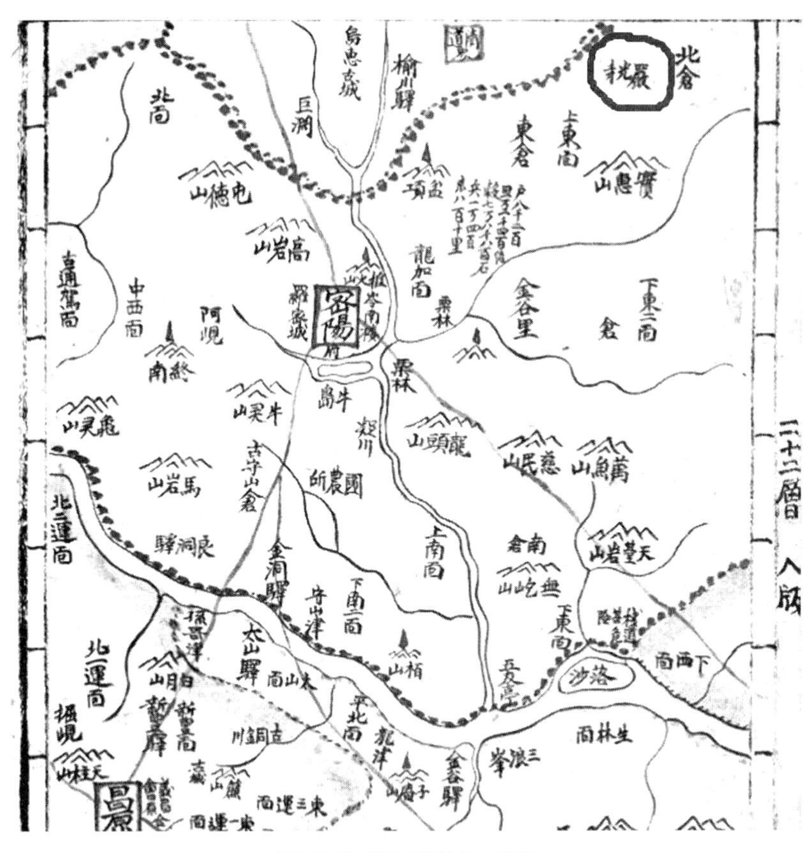

〈지도7-2〉 청구요람(부분 확대)

지도7(7-1~7-2) : ≪청구요람(靑邱要覽)≫(규장각 소장, 2책, 필사본.) ≪청구도(靑邱圖)≫의 이본(異本)으로, 위 지도는 전체 지도의 제22층 8판에 해당한다.

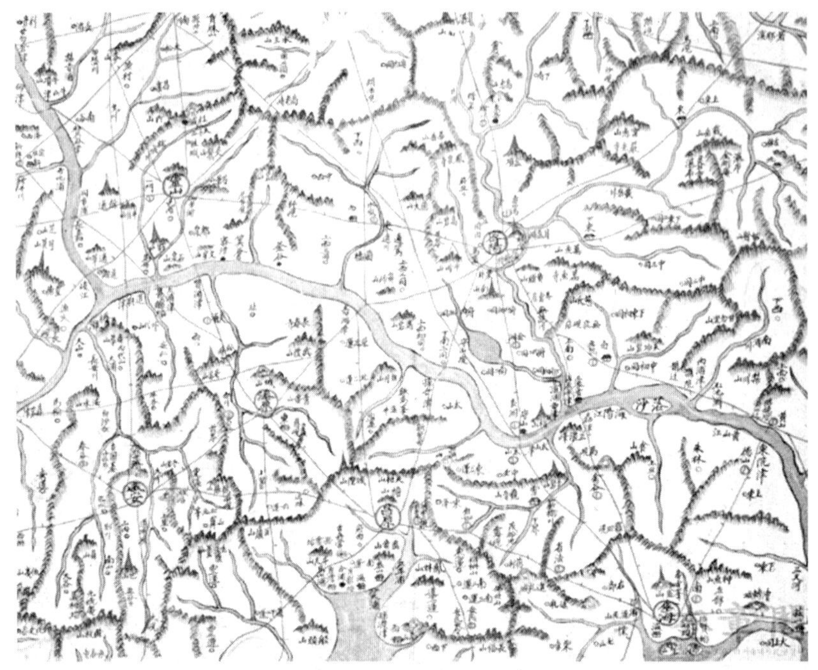

〈지도8-1〉 동여도(제19층 2판)

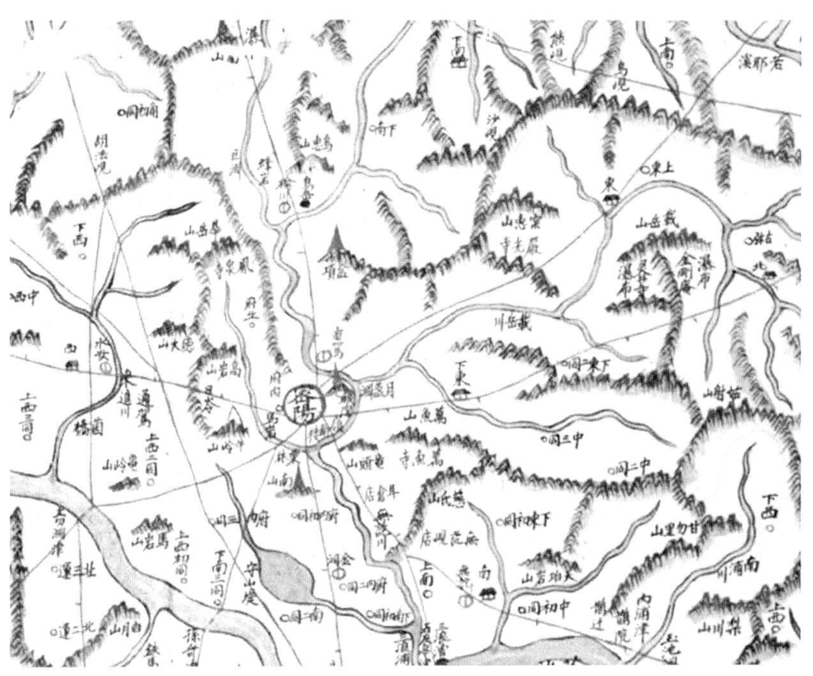

〈지도8-2〉 동여도(부분 확대)

〈지도8-3〉 동여도(엄광사 부분 확대)

지도8(8-1~8-3) : ≪동여도(東輿圖)≫(규장각 소장, 1책, 필사본, 1856~1859년 추정, 김정호 제작.) ≪대동여지도(大東輿地圖)≫의 저본(底本) 역할을 했을 것으로 추정되는 조선전도(朝鮮全圖). 위 지도는 전체 지도의 제19층 2판에 해당한다. 밀양부(密陽府) 전체와 영산부(靈山府)·함안부(咸安府)·칠원부(漆原府)·창원부(昌原府)·김해부(金海府)가 보인다. 읍치 동북 쪽 '실혜산(實惠山)'이라는 지명 아래로 '엄광사(嚴光寺)'가 표시되어 있다.

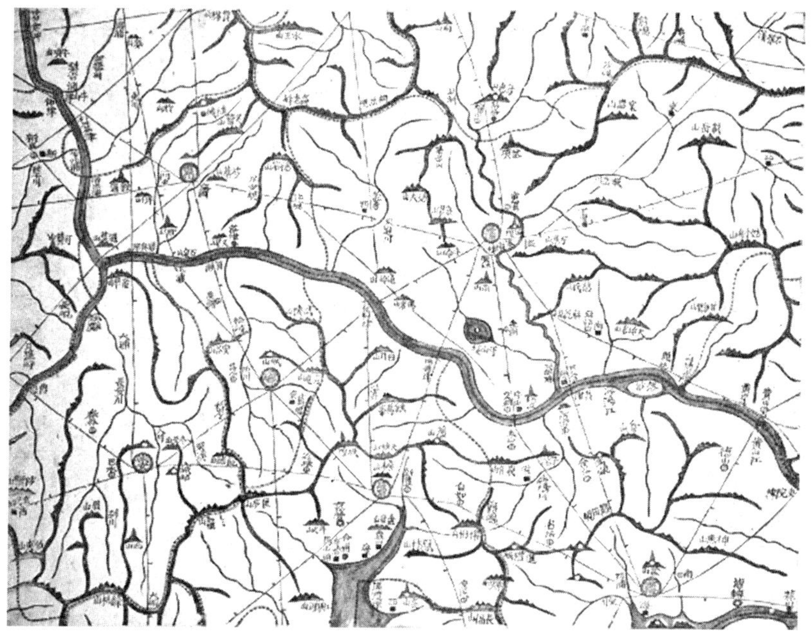

〈지도9-1〉 대동여지도(제18층 2판)

지도9(9-1~9-3) : ≪대동여지도(大東輿地圖)≫(규장각 소장, 1책, 목판본, 1861년, 김정호 제작.) 위 지도는 전체 지도의 제18층 2판에 해당한다. ≪동여도(東輿圖)≫에서 보이던 '엄광사(嚴光寺)' 표시가 없으며, 지도의 동북쪽 '실혜산(實惠山)' 부근이 오늘날 밀양시 산외면 숲골 일대이다.

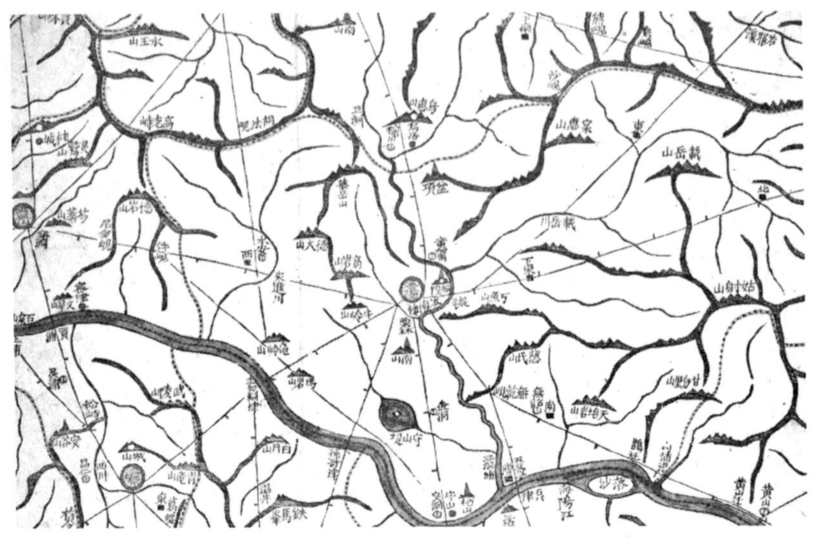

〈지도9-2〉 대동여지도(밀양부 전체)

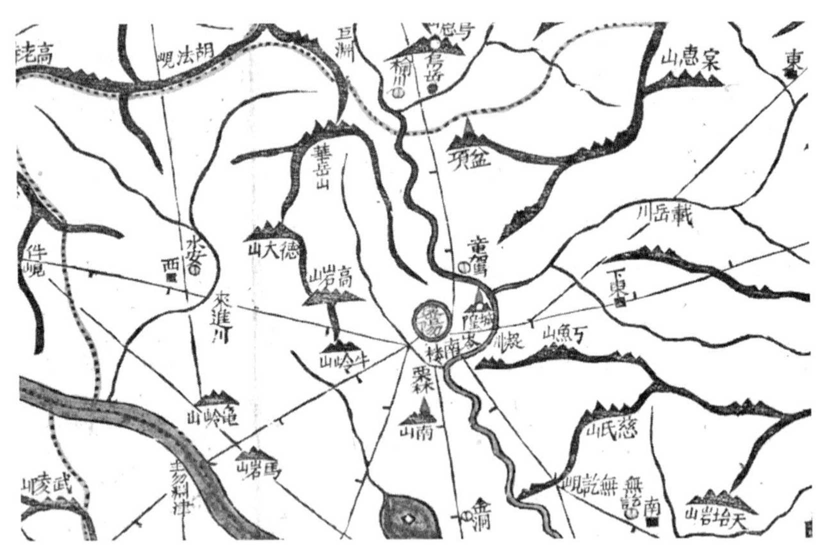

〈지도9-3〉 대동여지도(부분 확대)

〈지도10-1〉 밀양부지도(밀양부 전체)

〈지도10-2〉 밀양부지도(엄광사 부분 확대)

지도10(10-1~10-2) : ≪밀양부지도(密陽府地圖)≫(규장각 소장, 필사본, 1872년.) 관찬(官撰) 군현도(郡縣圖). 흥성대원군은 전국적인 범위의 지도 제작 사업을 추진하였는데, 위 지도도 이 때 수합된 군현지도(郡縣地圖) 가운데 하나이다. 면(面)이나 동리(洞里) 표시 없이 사창(社倉)·봉대(烽臺)·시장(場市) 정도만 기재하였다. 오늘날 산외면 일대에 해당하는 지역 부근에 '금곡장(金谷場)'이, 산내면 일대에 해당하는 지역 부근에 '팔풍장(八風場)'이 보인다.

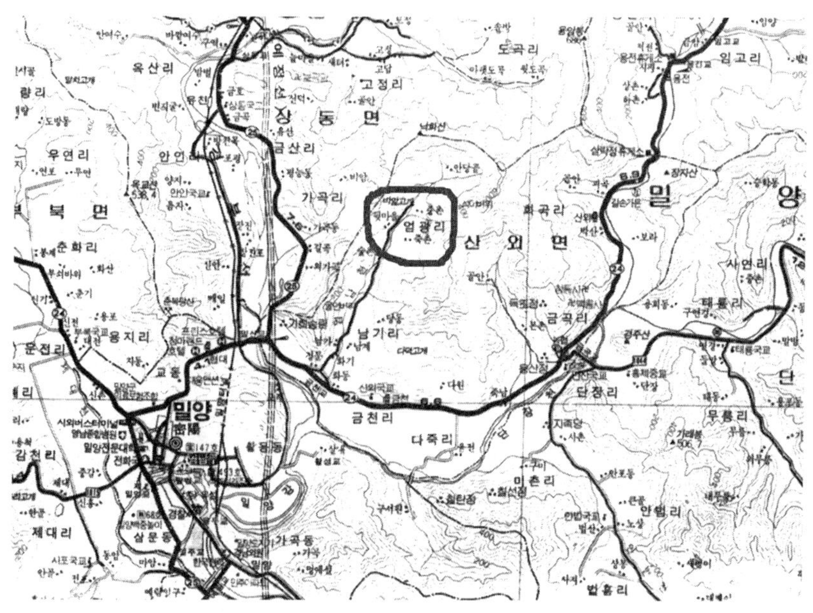

〈지도11〉 현재의 산외면 지도

지도11 : 오늘날 밀양시 산외면 행정지도. 산외면은 서남쪽으로 밀양시와 인접해 있으면서 서북쪽으로는 상동면에 접해 있다. 동쪽으로는 고개 사이의 협곡으로 이어진 길로 산내면에 닿아 있고 동남쪽으로는 단장면에 인접해 있다. 산외면의 서쪽과 남쪽 경계로 개천이 흐르고 있으며 동쪽과 북쪽은 모두 높은 산들로 이어져 있다. 산외면은 비교적 밀양시내에 인접해 있어서 교통이 편리할 뿐 아니라 개발 역시 빠른 속도로 이루어지고 있으며, 산내면과 비교할 때 반촌(班村)으로서의 전통을 이어온 특징을 지니고 있다.

3. 밀양 숲골마을 현지조사 사진

〈사진1〉

사진1 : 숲골마을 입구의 숲. 마을을 가로질러 흐르는 개울 양쪽에 아름드리 나무들이 숲을 이루고 있어 '숲골'이라는 이름이 붙여졌다. 언제 이 숲이 이루어졌는지는 알 수 없으나, 예전에는 지금보다 훨씬 더 많은 나무들이 숲을 이루고 있었다고 마을 사람들은 전한다. 숲을 이루는 나무들은 대부분 기목나무다. 여름에는 나무 그늘 아래서 마을 사람들이 소풍을 즐기기도 한다. 2003년 8월 촬영.

〈사진2〉

사진2 : 가운데 서 있는 작은 나무가 숲골의 당나무이다. 수종은 기목나무이며, 마을 입구 오른쪽에 두세 그루의 나무와 함께 서 있다. 몇 해 전 폭풍우로 당나무가 부러져 새로 어린 나무를 심었다고 한다. 당나무에 탈이 나서 동티가 날까 염려했는데 현재까지 별 탈 없이 지내오고 있어 다행이라고 마을 사람들은 입을 모은다. 마을 어른들은 당나무에 깃든 당신이 당산할머니라고 말했다. 2003년 8월 촬영.

〈사진3〉

사진3 : 마을 숲이 우거진 개울과 진입로를 안쪽 마을에서 촬영한 모습. 마을 입구의 숲길을 지나면 바로 집들이 보인다. 마을길을 따라 흐르는 개울물을 예전에는 식수로 썼다고 한다. 마을숲 아래 보이는 덤프 트럭은 부산-대구간 고속도로 공사에 쓰이는 자재를 나르는 차량이다. 좁은 마을길을 오르내리는 공사 차량들이 만드는 소음과 먼지가, 조용한 시골 마을을 순식간에 어수선한 공간으로 만들어버리곤 한다. 2006년 1월 부산-대구간 고속도로가 완공·개통되어 숲골 주변 마을들의 사정도 많이 달라졌다. 2003년 8월 촬영.

〈사진4-1〉

〈사진4-2〉

사진4-1, 2 : 마을에서 촬영한 '꾀꼬리봉'의 모습. 산봉우리의 형상이 꾀꼬리를 닮았다 하여 붙여진 이름이다. 마을 뒤쪽을 산들이 병풍처럼 둘러싸고 있다. 2003년 8월 촬영.

〈사진5〉

사진5 : 마을에서 촬영한 '서당갓'의 모습. 산 아래쪽에 서당이 있었다 하여 붙어진 이름이다. 동네에 있다 하여 '동네갓'이라 부르기도 한다. 2003년 8월 촬영.

〈사진6〉

사진6 : 사진에서 오른쪽 봉우리 끝에 보이는 것이 '신선방우'다. 먼 옛날 신선들이 놀던 곳이라 하여 붙여진 이름이다. 2003년 8월 촬영.

〈사진7〉

사진7 : 비닐하우스 바로 뒤편에 보이는 낮은 봉우리가 '비들터'다. '베틀터'가 와전된 이름일지 모르나 마을 사람들을 통해 이를 확인할 수는 없었다. 2003년 8월 촬영.

〈사진8〉

사진8 : 마을 위쪽에서 촬영한 숲골마을 전체 모습. 2003년 8월 촬영.

〈사진9〉

사진9 : 사진에서 맨 오른쪽에 있는 것이 '비학산(飛鶴山)'이다. 산세가 학이 날라가는 형국이라 하여 붙여진 이름이다. 2003년 8월 촬영.

〈사진10〉

사진10 : 마을을 뒤에서 안아 감싸고 있는 산봉우리 가운데 하나인 '농디미'의 모습. 장롱처럼 생긴 바위가 있는 고갯마루라는 뜻에서 붙여진 이름이다. 2003년 8월 촬영.

〈사진11-1〉(위▲) 〈사진11-2〉(아래▼)

〈사진11-3〉

사진11-1, 2, 3 : 마을 뒷산 가운데 주산(主山)인 보담산의 모습. 바로 '보담노장'에 관한 이야기가 전해지는 산이다. 사진에서 산봉우리 사이로 보이는 골짜기는 '분덕골'로 불린다. 2003년 8월 촬영.

〈사진12-1〉(위▲) 〈사진12-2〉(아래▼)

〈사진12-3〉(위▲) 〈사진12-4〉(아래▼)

〈사진12-5〉

사진12-1, 2, 3, 4, 5 : 밀성 손씨 재실. 언제 지어졌는지 모르나, 마을 사람들의 이야기로는 약 300여 년 전에 지어졌을 것이라고 한다. 밀양시 교동에 사는 손영배씨 소유로 되어 있다고 하는데 거의 관리를 하지 않아서 전체적으로 많이 낡은 고가옥이나 세월의 짙은 흔적에도 불구하고 과거의 아름다움과 멋스러움을 고스란히 간직하고 있다. 세상살이에 찌든 티끌, 욕심과 번뇌를 씻어내는 척진루(滌塵樓)나 봄 기운을 은은하게 머금은 춘은정(春隱亭) 등이 자아내는 공간의 느낌은 폐가의 을씨년스러움을 잊어버리게 한다. 2003년 2월 촬영.

〈사진13〉

사진13 : 숲골의 마을회관. 마을 사람들은 동회(洞會)를 비롯한 각종 마을회의를 이곳에서 하고 있다. 스무 명이 들어가기에도 부족한 좁은 공간에 탁자 한두 개와 낡은 의자가 놓여 있는 것이 전부지만 마을 사람들이 모여들어 마을 일을 의논하거나 정월대보름 지신밟기를 위해 풍물 연습을 시작하는 순간, 이곳은 어느새 터질 듯 부풀어오른 풍선처럼 열기로 꽉 찬 새로운 공간이 된다. 2003년 2월 촬영.

〈사진14〉

사진14 : 마을회관 정면 오른쪽 담벼락 구석에 자리한 간이 노천화장실. 마을회관 건물을 끼고 오른편으로 돌아들면 작은 여닫이 문이 하나 나오는데 그 문을 열고 들어서면 좁은 부엌과 작은 방 한 칸이 눈에 들어온다. 이곳이 겨울철 숲골 할머니들이 모이는 임시 노인정이다. 원래 할머니들이 사용하는 노인정은 큰길가에 있으나 그곳은 겨울철에 외풍이 많아, 할머니들은 부엌이 딸린 좁은 방 한 칸을 임시 사랑방 삼아 겨울을 나곤 한다. 그런데 이곳에는 화장실이 따로 마련되어 있지 않아 임시방편으로 할머니들은 담벼락 아래 이 작은 웅덩이를 간이 뒷간으로 이용하고 있다. 2003년 2월 촬영.

〈사진15-1〉

〈사진15-2〉

사진15-1, 2 : 마을 진입로 왼편에 자리한 할머니노인정. 마을회관 쪽으로 꺾어지기 전 오른쪽 모서리에 자리잡고 있다. 큰길에 자리한 탓에 외풍이 심한 곳이지만 여름철에는 더할 나위 없이 시원하고 아담한 할머니들의 보금자리다. 숲골 주민이 살다가 외지로 떠나 비워진 집을 얻어 할머니노인정으로 삼은 지 여러 해가 지났다. 단출한 식구가 살기에도 비좁은 작은 살림집이지만 '엄광 숲촌 노부인정'이라는 자그마한 팻말이 붙어 어엿한 여성노인회관이 되었다. 2003년 8월 촬영.

〈사진16〉

사진16 : 마을회관을 바라보고 왼쪽에 자리잡은 할아버지노인정. 단층 양옥집이지만 할머니노인정에 비해 넓고 부엌과 화장실도 고루 잘 갖추어진 집이다. 좁아도 깨끗한 할머니노인정과 달리 할아버지노인정은 언제나 방안을 꽉 채운 담배 연기와 재떨이 가득한 담배꽁초, 할아버지들이 구석구석 쟁여둔 소주병들이 찾아오는 이들을 정겹게 맞이하곤 한다. 할아버지노인정이 아무리 넓어도, 할머니들은 언제나 소박하나마 자신들만의 공간을 별도로 찾아나선다. 2003년 2월 촬영.

〈사진17〉

사진17 : 숲골마을에서 가장 먼저 조사자들을 맞아주었던 이상주(여, 당시 80세)씨. 현재 마을숲 근처에서 혼자 살고 있는데 활달한 성격에다 좌중을 휘어잡는 카리스마까지 갖추고 있어 훌륭한 연행을 보여주었다. 정승에게 시집가려던 여자를 탐내다 혼구녕이 난 중 '검딩이' 이야기 연행에 열중한 모습이다. 2003년 2월 촬영.

〈사진18〉

사진18 : 한식 성묘를 앞두고 읍내에 나가 머리 손질을 하고 돌아와 카메라 앞에서 자세를 취한 이상주씨. 새옷까지 깔끔하게 차려 입은 후 아들이 사준 핸드폰을 목에 걸고 조사자들에게 자랑하면서 호쾌하게 웃는 모습이다. 2003년 4월 촬영.

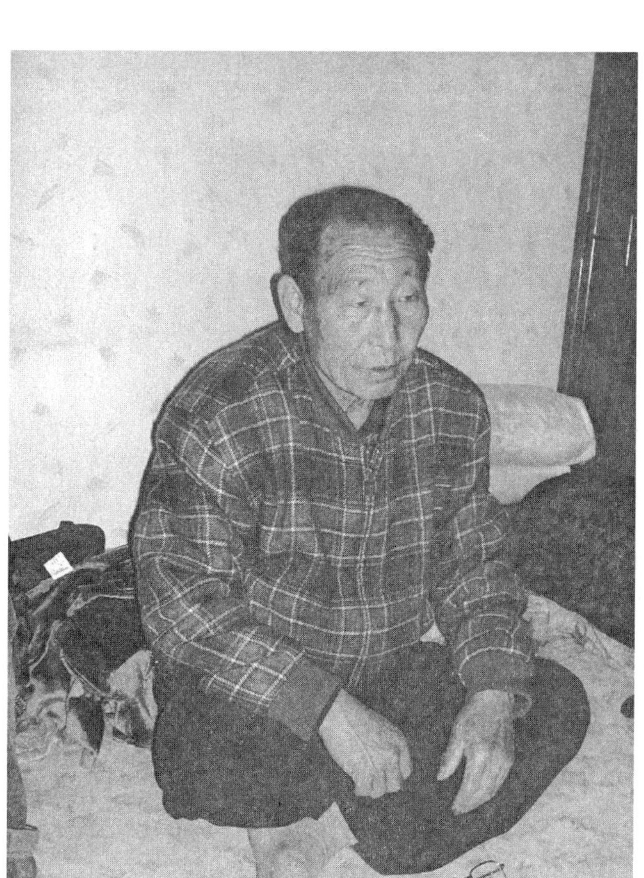

〈사진19〉

사진19 : 첫 만남에서 조사자들에게 마을의 역사와 당제 등에 대해 설명하는 손호영(남, 당시 68세)씨. 손호영씨는 마을에 중요한 일이 있을 때마다 만사를 제쳐 두고 미리 준비해 두지 않으면 직성이 풀리지 않는 성격이었다. 눈에 띄게 적극적인 분은 아니었으나 마을 일에 대해서만큼은 하나하나 꼼꼼하게 챙기려 드는 동장이었다. 2003년 2월 촬영.

<사진20-1>

〈사진20-2〉

사진20-1, 2 : 정월대보름날 할머니노인정에서 만난 김말순(여, 당시 80세)씨. 조사자가 노인정에 모여 앉은 할머니들에게 민요를 청하자 모두 김말순씨를 찾을 만큼 동네에서 노래 잘하기로 이름난 분이었다. 조용하고 차분한 성격이어서 선뜻 연행판에 나서지는 않았지만, 노인정이 한산해지자 단아한 음색으로 노래를 부르기 시작했다. 2003년 2월 촬영.

〈사진21〉

사진21 : 김말순(왼쪽)씨가 부르는 청춘가를 이어받아 함께 연행에 참여한 장남이(여, 당시 73세)씨. 1차 조사 때 이상주씨와도 함께 모노래를 불렀다. 하지만 2003년 4월 조사 때 별세하셨다는 소식을 들었다. 2003년 2월 촬영.

〈사진22〉

사진22 : 숲골마을 동장 손호영씨. 지신밟기 회의 전에 마을회관에서 사람들이 오기를 기다리는 모습이다. 여러 해 동안 하지 않았던 지신밟기를 계획하고 있어 마을 사람들의 호응이 좋을지, 지신밟기를 실수 없이 마무리할 수 있을지 등등 걱정이 많은 듯했다. 2003년 2월 촬영.

〈사진23〉

사진23 : 지신밟기에서 부쇠 역할을 맡은 박명건(남, 당시 50세 안팎)씨. 정월 열나흘날 마을회관에서는 정월대보름 지신밟기에 관한 회의와 풍물 연습이 있을 예정이었다. 박명건씨는 이날 회의에 가급적 동네의 젊은 일꾼들이 많이 참석하기를 고대하고 있었다. 박명건씨는, 전통의 계승은 젊은 사람들의 참여 속에 이루어질 때 참다운 의미를 지닐 수 있다고 거듭 강조하였다. 2003년 2월 촬영.

〈사진24〉

사진24 : 정월대보름 지신밟기를 앞두고 마을회의를 기다리는 마을 사람들의 모습. 본격적인 회의가 시작되기 전, 일찍 회관에 모인 이들끼리 사람들을 기다리며 술잔을 기울이기 시작했다. 안주는 김치 한 가지였지만 지신밟기를 왜 해야 하는지, 마을 사람들의 참여를 어떻게 이끌어낼 것인지 등에 관한 열띤 토론이 계속되면서 술자리 역시 뜨겁게 달아올랐다. 2003년 2월 촬영.

〈사진25〉

사진25 : 정월대보름 지신밟기를 위한 마을회의에 참여한 마을 청장년의 모습. 여러 해 동안 그 맥이 거의 끊어지다시피한 지신밟기 전통을 다시 이어가기 위해 사람들은 열정어린 모습으로 토론을 계속해갔다. 처음에는 자리에 앉아서 이야기를 나누다가, 사람들이 점차 늘어나고 회의가 활기를 띠면서 몇몇은 자리에서 일어나 다소 흥분한 듯 의견을 내놓기도 했다. 사진 왼쪽부터 문건을 손에 들고 있는 사람이 손영동(남, 당시 52세)씨, 그 옆에 앉은 사람이 김만수(남, 당시 69세)씨, 가운데 서 있는 사람이 박명건씨, 그 옆에 앉은 사람이 예태호씨이다. 박명건씨 뒤에 서 있는 두 사람은 왼쪽부터 김정식(남, 당시 52세)씨와 박영진(남; 당시 39세)씨이다. 2003년 2월 촬영.

〈사진26〉

사진26 : 정월대보름 지신밟기를 위한 마을회의 풍경. 손기준(사진 가운데)씨가 참석한 후 회의는 한층 활기를 띠기 시작했다. 지신밟기에서 풍물패를 이끌면서 노래를 부르기로 한 손기준씨는 이날 지신밟기 연습을 위해 이웃 마을의 지신밟기 노래 가사까지 꼼꼼하게 옮겨 적어왔다. 손기준씨는 지신밟기와 당제를 비롯한 마을의 여러 전통에 대해 조사자들에게 가장 상세하게 들려준 사람이었다. 2003년 2월 촬영.

〈사진27〉

사진27 : 지신밟기에서 맡을 역할을 분담하기 위해 토의하는 모습. 서로 추천하기도 하고 손사래를 치며 사양하기도 하는 가운데 웃음이 끊이지 않았다. 부쇠를 제안 받은 박명건(사진에서 가운데 서 있는 사람)씨가 '잘 할 수 있겠느냐'며 겸손하게 부쇠 역할을 받아들이는 장면이다. 사진에서 맨 왼쪽에 앉아 있는 이가 김종호(남, 당시 59세)씨, 문건을 들고 서 있는 이가 손영동씨, 박명건씨 옆에 앉아 술잔을 들고 있는 이가 예태호씨, 손으로 박명건씨를 가리키는 이가 손기준씨, 그 옆에 앉은 이가 홍순종(남, 당시 63세)씨이다. 2003년 2월 촬영.

〈사진28〉

사진28 : 지신밟기에서 풍물패가 맡을 역할들을 일일이 칠판에 적어가며 회의하는 모습. 풍물 연습을 위해 역할을 미리 정해 놓아야 한다며 논의를 시작했는데 어떤 인물이 각각의 역할에 부합하는지, 추천 받은 인물이 역할을 받아들이고 성실하게 이행할 수 있을지 등에 대해 의견이 분분하였다. 지신풀이를 손기준씨가 맡고 상쇠를 윤종성씨가 맡는 데 대해서는 다른 의견이 없었다. 2003년 2월 촬영.

〈사진29〉

사진29 : 지신밟기 연습을 준비하는 모습. 각자 풍물패에서 맡을 역할과 악기를 정한 후 본격적인 연습을 위해 분주하게 움직이기 시작했다. 박명건씨와 손호영씨가 풍물패들이 악기를 맬 때 쓸 무명천을 손질하고 있다. 사진에서, 천을 들고 선 박명건씨와 손호영씨 외에 포수 역할의 김수순씨(사진 가운데 의자에 앉아 있는 사람)와 상쇠를 맡은 윤종성씨(손호영씨 오른쪽에 서 있는 사람)가 보인다. 2003년 2월 촬영.

〈사진30〉

사진30 : 지신밟기 연습을 시작하는 모습. 박명건씨가 쇠를 치기 시작하자 앉아 있던 사람들이 엉덩이를 들썩이기 시작하더니 어느새 하나둘 일어서서 장단에 맞춰 신명을 돋우기 시작했다. 2003년 2월 촬영.

〈사진31-1〉

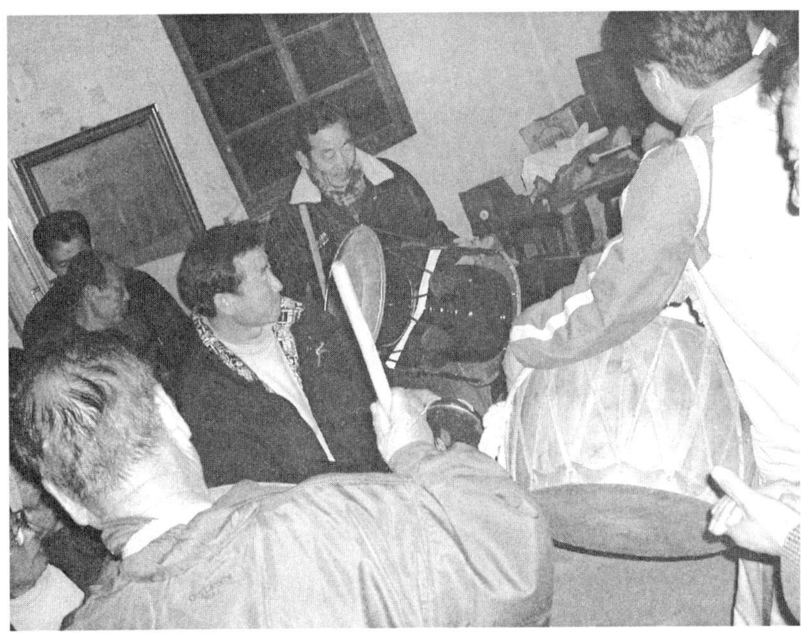

〈사진31-2〉

사진31-1, 2 : 장단을 맞춰가며 풍물 연습에 열중하는 모습. 각자 자신의 악기를 맨 사람들이 상쇠 윤종성씨를 원형으로 둘러싸고 장단을 맞춰가기 시작했다. 윤종성씨는 익숙한 몸놀림으로 풍물패를 이끌어갔다. 오랜 만에 잡아보는 악기들이라 가끔 박자가 어긋나기도 했지만 모두들 흥에 겨운 듯 시간 가는 줄 모르고 악기 연주에 몰두했다. 사진에서 쇠를 잡은 이가 윤종성씨, 장구를 치는 이가 홍순종씨, 오른쪽에서 북을 치는 이가 박성진씨이다. 이 세 사람이 가장 신명나게 판을 달구는 잽이들이었다. 2003년 2월 촬영.

〈사진32〉

사진32 : 풍물 연습 중에 지신풀이를 맡은 손기준씨가 자신이 적어온 가사가 잘못되었다며 노래를 중단하는 바람에 풍물 연주가 잠시 중단된 모습. 풍물패들은 약간 틀려도 상관없다고 말했지만, 손기준씨는 신중함을 넘어서서 다소 엄중한 태도로 지신풀이에 임하고 있었기에 작은 실수도 그냥 지나치지 않으려 했다. 손기준씨는 반복해서 하다 보면 금방 제대로 할 수 있을 것이라며 걱정하지 말라는 듯 웃음을 지어 보였다. 사진에서 가운데 앉아 지신풀이를 하고 있는 손기준씨와 상쇠를 맡은 윤종성씨(손기준씨 뒤에서 있는 사람)를 볼 수 있으며, 이외에도 소고를 맡은 김수순씨(가장 왼쪽에 선 사람)와 심일복(남, 당시 71세, 사진에서 가장 오른쪽에 서 있는 사람), 장구를 맡은 홍순종씨(윤종성씨 왼쪽 뒤편에 서 있는 사람)와 박영진씨(홍순종씨 오른쪽에 서 있는 사람), 북을 맡은 박성진씨와 김욱석(남, 당시 70세)씨를 볼 수 있다. 2003년 2월 촬영.

〈사진33-1〉

〈사진33-2〉

〈사진33-3〉

사진33-1, 2, 3 : 휘몰이 가락이 자아내는 한판 신명에 취해 난장을 튼 잽이들. 쇠를 잡은 윤종성씨나 북을 치는 박성진 · 김욱석씨, 장구잽이 홍순종 · 박영진씨는 모두 평상시에 조용하고 소극적인 태도를 보이는 이들이었다. 그러나 난장이 벌어지자 이들은 그 누구보다도 신명나는 한판을 만들어 냈다. 2003년 2월 촬영.

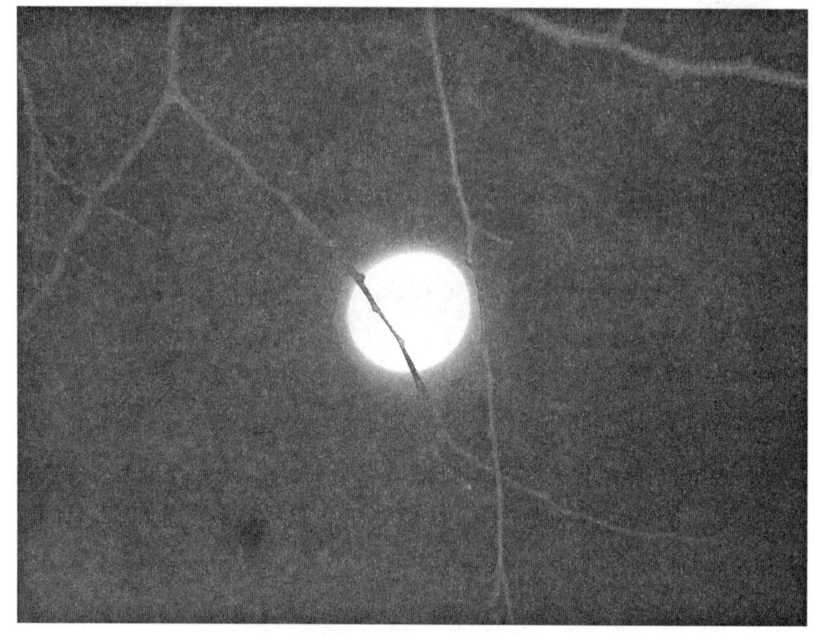

〈사진34〉

사진34 : 정월 열나흘 자정, 당제를 지내는 시간에 당나무 가지 사이로 보이는 보름달. 당제는 산신이나 마을신에게 지내는 제사지만 다음날 있을 '달집태우기'는 달을 대상 신격으로 하는 제의이자 놀이이다. 2003년 2월 촬영.

〈사진35〉

사진35 : 숲골 당제를 지내는 모습. 당제를 지내기 위해 지켜야 하는 금기나 당제 준비의 전 과정이 현대 생활을 영위하는 주민들에게는 버겁고 힘든 일이 되면서 근처 절의 스님들이 당제를 대신 지내고 있다. 이날 당제를 지내는 전 과정을 손호영씨가 뒤에서 지켜보았다. 2003년 2월 촬영.

<사진36-1>(위▲) <사진36-2>(아래▼)

〈사진36-3〉

사진36-1, 2, 3 : 당나무 사이에 끼워진 소지와 금줄. 아무것도 쓰여 있지 않아 비어 있는 듯 보이는 소지에는 너무 많아 일일이 적을 수도 없는 마을 사람들 모두의 소망과 바람이 담겨 있다. 금줄은 제의가 치루어지는 공간을 정화하는 동시에 이를 성스러운 공간으로 만드는 기능을 한다. 2003년 2월 촬영.

〈사진37〉

사진37 : 정월대보름날 아침 윤종성씨 집에서 지신밟기를 하는 모습. 조사자들이 긴늪의 당제를 조사하고 숯골로 돌아왔을 때 마을에서는 이미 지신밟기가 한창이었다. 마을 입구와 당나무 주위를 '밟은' 풍물패들은 가장 먼저 상쇠를 맡은 윤종성씨의 집으로 향했다. 집안 구석구석 지신을 '밟은' 풍물패들이 마당으로 나와 난장을 펼친 모습이다. 2003년 2월 촬영.

〈사진38〉

사진38 : 한바탕 난장을 끝낸 후 집주인이 차려준 간단한 상차림을 받아 술 한 잔씩 걸치고 나서는 풍물패의 모습. 지신밟기를 하는 집에서는 지신밟기가 끝난 후 풍물패들을 위해 술과 안주를 준비한다. 술 한 잔씩 받아 마신 풍물패들은 한층 더 흥이 올라 신명나는 한판으로 주인의 대접에 보답하곤 한다. 사진에서 가운데 쌀자루를 어깨에 짊어지고 서 있는 사람이 포수 역할의 김수순씨이다. 2003년 2월 촬영.

〈사진39-1〉

〈사진39-2〉

사진39-1, 2 : 윤종성씨 집 마당에서 잽이들의 연주가 계속되는 가운데 신명이 올라 춤판을 벌인 김기남(여, 당시 78세)씨. 사람들과 함께 즐기기를 좋아하는 김기남씨는 온종일 풍물패 뒤를 따라다니며 흥겨울 때마다 풍물 연주에 맞춰 어깨춤을 추었다. 김기남씨는 신명나게 놀이판을 좇아다니는 와중에도 조사자들에게 음식을 챙겨주곤 하였다. 2003년 2월 촬영.

〈사진40〉

사진40 : 손호영씨 부인인 이언영(여, 당시 69세)씨. 정월대보름날 아침 얼굴 화장까지 하고 곱게 단장한 모습으로 등장한 이언영씨는 동장 부인으로서의 역할 때문인지 하루 종일 바쁘게 움직였다. 손호영씨와 간단한 이야기를 나눈 후 다른 집으로 옮겨가는 풍물패를 뒤로 한 채 어디론가 부리나케 걸어가는 모습이다. 2003년 2월 촬영.

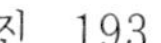

〈사진41〉

사진41 : 홍순종씨 집에서 조왕풀이를 하는 모습. 손기준씨가 풀이를 하는 중간에 호흡을 가다듬느라 잠깐씩 멈추거나 힘이 들어서 목소리가 잦아들면 옆에 있는 부녀회장이 도와주기도 하였다. 조왕신을 위한 상은 쌀과 정수, 술, 그리고 지전으로 간단하게 차려졌다. 홍순종씨 부인인 김차경(여, 나이 미상)씨는 조왕풀이가 진행되는 동안 내내 경건하고 차분한 자세로 곁을 지키다가 소원을 빌기도 하였다. 2003년 2월 촬영.

〈사진42〉

사진42 : 홍순종씨 집 거실에서 성주풀이를 하는 모습. 성주신은 집안에 모시는 신들 가운데서도 그 역할과 비중이 큰 신격이다. 손기준씨 옆에서 쇠를 치는 이는 권순금(여, 당시 50세 안팎)씨로, 마을의 부녀회장이다. 권순금씨는 이날 오전 내내 지신풀이를 하는 손기준씨 옆에서 상쇠로서 자기 몫을 다했다. 그는 농협 등지에서 풍물을 배워 마을 사람들에게 가르쳐줌으로써 2003년 숲골마을 지신밟기 '부활'에 산파 역할을 했다. 2003년 2월 촬영.

〈사진43〉

사진43 : 포수를 맡은 김수순씨의 모습. 포수의 역할은 지신을 밟는 집에서 내놓는 쌀을 모아 담는 것인데, 쌀이나 돈이 많이 나올 때까지 익살스럽게 어깃장을 놓거나 떼를 쓰는 등의 장난을 치기도 한다. 주인장과의 장난스런 사설이 많고 밀고 당기는 실랑이가 많은 포수 역할은 대체로 쾌활하고 마을 사람들과 관계가 원만한 사람이 맡는 경우가 많다. 이날 김수순씨도 원하는 만큼의 쌀이나 돈이 나올 때까지 집안의 가재도구를 감추는 등의 장난을 치곤 하였다. 2003년 2월 촬영.

〈사진44〉

사진44 : 평소 활달한 성품의 이상주씨가 김수순씨에게 쌀주머니를 넘겨 달라고 조르는 모습. 김수순씨가 쌀이 너무 많이 차서 무겁다며 익살스럽게 엄살을 부리자 기다렸다는 듯이 이상주씨가 포수 역할을 하겠다고 나섰다. 풍물패를 따라다니던 이상주씨는 아무래도 마음껏 장난을 칠 수 있는 포수 역할이 가장 재미있어 보였는지 기세등등한 태도로 쌀자루를 넘겨 받더니 성큼성큼 발을 떼기 시작했다. 그러나 계단을 몇 걸음 내려오자마자 힘에 버거운 듯 쌀자루를 내려 놓고 말았다. 2003년 2월 촬영.

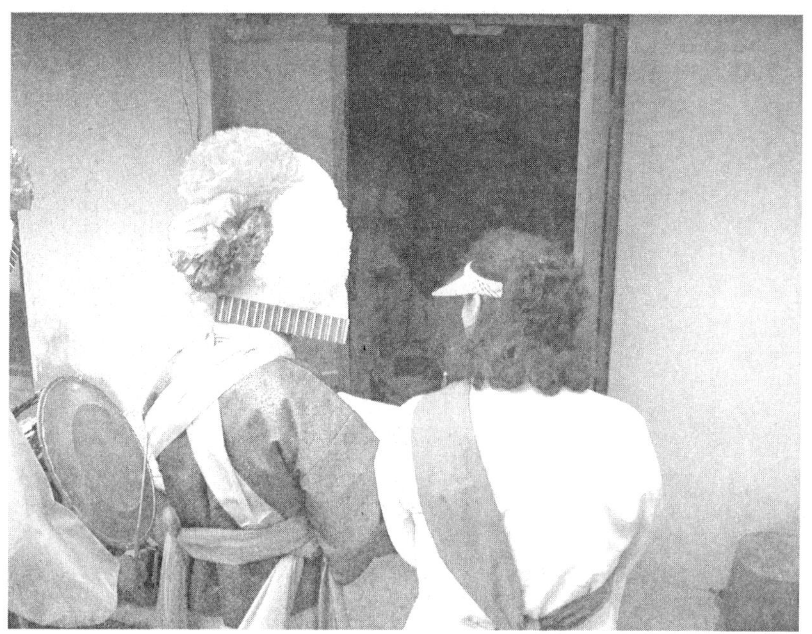

〈사진45-1〉

〈사진45-2〉

사진45-1, 2 : 홍순종씨 집에서 고방풀이를 하는 모습. 마당 한 쪽에 외양간이 있는데 소가 새끼를 배 풍물 연주를 크게 할 수 없었다. 그래서 풍물패 중 3~4명만이 고방 앞에 모여 작은 소리로 연주를 시작하였다. 고방 앞 공간이 협소하여 지신풀이를 맡은 손기준씨와 꽹과리를 맡은 권순금씨만 앞에 서고 나머지 패거리는 뒤에 서서 악기를 연주할 수밖에 없었다. 지신풀이와 풍물 연주가 끝나자 동장 손호영씨와 포수 김수순씨가 상 위에 놓여 있던 쌀과 돈을 조심스럽게 챙겨 넣었다. 이때 손호영씨는 각 집에서 내놓은 쌀과 돈의 양을 꼼꼼하게 기록하는 일을 잊지 않았다. 2003년 2월 촬영.

〈사진46〉

사진46 : 홍순종씨 집에서 용왕풀이를 하는 모습. 원래 용왕풀이는 우물가에서, 일년 내내 깨끗한 물이 나도록 기원하는 내용으로 일정한 형식을 갖춰 진행되지만, 우물이 없는 탓에 마당 한편에 자리한 수돗가에서 간단하게 염원을 비는 것으로 마무리한 후 다음 풀이로 넘어갔다. 2003년 2월 촬영.

〈사진47〉

사진47 : 홍순종씨 집 용왕풀이를 끝내고 모두가 모여 마당에서 한판 신명을 즐기는 모습. 손기준씨가 한 쪽에서 미리 손으로 써서 준비한 지신풀이 가사를 훑어보면서 빠뜨린 부분이 있는지 다시 점검하고 있다. 징을 들고 있는 이는 손재홍(남, 당시 60세)씨인데 상쇠 못지 않게 중요한, 징 치는 역할을 훌륭하게 소화해냈다. 2003년 2월 촬영.

〈사진48〉

사진48 : 홍순종씨 집 지신풀이가 끝난 후 여흥을 즐기는 모습. 몇몇은 안주인이 내온 음식들을 맛보기 시작했고 신명을 다 풀지 못한 패거리들은 계속 악기를 둥당거렸다. 풍물패를 따라다니던 할머니들은 소고 등을 받아 들어 두들겨 보기도 하고 술상을 마주하고 장난 섞인 사설을 늘어놓기도 했다. 2003년 2월 촬영.

〈사진49〉

사진49 : 홍순종씨 집에서 주안상을 마주한 풍물패의 모습. 지신밟기가 끝나면 언제든지 집주인이 간단하게라도 술상을 내놓는다. 그러면 지신을 밟았던 패거리들은 마른 목을 축이며 여흥을 달래고 그 중 몇몇은 술이 불콰하게 오를 때까지 술상을 떠나지 않는다. 이렇게 여러 집을 돌다 보면 점심 나절에 벌써 거나하게 취기가 올라, 풍물패들은 술기운을 빌려 더 신명난 판을 만들어내기도 한다. 2003년 2월 촬영.

〈사진50〉

사진50 : 홍순종씨 집에서 다음 집으로 이동하는 도중에 촬영한 마을숲의 모습. 길가에 쌓여 있는 낟가리와 잎사귀 하나 없는 나무 위 까치집이 눈에 띈다. 앙상한 가지를 드러낸 겨울나무들이긴 하지만, 여름철 시원한 그늘을 만들어낼 무성한 숲의 모습을 쉽게 떠올릴 수 있다. 할머니들은 풍물패를 따라 이동하면서 길가 빈 들녘에 홍순종씨 집에서 가지고 나온 과일 등을 조금씩 떼어 던지며 '고시레'를 외치기도 했다. 2003년 2월 촬영.

〈사진51〉

사진51 : 경상도 지역의 정월대보름 음식인 '깨죽'의 모습. 들깨를 갈아 고사리 나물과 함께 죽처럼 쑤어 만든, 고소한 '깨죽'은 정월대보름날 빠지지 않는 음식이다. 밀성 손씨 재실을 촬영하느라 조금 늦게 도착한 조사자들을 위해 안주인이 어느 틈엔가 '깨죽'을 내왔다. 조사자들은, 처음 보는 음식이라 멈칫멈칫 망설이다가 결국 정말 맛있는 음식이라며 너스레를 떠는 할머니들 성화에 못 이겨 기어이 한 숟갈을 입에 넣었다. 도시에서 맛보던 음식의 자극적인 맛은 없었지만 입안 가득 퍼지는 들깨향과 음식을 씹어 삼킨 후에도 남는 고소한 맛의 여운이 무척 인상적이었다. 할머니들은 다른 어떤 음식보다도 이 '깨죽'을 가장 좋아했다. 2003년 2월 촬영.

〈사진52〉

사진52 : 부녀회장 집 지신밟기를 끝내고 마당에서 어울려 노는 할머니들의 모습. 할머니들에게 인기가 좋은 홍순종씨의 장구 장단에 맞춰 민요부터 소위 '뽕짝'에 이르기까지 할머니들의 레파토리가 쏟아져 나오기 시작했다. 홍순종씨는 장구를 매우 신명나게 치기도 했지만, 할머니들의 노래에 맞춰 넣는 추임새와 노래 솜씨가 일품이었다. 지신밟기가 끝나자마자 여흥을 못 이겨 계속 장구를 두드리고 있는 홍순종씨 앞으로 할머니들이 모여들어 노래를 시작한 것도 바로 이 때문이었다. 사진 왼편부터 이상주씨, 권수연(여, 당시57세)씨, 김필수(여, 당시 69세)씨, 김혜선(여, 당시 65세)씨, 허정시(여, 당시 62세)씨, 홍순종씨, 김욱석씨 등이 보인다. 2003년 2월 촬영.

〈사진53〉

사진53 : 숲골의 '달집태우기'. 원래 숲골에서는 '달집태우기'를 하지 않는다고 하여 조사자들은 5시 무렵 긴늪으로 '달집태우기'를 보러 갔다. 8시쯤 숲골로 돌아오니, 마을 사람들은 아무래도 달집을 태우지 않는 것이 아쉬워서였는지 어느새 마른 장작더미를 들판 가장자리에 쌓아 놓고 불을 붙여 태우고 있었다. 풍물패나 그 뒤를 쫓던 마을 사람들이나 이미 거나하게 취해 한창 흥이 오른 상태였다. 예정에 없던 것이라 소박한 달집이긴 했지만 마을의 안녕을 비는 마을 사람들의 마음만은 여느 마을에 비할 수 없이 크고 귀한 것이었다. 2003년 2월 촬영.

〈사진54-1〉

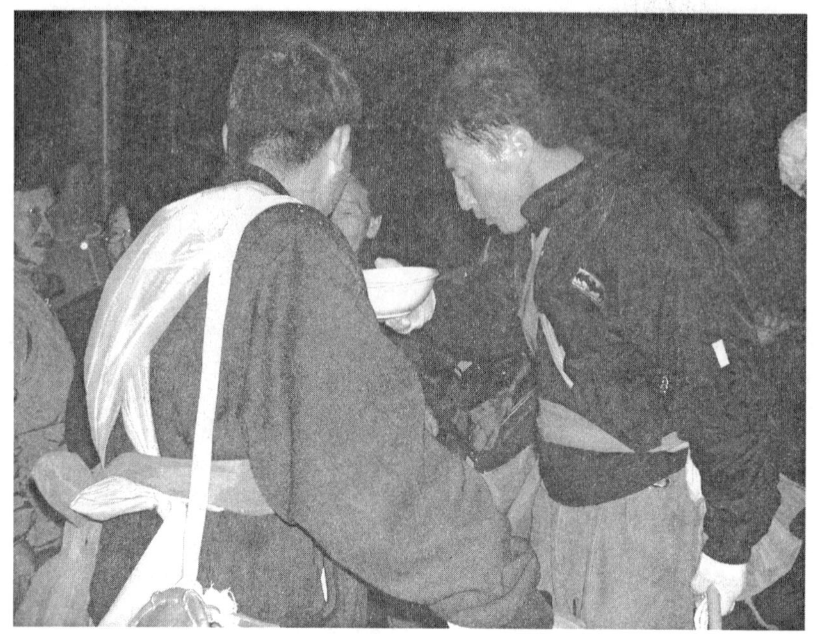

〈사진54-2〉

〈사진54-3〉

사진54-1, 2, 3 : 풍물패 박성진씨가 북을 치는 모습. 박성진씨는 평소 말이 없어 보였지만 악기를 칠 때만큼은 그 누구보다도 열정적인 모습을 보여주었다. 신명에 취해 얼굴에서 땀이 물처럼 쏟아져내리는 줄도 모르는 그의 모습은, 누구라도 판에 뛰어들지 않고는 견딜 수 없을 정도로 흡인력을 지니고 있었다. 박성진씨는 풍물패에서 북을 맡고 있었지만 다른 이가 잠시 그의 북을 가져간 사이 홍을 멈출 수 없어서였는지 어디선가 징을 가져와 치기 시작했다. 그는 젊은 나이였지만 대보름 전날 마을회관에서 연습을 할 때부터 타고난 신명을 보여주었다. 이런 그의 신명에 할머니들도 앞을 다퉈가며 화답해 주었다. 2003년 2월 촬영.

〈사진55-1〉

〈사진55-2〉

사진55-1, 2 : 장구를 치는 홍순종씨의 모습. 대화할 때 그의 모습은 차분하고 조용했지만, 그는 타고난 소리꾼에 신명 넘치는 장구잽이였다. 그는 하루 종일 힘든 기색 하나 없이 장구를 쳤는데 단 한 순간도 다른 사람에게 자신의 장구를 넘긴 적이 없었다. 홍순종씨가 장구를 치고 있으면 어느 샌가 할머니들이 그를 에워싸곤 했는데 이에 화답이라도 하듯이 그는 추임새를 넣어가며 구성지게 노래를 불러주었다. 밤이 깊어가자 누가 먼저랄 것도 없이 앞을 다퉈 노래를 부르기 시작했는데 어찌나 목청껏 노래를 불러댔는지 숲골 골짜기가 쩌렁쩌렁 울리는 것 같았다. 2003년 2월 촬영.

〈사진56〉

사진56 : 지신밟기에서 지신풀이를 맡았던 손기준씨의 모습. 그는 정월 대보름날 떠나는 조사자들을 향해 '오늘은 지신을 밟느라 다 못한 이야기가 있으니 꼭 다시 한 번 찾아오라'는 당부를 잊지 않았다. 이미 불콰하게 술이 오른 상태였지만 마을에 전해 내려오는 이야기와 민속을 조사자들에게 들려주어야 한다는, 스스로가 부과한 사명만큼은 잊지 않고 있는 듯했다. 지신풀이가 잊혀져 가는 것을 안타깝게 생각한 손기준씨는 이날 지신밟기를 위해 여러 날 전부터 자신이 기억하는 지신풀이 내용을 일일이 되새겨 기록해 두었으며 이웃 마을까지 찾아가 그 마을의 지신풀이 가사를 받아 적어오기도 했다. 2003년 2월 촬영.

〈사진57-1〉(위▲) 〈사진57-2〉(아래▼)

〈사진57-3〉(위▲) 〈사진57-4〉(아래▼)

〈사진57-5〉

사진57-1, 2, 3, 4, 5 : 숲골마을의 '이야기꾼'으로 꼽을 만큼 흥미롭고 능숙한 연행 솜씨를 보여준 유남수(여, 당시 84세, 사진에서 왼쪽)씨와 이상주(여, 당시 80세)씨. 두 사람은 마치 민요를 주고받으며 부르듯이 이야기를 주고받으며 이어나갔다. 유남수씨는 당시 90세의 남편과 단둘이 살고 있었는데, 조사자들을 처음 만나던 날 '영감 줄 과자'를 챙겨 돌아가기도 했다. 그는 귀가 어두운 편이었지만, 이야기하는 것을 매우 즐기는 것 같았다. 손자들에게도 자주 이야기를 해주곤 했다며, 조사자들을 낯설어 하지 않고 풍성한 이야기보따리를 풀어 놓았다. 2003년 4월 촬영.

〈사진58〉

사진58 : 밭에서 돌아와 구전이야기를 들려주는 손기준씨의 모습. 조사자들은 정월대보름날 약속한 대로 2003년 4월에 다시 손기준씨를 찾아갔다. 그는 미리 준비해 놓았던 듯, 조사자들을 보자마자 숲골에 관한 여러 이야기들을 들려주었다. 하우스 농사를 짓고 있는 그로서는 농사일로 바쁘고 고된 4월의 밤이었지만, 그는 힘들어하는 기색 없이 조사자들과 이야기를 계속해나갔다. 2003년 4월 촬영.

〈사진59-1〉

〈사진59-2〉

사진59-1, 2 : 새로 지은 숲골 마을회관의 모습. 2006년 정월대보름날 숲골을 다시 찾아갔을 때 새로 지은 양옥 건물 한 채가 조사자들을 맞아주었다. 예전 마을회관을 허물고 새로 지어 올린 마을회관이었다. 할머니들은 이제 좁은 부엌방 대신 할아버지노인정의 건넌방을 넓혀 쓰고 있었다. 그 사이 달라진 마을 풍경만큼 사람들 사이의 변화도 많았다. 조사자들은 뜻하지 않게, 고답댁 할머니가 돌아가셨고 예태호씨 또한 암으로 돌아가셨다는 소식을 들어야 했다. 당제도 여전히 스님들이 지내고 있었고 정월대보름을 전후로 한 동회나 윷놀이도 여전했지만, 지신밟기나 달집태우기는 더이상 지내고 있지 않았다. 2006년 2월 촬영.

4. 밀양 숲골마을 지도

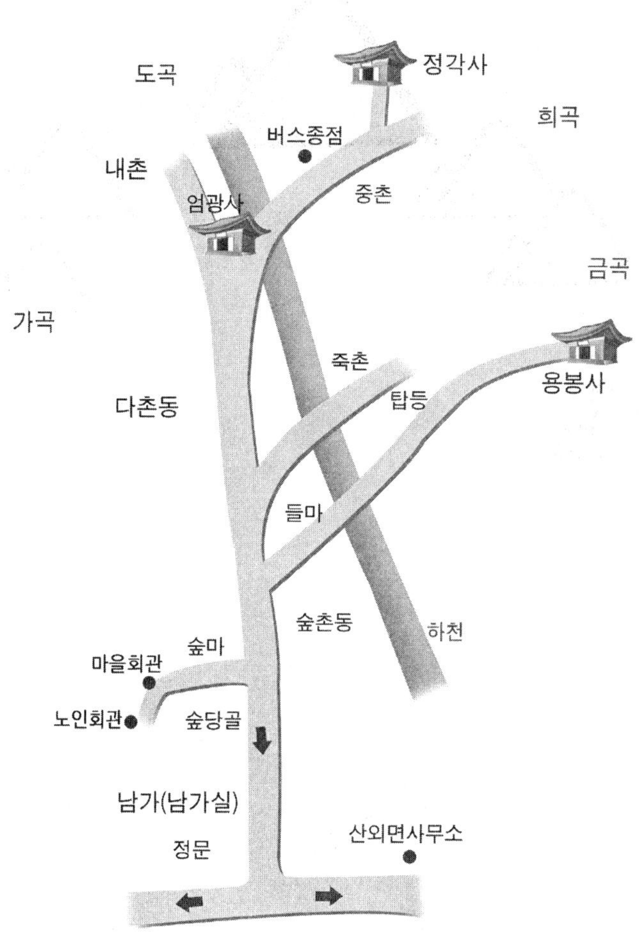

숲골 부근 지역의 마을지도 : 2003년 4월에 마을 동장 손호영(남, 당시 67세)씨가 그려준 마을 그림과 현지조사 내용을 토대로 재구성한 마을지도. 주요 현지조사 대상지역이었던 숲골은 지도에서 마을숲과 마을회관, 당나무 등이 자리하고 있는 아랫동네에 해당한다.

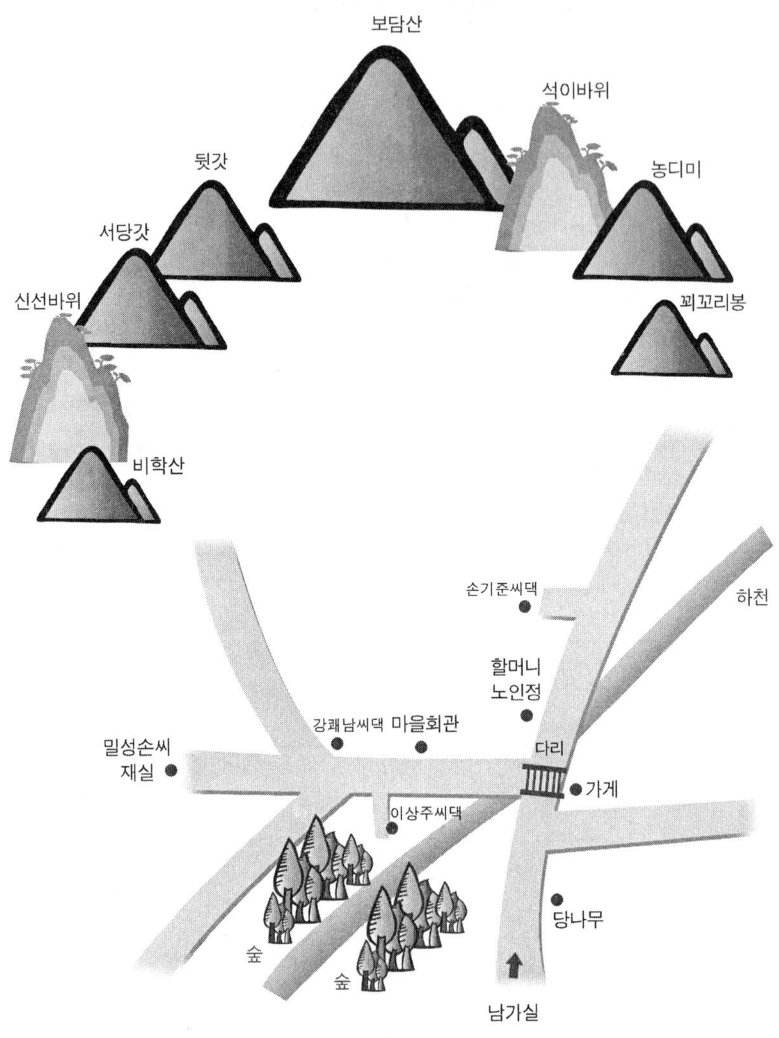

숲골의 주변 산들과 마을지도 : 숲골에 대한 현지조사 내용을 토대로 구성한 마을지도. 지도에 표시된 장소들은 조사자들이 주로 활동했던 공간이다.

5. 밀양 숲골마을 현지조사 일정표

사전 답사 : 김영희. (1일)

▶ 2003. 1. 29.

13:30 밀양 도착.

14:00 〈산외면 다죽리 죽서마을 산외면사무소〉

산외면의 마을 상황을 잘 알고 있는 직원을 만나 인터뷰하였다. 산외면 각 마을의 위치와 고령자의 비율, 당제 계승 여부 등을 예비 조사하였다. 직원에게 산외면 지도와 동장 및 노인회장 연락처, 노인정 관련 자료 등을 받았다.

직원을 만난 후 산외면사무소가 위치한 다죽리 죽서마을의 일직 손씨 재실을 방문하여 죽서마을을 예비 조사하였다. 마을 내력과 정월 당제 과정, 일직 손씨 가문의 간단한 역사 등을 조사하였다.

1차 답사 : 김영희, 황은주. (1일)

▶ 2003. 2. 4.

10:20 밀양역 도착.

11:00 〈산외면 엄광리 숲골마을 할머니노인정〉

산외면에서 가장 오지에 속하는 숲골마을을 조사지역으로 최종 선정할지 여부를 결정하기 위해 숲골마을에서 예비조사를 진행하였다. 설날을 갓 지난 때여서 본격적인 조사를 수행하기는 어려운 상황이었다. 조사 취지와 앞으로의 조사 진행 상황 등을 설명하고 머물 곳을 결정한 후 기초적인 마을 조사를 시행하였다.

① 연행자 : 이상주(죽남댁), 백승희(회설댁), 김기남(의령댁), 서복선(오치댁), 김진옥, 장남이(법산댁), 이은영(내전댁), 정소선(중리댁), 김말남(새터댁).

② 연행 상황 : 이상주씨가 이야기를 주도하였다. 서사적인 구성을 갖춘 이야기 몇 편과 당제·영등제 등 민속 관련 내용을 조사하였다. 점심식사 후 모노래를 비롯한 민요를 몇 편 채록하였다.

15:00 〈산외면 엄광리 숲골마을 할아버지노인정〉

숲골마을 할머니노인정 맞은편에 위치한 할아버지노인정을 방문하였다. 동석한 숲골마을 동장과 노인회장을 통해 정월대보름 민속 조사에 대한 승낙을 받았다.

① 연행자 : 예태호, 심일복, 손이헌, 손호영, 전재영, 이진형.

② 연행 상황 : 마을의 역사와 당제, 몇 편의 도깨비 관련 일화를 들었다.

16:30 〈산외면 다죽리 죽서마을〉

손씨 문중 사람들과 함께 혜산서원과 손씨 고택을 차례로 답사하였다. 그리고 지난 사전 답사 때 방문한 적이 있는 일직 손씨 재실에서 마을의 유래, 가문과 관련된 전설 등을 조사하였다.

19:00 밀양역 출발.

2차 답사 : 김영희, 이미라, 황은주. (1박 2일)

▶ 2003. 2. 14

13:30 밀양역 도착.

14:30 〈산외면 보라리 / 산외면 금곡리 박산마을〉

숲골마을로 가기 전에 산외면 다른 마을의 상황을 알아보고자 사전 조사의 목적으로 금곡리에 들렀다. 두 개 조로 나누어 한 조는 보라리에서, 다른 한 조는 박산마을에서 조사를 진행하였다. 보라리에서는 길가에 모여 이야기를 나누고 있던 할머니들에게 마을 주변 산세나 지형에 관한 이야기를 들었다. 박산마을에서는 김복섭씨 댁을 방문하여 지형전설과 서사적 구성을 갖춘 이야기 몇 편을 채록하였다.

18:00 〈산외면 엄광리 숲골마을 마을회관〉

마을회관에서 정월대보름 행사를 위한 마을회의가 있었다. 약 15명이 모여 회의를 하는지라 카세트 녹음기로는 조사가 어려워 주로 캠코더 촬영을 했다. 회의 중간중간에 당제와 마을 지형에 관한 이야기 몇 편을 들었다. 회의 후 지신밟기를 위한 풍물 연습을 참관하며 이를 촬영하였다. 연습이 끝나고 쉬는 동안 마을과 관련된 인물에 대한 이야기 몇 편을 채록하였다.

① 연행자 : 예태호, 손호영, 손기준 외.

② 연행 상황 : 회의가 잠시 중단된 사이에 마을의 유래와 지형에 얽힌 구전이야기를 들었다.

23:30 〈산외면 엄광리 숲골마을 당산나무〉

동장의 입회 하에 인근 절의 스님 두 분이 당제를 진행하는 것을 참관, 촬영하였다.

00:30 부녀회장 댁 방문.

▶ 2003. 2. 15.

07:00 〈산외면 기회리 긴늪마을 당산나무〉

숲골의 할머니노인정에서 택시를 타고 긴늪마을로 갔다. 긴늪마을에 도착했을 때 이미 당제 준비가 시작되어 마을 사람들이 마을 입구의 당나무 앞에 제수를 진설하고 있었다. 당제가 끝나고 긴늪마을의 이장을 만나 마을에 대한 이야기를 들었다. 다음 번의 본격적인 조사를 위해 마을회관에서 이장을 비롯한 서너 명의 마을 사람들과 함께 사전 조사를 시행하였다.

09:00 〈산외면 엄광리 숲골마을 할머니노인정〉

① 연행자 : 유남수(운동댁), 김진옥, 이위영(살내댁), 김말순(이동댁) 외.

② 연행 상황 : 대보름날 아침이라 어수선한 분위기 속에서 조사를 진행하였다. 초반에는 유남수씨가 본인의 생애담을 중심으로 이야기판을 주도하였다. 점차 다른 사람들의 참여가 활발해지면서 도깨비 관련 경험담 등이 연행되었다. 점심식사 후 밀양고을노래와 몇 편의 민요를 채록하였다.

11:00 〈산외면 엄광리 숲골마을 지신밟기〉

긴늪마을의 당제를 조사하고 숲골마을로 돌아왔을 때 지신밟기가 진행 중이었다. 바로 풍물소리가 들리는 집으로 들어가 지신밟기를 촬영했다. 처음에는 주로 풍물패 구성원의 집을 중심으로 지신밟기가 이루어졌다. 점심 때를 넘겨서 강쾌남씨 집에서 점심을 먹었다. 밥을 먹으면서 강쾌남씨에게서 마을 주변 산·바위 등에 대한 간단한 이야기를 들었다. 강쾌남씨의 집을 나와 마을에 있는 밀성 손씨 재실에 들러 주변을 촬영했다. 재실 근처에 사는 할머니를 만나 몇 가지 물어보았으나 귀가 어둡고 발음이 분명치 않아 풍부한 이야기를 들을 수는 없었다. 아랫마을을 다 돌고 마을회관 앞에서 잠시 쉬었다가 부녀회장 집이 있는 윗마을로 갔다. 몇몇 집에서 지신밟기를 한 후 축사를 운영하는 집에서 마지막 지신밟기를 했다. 풍물패가 지신밟기를 하는 동안 강쾌남씨의 설명을 들으며 마을 주변 산과 바위를 촬영했다. 조사자들 가운데 일부가 긴늪마을의 달집태우기를 보기 위해 차를 타고 이동했다.

17:00 〈산외면 엄광리 숲골마을 할머니노인정〉

① 연행자 : 김말순(이동댁).

② 연행 상황 : 조사자 가운데 황은주가 숲골마을의 할머니노인정에 남아 조사를 계속하였다. 김말순씨가 베틀노래와 구전이야기 몇 편을 연행하였다.

〈산외면 기회리 긴늪마을 마을회관 앞 공터〉

조사자들이 긴늪마을에 도착했을 때 이미 마을 앞 들녘에 세워놓은 달집을 중심으로 모든 준비가 거의 끝난 상태였다. 달집을 태우며 제사를 지내고 풍물놀이하는 것을 참관, 촬영하였다.

20:00 〈산외면 엄광리 숲골마을 마을회관 앞〉

긴늪마을에서 돌아오자 숲골 마을회관 앞에 예정에 없던 작은 달집 하나가 세워져 있었다. 마을 사람들이 회관 앞에 모여 달집을 태우며 술과 음식을 나눠 먹으면서 풍물패를 중심으로 춤을 추고 노래를 불렀다. 마을 사람들과 어울려 놀다가 밀양역으로 향했다.

21:00 밀양역으로 출발.

3차 답사 : 김영희, 황은주, 우영민(여, 가명), 이창국(남, 가명), 이미라. (4박 5일)

(▶2003. 4. 22. 20:00 무안면에 선발대 도착.)

▶2003. 4. 23.

10:00 〈산외면 엄광리 숲골마을 할머니노인정〉

농번기였으나, 날씨가 흐린 관계로 노인정에 모여 있는 사람들이 있어 그들과 함께 조사를 진행하였다. 이전 조사에서 만난 적이 있는 연행자들을 중심으로 연행판이 벌어졌다.

① 연행자 : 이상주(죽남댁), 유남수(운동댁), 김진옥, 서복선(오치댁), 김말남(새터댁).

② 연행 상황 : 이상주씨와 유남수씨가 여러 편의 이야기를 연행하였다. 점심식사 후 김진옥씨 등 몇몇 사람이 연행판에 참여하여 몇 편의 이야기를 더 연행하였다.

15:00 〈산외면 다죽리 죽서마을〉

일직 손씨 재실을 방문하였다. 손씨 가문에 관한 이야기를 간단히 조사하였다.

21:00 〈산외면 엄광리 숲골마을 할아버지노인정〉

산내면 오치마을로 이동하여 하루 묵을 예정이었으나 약속한 김수조씨(산내면 오치)의 개인적 사정으로 만날 수 없게 되어 계획을 변경하였다. 숲골마을 노인정에서 자기로 하고 동장에게 허락을 받았다.

① 연행자 : 손호영, 손기준.

② 연행 상황 : 동장 손호영씨가 숲골마을의 마을지도를 그려주었다. 손호영씨와 손기준씨가 마을의 산과 기타 지형에 관한 구전이야기를 연행하였다.

▶ 2003. 4. 24.

10:00 〈밀양시내〉

밀양문화원과 영남루, 아랑각을 답사하였다.

13:00 〈산외면 기회리 긴늪마을〉

긴늪마을 동장과 박태희씨 댁을 차례로 방문하였다. 마을 유래에 관한 이야기와 유명한 인물에 관한 이야기 몇 편을 조사하였다.

20:00 〈산내면 동명마을〉

김춘복씨 댁을 방문하였다. 이튿날 오전, 김춘복씨와 그 모친인 백필경씨가 연행하는 이야기를 조사하였다.

▶ 2003. 4. 25.

14:00 〈산내면 오치마을〉

미리 약속한 대로 오치마을에서 김수조씨를 만나 구전이야기 여러 편을 조사하였다.

21:00 〈산외면 엄광리 숲골마을 할아버지노인정〉

김수조씨 댁에서 조사자들 일부가 빠져나와 숲골마을의 손기준씨를 만났다. 마을회관에서 그를 만나 지신풀이와 구전이야기 몇 편을 조사한 후 다시 오치마을의 김수조씨 댁으로 돌아갔다.

① 연행자 : 손기준.

② 연행 상황 : 손기준씨가 지신풀이를 연행한 후 보담노장과 마을 지형에 관한 이야기 몇 편을 연행하였다.

▶ 2003. 4. 26.

밀양역 출발.

6. 밀양 숲골마을 연행자별 연행자료 목록

연행자		날짜 2003	구 연 자 료	일련 번호	작품 번호
김말순 (이동댁) 여, 80세	이야기	2.15	1. 입 싼 나무꾼과 선녀 2. 보배덩이를 게워낸 효자 3. 아랑과 밀양노래의 아랑각	▶24 ▶25 ▶26	이야기⑯ 이야기⑰ 이야기⑱
	노래	2.15	1. 모노래 (3) 2. 밀양노래 3. 양산도 4. 밀양고을노래 5. 베틀노래	▶19 ▶20 ▶21 ▶22 ▶23	노래④ 노래⑤ 노래⑥ 노래⑦ 노래⑧
김진옥 (구야할머니) 여, 68세	이야기	2. 4	1. 이 두 개 난 아이 일화		
		2.15	2. 월경 묻은 빗자루에서 처녀로 변한 홋칭이에게 홀린 사람	▶15	이야기⑫
유남수 (운동댁) 여, 84세	이야기	2.15	1. 호랑이를 쫓아간 시할머니 2. 도깨비불은 홋칭이 3. 도깨비가 변한 처녀에게 홀렸던 시외숙 4. 아가씨에게 홀렸다던 시외숙 5. 담력내기로 혼이 난 사람	▶11 ▶12 ▶13 ▶16 ▶18	이야기⑧ 이야기⑨ 이야기⑩ 이야기⑬ 이야기⑮
		4.23	6. 아버지 꿈에 나타난 아랑 7. 입이 싸서 하늘로 못 올라간 마이산 할배 · 할매 8. 집에 들어온 이시미를 잡아 망한 할배 9. 9대 독자 장가 보내기	▶36 ▶37 ▶39 ▶40	이야기㉘ 이야기㉙ 이야기㉛ 이야기㉜

제보자	구분	날짜	내용	테이프	자료
이상주 (죽남댁) 여, 80세	이야기	2. 4	1. 중에게 잡혀 갔다 정승 부인된 처녀 (1) 2. 빈대 때문에 망한 절 3. 삼천갑자 동방삭을 만난 액운애기	▶1 ▶2 ▶3	이야기① 이야기② 이야기③
		4.23	4. 나가라 5. 문둥이 남편 낫게 한 열녀 6. 밀양 원님의 딸 아랑 7. 제주도에 선을 세운 이야기 8. 아들 공덕으로 인도환생한 고승도치 9. 중에게 잡혀 갔다 정승 부인된 처녀 (2)	▶33 ▶34 ▶35 ▶38 ▶41 ▶42	이야기㉕ 이야기㉖ 이야기㉗ 이야기㉚ 이야기㉝ 이야기㉞
	노래	2. 4	1. 보리타작노래 2. 모노래 (1) 3. 모노래 (2)	▶4 ▶5 ▶7	노래① 노래② 노래③
	민속	2. 4	1. 영등제 2. 시준 3. 당제 4. 베 짜던 일		
이위영 (살내댁) 여, 40대 중반	이야기	2.15	1. 애장터에 있다는 도깨비불 2. 덫을 도깨비로 착각한 사람	▶14 ▶17	이야기⑪ 이야기⑭
장남이 (법산댁) 여, 73세	이야기	2. 4	1. 도깨비 관련 일화	▶6	이야기④
	노래	2. 4	1. 모노래 (2)	▶7	노래③
김만수 남, 66세	이야기	2.14	1. 숲골은 명당 자리	▶30	이야기㉒
김수순 남, 60대 중반	이야기	2.14	1. 숲골은 명당 자리 2. 도술로 일본인을 혼낸 사명대사	▶30 ▶32	이야기㉒ 이야기㉔

김종호 남, 60대 초반	이야기	2.14	1. 빈대 때문에 망한 엄광사	▶29	이야기㉑
손기준 남, 67세	이야기	4.23	1. 보암산에 살았던 보담노장 2. 박씨 문중의 명당을 쓸모 없게 만든 보담노장 3. 도술로 박씨 문중을 속인 보담노장 (2) 4. 보담노장이 잡아준 정봉사네 묘터	▶43 ▶44 ▶46 ▶47	이야기㉟ 이야기㊱ 이야기㊳ 이야기㊴
		4.25	5. 손병사 집 앞에서 말 타고 간 윤좌수 6. 보담노장이 박씨문중을 혼낸 이야기 7. 신선노름에 도끼자루 썩는 줄 모른다	▶48 ▶49 ▶50	이야기㊵ 이야기㊶ 이야기㊷
	노래	4.25	1. 지신풀이		
	민속	4.25	1. 숲골의 당제		
손호영 남, 68세	이야기	2.14	1. 박씨네를 혼낸 보담노장	▶31	이야기㉓
		4.23	2. 도술로 박씨 문중을 속인 보담노장 (1)	▶45	이야기㊲
예태호 남, 65세	이야기	2. 4	1. 보담산과 탑등 2. 도깨비 만난 사람 3. 교동 손 부자 망한 이야기	▶8 ▶9 ▶10	이야기⑤ 이야기⑥ 이야기⑦
		2.14	4. 숲골의 조산 5. 숲골은 명당 자리	▶27 ▶30	이야기⑲ 이야기㉒
홍순종 남, 63세	이야기	2.14	1. 보담사(보암사)의 보담노장	▶28	이야기⑳

7. 밀양 숲골마을 연행작품의 내용

여기서는 연행작품 가운데 구전이야기와 민속 관련 발화를 중심으로 전체 내용을 요약·정리하였다. 연행의 전체 흐름을 쉽게 파악할 수 있도록, 연행 내용 가운데 반복적인 어구나 간투사는 생략하고 방언은 표준어로 바꾸었으며 최대한 원작품에 충실한 범위 내에서 전체 내용을 요약하는 데 주력하였음을 미리 밝혀둔다.

1) 중에게 잡혀 갔다 정승 부인된 처녀 (이야기①, 이야기㉞)

- 연행자 : 이상주(여, 80세, 죽남댁)

옛날에 자식을 낳지 못한 할머니가 조그마한 암자에 가서 매일 불공을 드렸다. 드디어 딸을 하나 낳았는데, 이름을 '이쁜이'라고 지었다. 딸을 낳고서도 할머니는 매일 암자로 가서 불공을 드리며, '우리 딸 이쁜이는 정승감사 부인이 되게 해 달라'고 사시사철 부처님께 빌었다.

할머니가 불공을 드리러가는 암자에는 '검딩이'라는 흉측한 중이 있었다. 할머니를 가만히 지켜보던 검딩이는 '어떻게 하면 저 할멈이 불공 드려서 낳은 이쁜이를 차지할 수 있을까'라고 생각하였다. 그래서 하루는 불상 뒤에 숨어서 부처가 전하는 말인 양, '너희 딸 이쁜이를 정승감사 부인으로 주려면 이 절의 검딩이에게 시집보내라'고 말했다. 할머니는 귀한 소리를 들었다면서 집으로 가서 영감에게 이 말을 전했다. 이쁜이가 이미 시집갈 만큼 자란 때였으므로 영감 할멈은 다음날 곧바로 검딩이를 불렀다. 음흉한 검딩이는 아무것도 모르는 척, 연신 굽실거리면서 자기를 왜 찾았는지 두 사람에게 물었다. 영감 할멈은 궤짝을 하나 만들어서 그 안에 자기 딸을 넣어 검딩이에게 주었다. 할머니의 이쁜이를 얻게 된 검딩이는 절로 신이 났다. 새파란 궤짝을 등에 지고 덩실덩실 춤을 추면서, '듬북골랑 손에 쥐고 임의 꽃은 손에 얹고 쿵치지라 좋을시고'라 흥얼거리며 암자로 향했다.

산길을 올라가는데 마침 임금이 이 길을 지나가고 있었다. 임금을 본 검딩이는 겁이 나서 궤를 벗어놓고 산등성이 너머로 숨었다. 임금은 길 아래쪽에서 서기가 환히 비치는 것을 보았다. 임금은 가던 길을 멈추고 마부를 시켜 그것이 무엇인지 알아 오라고 했다. 마부가 돌아와 '아무것도 없고 옥궤만 하나 있다'고 말하자, 임금은 문을 부숴 보라고 했다. 문을 부수고 열어보니, 그 안에 달덩이 같은 처자가 들어앉아 있었다. 정승[1]은 처자를 말에 태우고 옆에 있던 새끼 범을 처자 대신 궤에 넣어둔 채 가버렸다.

잠시 후 검딩이가 돌아와, (궤 안에 있을 거라고 생각한 이쁜이에게) 고생했다고 말하더니 다시 궤를 짊어지고 노래를 부르며 절로 돌아갔다. 절에 도착한 검딩이는 상좌를 불러 저녁밥을 두 상 만들어 들이라면서, '오늘 밤 무슨 일이 있어도 절대로 와보지 말라'고 일러둔 다음 방으로 들어갔다. 상좌가 가져온 저녁상을 들여 놓고 방문을 잠근 검딩이는 궤 문을 살짝 열고 손을 넣어 보았다. 그러자 안에 있던 범이 발톱으로 검딩이 손을 할퀴었다. 검딩이는 '음달에 큰 처자 손톱도 길다'면서 다시 궤 안으로 손을 넣어서 사양하지 말고 나오라고 재촉했다. 범이 또 할퀴자, 검딩이는 '음달에 큰 처자 발톱도 길다'며 흥얼거렸다. 그때 궤 안에서 범이 뛰어나와 검딩이에게 달려들었다. 검딩이는 '상좌야, 나 죽는다. 빨리 오너라' 하고 고함을 질렀다. 하지만 검딩이가 미리 일러둔 말이 있어 아무도 나타나지 않았다. 상좌들은 그대로 잠을 잤고, 다음날 아침에 밥을 두 상 차려서 검딩이의 방으로 갔다. 처자가 온 줄 알고 있었던 상좌들은 세숫물까지 두 낱 떠 놓고 검딩이를 불렀다. 아무리 불러도 나오지 않아서 문의 돌쩌귀를 풀고 들어가 보니 방 한 가득 피범벅이었다. 심보가 나쁜 사람을 범이 그렇게 죽인 것이다.

1) 연행자가 처음에는 '임금'이라고 말하다가 여기서부터는 '정승'이라고 말했다.

이쁜이는 정승이 데려간 후 그 아들과 결혼하여 훗날 정승감사의 부인이 되었다.

(2003년 4월 23일 오후 연행(이야기㉞)에서는 아래 내용이 추가되었다.) 정승이 데려간 처자는 그 후 혼례를 치렀다. 정승감사 부인이 된 후 아들 형제를 낳은 처자는 친정 생각이 나서 신랑한테 '아무 데 우리 부모가 사는데, 우리 엄마가 날 낳은 후 밤낮으로 불공을 드렸다'고 말했다. 신랑은 진작 말하지 그랬냐면서 신부에게 어서 친정에 다녀오라고 했다. 처자가 꽃가마를 타고 친정에 가니, 그때까지도 친정은 오막살이를 하고 있었다. 정승감사 부인이 된 처자가 친정 부모를 호강시켜주었다.

2) 삼천갑자 동방삭을 만난 액운애기 (이야기③)

- 연행자 : 이상주(여, 80세, 죽남댁)

옛날에 액운애기가 없을 때에는 젊은 사람이나 아이들이 절대 죽지 않았다. 그런데 액운애기가 죽은 후 바뀌었다. 액운애기가 도랑에서 빨래를 하고 있는데 삼천갑자 동방삭이 지나가다가 '왜 검은 빨래를 이렇게 씻느냐'고 묻자, 액운애기가 '검은 빨래를 희게 씻는다'고 대답했다. 동방삭이 '내가 삼천갑자를 살아도 검은 빨래를 희게 씻는 건 보지 못했다'며 웃었다. 그러자 액운애기가 빨래를 다 씻지 않고 가버렸다. 이때부터 젊은 사람들이나 아이들이 많이 죽었다. 옛날에는 나이 많은 사람만 죽고 젊은 사람은 죽지 않았는데, 액운애기가 삼천갑자 동방삭을 만나 빨래를 씻지 않고 가버린 후부터 아이들이 풍진을 앓다가 죽거나, 젊은 사람들이 죽는 일이 생겼다.

3) 도깨비 관련 일화 (이야기④)

- 연행자 : 장남이(여, 73세, 법산댁)

법산에 있는 우리 친정집은 길가에 있는데, 집에서 멀지 않은 곳에 신작로가 있었다. 우리가 클 때 신작로에 방공호로 가는 길이 있고, 그 길의 돌담 위쪽에 감물리로 가는 길이 있었다. 그 길로 가면 아이 무덤인 '애장'이 많아서 온통 도깨비불 천지였다. 그래서 친정 마루에 앉아 있으면, 멀리 떨어져 있는 연못에서 도깨비불이 어른거리는 것이 보였다. 도깨비불은 마치 사람이 걷는 것처럼 건들건들 움직였다. 도깨비불은 가시덤불처럼 한데 엉키기도 하고 빗자루 모양처럼 사방으로 흩어지기도 했다. 우리가 불붙인 짚단을 가지고 이리로 오라는 손짓을 해도, 도깨비불은 오지 않았다.

- 연행자 : 김진옥(여, 68세, 구야할머니)

도깨비한테 홀려서 밤새도록 끌어안고 씨름을 했는데, 아침에 가 보니 빗자루였다.

- 연행자 : 이상주(여, 80세, 죽남댁)

날씨가 희뿌옇게 흐리면 도깨비불이 나불거렸다.

- 연행자 : 장남이(여, 73세, 법산댁)

옛날에 이곳 숲골에도 도깨비가 있었다. 우리 집 영감은 장에 가면 생전 일찍 오는 법이 없었다. 한밤중에 집으로 오던 영감은 도깨비불이 산 끄트머리에서 건들거리는 모습을 보곤 했다. 어떤 때는 영감 얼굴이 마구 긁혀서 오기도 했다.

대낮에 이슬비가 내리던 어느 날, 내가 보리쌀을 씻고 있는데, 김천댁이 와서 '법산 양반이 담 밑에 앉아 있는데 이상하다'고 했다. 가만히 생각하니 영감이 괘씸해서, '저 영감이 또 술 먹었나 보다. 죽을테면 죽으라고 내버려둬라'고 말했는데, 시간이 지나도 영감이 오지 않자 겁이 나기 시작했다. 아이를 업고 동네 앞 숲으로 나가 보니 영감이 숲길로 접어들더니 갑자기 비닐우산을 때려 부수며 발로 밟아댔다. 왜 저러는가 싶었지만 술 때문이겠거니 하고 집으로 돌아왔다. 그런데 새벽에 자다 보니 영감이 없었다. 희선이 집으로 가는 길 옆에서 영감이 무릎을 꿇고 앉아 일어나지 못하고 있었다. 그런데 희실 양반과 진철이가 희선이집에 들어가면서도 도와주지 않았다. 영감이 일어나려고 했지만 땅만 파일 뿐 몸이 떨어지지 않았다. 은미 양반도 지나가면서 본 척 만 척 하고 올라갔다. 김천댁은 여자라서 남자한테 손을 못 대고 나한테 연락을 해준 것이었다. 사람이 가면서 한 번 건드려주면 일어날 것인데, 손을 안 대줬다고 한다.

- 연행자 : 이상주(여, 80세, 죽남댁)

옛날에 활동사진이 오곤 했다. 내가 활동사진이 보고 싶어서 저녁을 먹고 아이 하나는 업고 순이를 앞세운 다음, 종실 되는 순남이하고 길을 나섰다. 그때가 마침 여름철이었는데 희선이네 사립문 앞으로 가다 보니 무언가가 누워 있었다. 나는 범인 줄 알았다. 걸어가던 아이도 놀라 오도 가도 못한 채 그 자리에서 뒤집어졌다. 놀란 순남이가 나를 붙들었다. 우리는 모두 넷이었지만, 겁이 나서 오도 가도 못한 채 떨고 있었다. 그때 갑자기 '놀라지 마소, 나요'라는 말소리가 들렸다. 알고 보니 호랑이가 아니라 동네 사람이었다.

4) 보담산과 탑등 (이야기⑤)

- 연행자 : 예태호(남, 65세)

옛날에 보담노장이 중국에서 피난 와서 살았던 보담산이 마을 뒤에 있다. 보담산에서 신선이 났다고도 한다. 신선이 살려고 왔다는 신선바위도 있다. 주왕산에 가면 주왕이 왔다 간 자리가 있듯이, 보담산도 보담선생이 귀양 와서 산 자리가 있어서 붙여진 이름이다.

그리고 엄광사라는 큰 절이 있었는데, 거기에 탑이 있었다. 지금 절은 없고 그 터만 남아서 거기를 탑등이라고 한다. 빈대가 많아 절이 망했다고 한다. 이 절을 유지하려고 중들이 나쁜 짓을 많이 했다. 절이 망한 것은 다 하늘의 뜻이다. 지금도 탑등에 가면 탑이 있을 것이다.

5) 도깨비 만난 사람 (이야기⑥)

- 연행자 : 예태호(남, 65세)

박한모라는 어른이 있었는데, 남가실 마을로 오다가 마을 어귀 개울가에서 도깨비를 만났다고 한다. 나중에 도깨비가 그 어른 집에 와서 '한모야, 회 가져 왔으니 먹어라'고 하며 무엇인가를 걸어 놓고 갔다고 한다. 전칠이라는 사람도 노인정에서 놀고 자기 마을로 올라가다가 도깨비한테 홀린 적이 있다.

6) 교동 손 부자 망한 이야기 (이야기⑦)

- 연행자 : 예태호(남, 65세)

밀성 손씨 집 뒤에 대나무가 있다. 그 대나무에서 한 대, 두 대, 세 대,

삼태가 났다고 한다. 집안이 망할 적에 아들이 삼태로 났는데, 삼태가 나면 아이 셋의 다리를 'ㅜ' 모양으로 해서 눕혀야 한다. 나란히 눕히면 하나가 죽는다. 그 집이 망할 때, 집 뒤 대나무에 열매가 열렸다. 그래서 교동 손부자네 아이가 하나 죽고, 그 집도 망해버렸다. 아이들은 본처가 아니라 후처가 낳았다고 한다. 그 뒤로 죽실(竹實)이 피어서 교동촌이 망했다.

7) 호랑이를 쫓아간 시할머니 (이야기⑧)

- 연행자 : 유남수(여, 84세, 운동댁)

옛날에는 베를 짜서 옷을 해 입었다. 연세 많은 우리 시할머니가 시집와서 삼을 삶아 익혀서 내리곤 했다. 칠월 한낮에는 덥기 때문에 주로 선선한 밤에 삼을 내렸다. 밤에 집 마당에서 삼을 내리고 있는데, 호랑이 한 마리가 그늘을 타고 내려와 우리 큰집으로 들어갔다. 그 당시 큰집에서는 개 한 마리를 키우고 있었다고 한다. 나도 시집오기 전이라 전해들은 이야기다.

우리 시할머니가 삼을 내리고 있는데, 한밤중에 호랑이 한 마리가 살살 들어왔다. 호랑이가 들어오는 것이 보이지도 않았는데, 집에 있던 개는 겁이 나서 마루 밑으로 확 숨어들어갔다. 호랑이가 왔다는 것을 감지한 시할머니는 그저 가만히 보고 있었다. 호랑이는 그늘을 타고 내려왔다가 개를 물고 올라가버렸다. 우리 시할머니는 담이 큰 사람이었다. 호랑이가 개를 물고 올라가는 것을 보고서 바로 부지깽이를 들고 비들대까지 따라 올라갔다. 캄캄한 밤중에 부지깽이를 내저으면서 호통 치며 쫓아갔다. 그러나 호랑이가 산으로 가서 개를 뜯어 먹어버려, 결국 시할머니는 개를 찾지 못한 채 내려왔다고 한다.

8) 도깨비불은 홋칭이 (이야기⑨)

- 연행자 : 유남수(여, 84세, 운동댁)

도깨비는 안 보여도, 비가 오려고 하면 '홋칭이'라는 것이 나타나 '휘익' 하는 소리를 내며 날아다녔다. 내가 엄광마을로 시집와서 얼마 되지 않았을 때에는 '홋칭이'가 있었다. '홋칭이'가 저쪽에서 저리로 건너간다거나 하면 궁둥이에 달린 불이 반짝반짝거렸다. 어지간한 일로는 겁을 내지 않았는데, '홋칭이불'을 보면 겁이 나 숨었다.

아이들이 죽어서 산 같은 곳에 애장을 해 놓으면 거기서 홋칭이가 나온다고 한다. 나와서는 이리저리로 날아다닌다. 날아다니는 새처럼, 홋칭이라는 것도 그렇다.

9) 도깨비가 변한 처녀에게 홀렸던 시외숙 (이야기⑩)

- 연행자 : 유남수(여, 84세, 운동댁)

옛날에 우리 시외삼촌에게 이야기를 해달라고 청하곤 했다. 그러면 나를 앉혀 두고 이야기를 해주었는데, 이 이야기도 시외삼촌에게 들었다.

우리 시외삼촌이 일본 동경에 있었다. 노름꾼이었는데, 노름을 얼마나 많이 하는지 돈만 벌면 모조리 노름으로 써버렸다. 그래서 고생을 많이 했다.

한번은 술을 가득 먹고 죽으려고 했는데, 죽지는 않고 어느 산골로 가게 되었다. 가다 보니 바위가 하나 널찍한 것이 있었다. 술에 취해 오도 가도 못하는 처지인지라 그 위에서 잠을 잤다. 한밤중이 되자, 아가씨인지 누구인지 어떤 사람이 와서 일어나라며 흔들어 깨웠다. 그리고 시외삼촌에게 '어디서 온 할아버지가 좋은 기와집에서 자느냐'며 물었다. 시외삼촌이 깨어서 보니 정말 큰 바위가 기와집이 되어 있었다. 그 여자는 자기를 따라오라고 했다. 그래서 따라갔는데 어디만큼 가더니만 온데간데 없었다. 술이 깨니 앞서 가던 사람이 안 보이더라고 했다. 술에서 깨어난 후 보니 그것은 도깨비였는데, 정신을 차리고 보니 도깨비가 흔적도 없이 사라지고 없었다고 했다.

10) 애장터에 있다는 도깨비불 (이야기⑪)

– 연행자 : 이위영(여, 40대 중반, 살내댁)

도깨비는 불밖에 없다고 한다. 우리집에서 오는데 남산댁 밭으로 도깨비불이 주루루 올라왔다 내려갔다 했다.

애장터 같은 곳은 무섭다. 내가 살내마을에서 자랄 때, 용두마을에서 내려오는 물가에 금시당이라는 재실 하나가 있었다. 그 근처에 돌덩어리가 많아서 사람이 죽으면 전부 거기다가 애장을 해 놓았다. 내가 결혼을 했을 때인데, 동생과 동생처가 될 사람이랑 셋이서 그곳으로 고둥을 잡으러 갔다. 어두침침한데도 고둥이 한 소쿠리나 잡혔다. 고둥을 잡고 있는데, 동생이 자꾸 가자며 재촉했다. 구름이 짙게 끼어 어두웠고, 아이 우는 소리가 많이 났다. 그래도 나는 애장이 무엇인지 몰라서 그냥 있었는데, 동생이 자꾸 와서 가자고 속삭였다. 동생은 거기에 애장이 있는 줄 알았다고 하는데, 나는 생전에 그런 데를 가 보지 않아 알지 못했다. 어디만큼 오다가, 동생이 한 곳을 가리키며 사람 죽으면 묻는 곳이라고 말하더니 그 위에서 불이 번쩍거리지 않았냐고 물었다.

11) 월경 묻은 빗자루에서 처녀로 변한 홋칭이에게 홀린 사람 (이야기⑫)

– 연행자 : 김진옥(여, 68세, 구야할머니)

빗자루에 여자들의 월경 피가 묻으면 도깨비가 된다.

김해에서 어떤 사람이 소를 한 마리 팔고 오는데, 술이 많이 취해 있었다. 취해서 비틀거리며 오는데, 어디선가 아주 예쁜 새댁 한 명이 나타났다. 그 새댁이 같이 가자고 해서 따라갔다. 강가에 가 보면 갈대가 많이 있는데, 거기서 밤새 구르고 싸웠다. 아침에 날이 밝은 후 정신을 차리고 보니 빗자루였다.

12) 아가씨에게 홀렸다던 시외숙 (이야기⑬)

- 연행자 : 유남수(여, 84세, 운동댁)

우리 종질 가운데 돌덕이라는 사람이 대밭마을에 살았는데, 사람들을 여남은 명 모아서 산 위로 구경을 갔다. 구경 가서 흥겹게 놀다 보니 술을 과하게 먹었다. 다른 사람은 모두 괜찮았지만 돌덕이만은 술을 얼마나 많이 먹었던지, 가실고개를 넘어서 이쪽 엄광으로 와야 되는데 뒷가실마을에 연못이 있는 비암 쪽으로 올라가 버렸다. 술에 취해서 노래를 부르며 터벅터벅 올라가고 있는데 예쁜 아가씨가 앞을 가로막았다. 엉덩이까지 풀어 내린 머리칼을 능청거리던 아가씨는 빨간 치마에 새파란 저고리 차림이었다. 아가씨 쪽으로 손을 뻗어 덥석 머리채를 잡아 보았지만 쏙 불거져 나가버렸다. 아가씨가 잡히지는 않고 자꾸 골만 올리자 돌덕이가 '잡으면 죽이겠다'는 앙심을 품고 아가씨를 쫓아다녔다. 그러다가 그만 날이 새고 말았다.

날이 밝은 후 술을 깨고 보니 아무것도 없었다. 아침에 자기 집으로 돌아왔는데, 옷도 다 버리고 땀이 너무 많이 나서 마치 물에 빠진 사람 같았다. 눈에 헛것이 보인 것이었다. 밤새도록 얼마나 고생하며 가시밭에서 헤맸던지, 얼굴이며 몸이 가시에 긁혀 엉망이었다.

돌덕이가 담이 커서 그 정도로 끝났지, 모두들 다른 사람 같으면 그 때 죽었을 것이라고 했다.

13) 덫을 도깨비로 착각한 사람 (이야기⑭)

- 연행자 : 이위영(여, 40대 중반, 살내댁)

예전에 댓마의 삼계양반이 감을 팔고 술에 취해 집으로 돌아오는 길이었다고 한다. 지게를 맨 채 뒷가실 고개로 넘어오는데, 발을 옮길 때마다 무언가가 덜컥덜컥 딸려오면서 자꾸 뒤를 때렸다. 그래서 집으로 돌아오던 내내 그것이 따라오지 못하도록 들고 있던 작대기로 뒤쪽을 휘저었다고 한다. 겨우 뒷들 동네까지 내려와서 보니, 나무작대기에 끄나풀이 매달려 붙어 있었다. 도깨비인 줄 알고 지레 겁먹었는데, 알고 보니 짐승을 잡으려고 박은 말뚝에 매어 놓은 새끼줄이었다.

14) 담력내기로 혼이 난 사람 (이야기⑮)

- 연행자 : 유남수(여, 84세, 운동댁)

내 친정마을인 무안면 운정 동네 뒷산에 공동묘지가 있는데, 운정마을 사람과 덕실마을 사람이 거기서 내기를 했다고 한다. '뒷산 공동묘지에 지위가 높은 사람의 묘는 모두 몇 기인가'에 대해서 말하다가 서로의 의견이 달라, 한 사람이 말한 무덤의 수보다 실제 무덤의 수가 적으면 상대방에게 약간의 돈을 주기로 약속을 했다. 무덤을 확인한 표시로 말뚝을 박고 돌아와야 했는데, 묘지에 갔던 사람이 땅바닥에 박아야 할 말뚝을 자기 두루마기 옷고름 위에다 박아버렸다. 말뚝이 옷고름에 박혔으니, 아무리 일어나려고 해도 옷이 빠지지 않아 일어설 수가 없었다. 이 사람은 거기서 그만 혼이 다 달아날 정도로 너무 놀란 나머지 물에 빠진 꼴을 해서 집으로 돌아왔다. 하지만 어찌나 고생을 했던지, 얼마 못 가서 죽었다고 한다.

15) 베틀노래 (노래⑧)

- 연행자 : 김말순(여, 80세, 이동댁)

신랑이 어딘가 과객으로 갔다가 죽어 온다는 내용이다.

신부가 베를 다 짜 모아서 옷 한 벌을 맞춰 놓았는데도 신랑이 오지 않았다. 밤낮으로 짜 모아 정든 임의 바지저고리를 맞춰서 장롱 속에 넣어 놓았는데, 날마다 기다려도 오지 않았다. 그래서 길 가는 행인한테 '우리 낭군은 왜 안 오시오'라고 물으니, '오기는 온다마는 칠성판에 실려 오요'라고 대답했다. 결국 신랑이 죽어 와서 바지저고리를 입지 못했다.

16) 입 싼 나무꾼과 선녀 (이야기⑯)

- 연행자 : 김말순(여, 80세, 이동댁)

옛날에 늙도록 장가도 못가고, 나무나 해주며 남의 집 머슴살이하던 총각이 있었다. 어느날 해가 어스름하게 질 무렵, 뒷동산으로 나무하러 간 총각이 솔가지를 긁으면서 '이 나무를 긁어서 누구랑 불 때고 살까'라며 노래를 불렀다. 그러자 어디선가 노루 한 마리가 풀풀 뛰어오더니 총각한테 '포수가 잡으러 오는데 자기를 숨겨 달라'고 했다. 총각이 '숨겨주면 무엇을 해 줄 거냐'고 묻자, 노루는 소원을 들어주겠다고 했다. 총각은 모아둔 솔가지 더미 밑으로 노루를 숨겼다. 그리고는 막 뒤따라 온 포수에게 노루가 지나갔다면서 엉뚱한 길을 가르쳐주었다. 대답을 들은 포수가 지나가고, 총각 덕택으로 목숨을 구한 노루가 그의 소원을 물었다. 총각이 '장가가는 게 소원이다'라고 하자, 노루는 시키는 대로 할 것을 신신당부하며 '금강산 꼭대기에 가면 샘이 일곱 개 있는데, 물이 없는 하늘에서 옥단춘(선녀)이 그곳으로 내려와서 목욕을 한다. 그러니까 선녀들이 목욕할 때, 거기서 기다리고 있다가 옷 한 벌을 숨겨버려라'고 일러주었다.

노루의 말대로 선녀들이 내려온다는 날에 샘에 가서 기다리고 있으니, 정말로 선녀 일곱 명이 내려와서 목욕을 하기 시작했다. 선녀들이 샘에서 목욕을 하는 동안, 총각은 옷 한 벌을 숨겨버렸다. 그러자 여섯 명의 선녀는 옷을 입고 다 올라갔는데, 한 선녀만 옷이 없어서 올라가지 못한 채 울고 있었다. 옷을 다른 곳에 숨겨 놓고 온 총각이 우는 연유를 묻자, 선녀는 '내가 옥황에서 내려왔는데 옷을 잃어버려서 이렇게 운다'고 했다. 총각은 '옷을 한 벌 갖다 줄 테니까 나랑 살자'고 했고, 별 도리가 없던 선녀도 순순히 응했다. 총각은 자기 집으로 와서 어머니 옷을 한 벌 가져갔다.

그렇게 오도 가도 못하고 붙들린 선녀는 총각과 살며 아들도 낳았다. 총각이 하늘 옷을 숨기고 지하(땅)의 옷을 입혀서 한 해를 데리고 사니, 선녀가 아들 하나를 낳았다. 한 해를 더 지내고 선녀는 또 한 명의 아들을 낳았다. 아들 둘을 낳았으니 이제 더 이상 하늘로 올라가려 하지 않을 거라고 생각한 총각이 그만 선녀의 옷에 대한 이야기를 꺼내고 말았다. 선녀가 '갑옷(하늘의 옷)을 한 번 입고 있어 보겠다'며 달라고 하자, 입어 보고 싶어 하는 아내의 모습에 총각이 갑옷을 내주었다. 선녀가 그 옷을 입으니, 하늘 사람인지라 번개가 치고 벼락이 떨어졌다. 그러다가 문지방에 무지개가 꽂히자, 선녀는 자신이 낳은 사내아이 둘을 한 쪽에 하나씩 끼고 무지개를 타고서 하늘로 올라가버렸다. 총각은 하늘 옥황선녀를 마누라로 삼았지만, 입이 가벼워 마누라를 잃어버리고 말았다. 한 해만 더 있었으면 선녀가 아들 하나를 또 낳았을 테고, 아이가 셋이었다면 모두 데려갈 수 없어서 결국 가지 못했을 것이다.

마누라와 아들을 다 잃어버린 총각은, 청승을 떨면서 전에 나무 하던 곳으로 다시 갔다. 총각이 지게를 받쳐 놓고, '잘못했으니, 한 번 더 구해 달라'고 노루를 찾으며 울어대니까, 어디선가 노루가 뛰어와 '한 해만 더 참아서 아들을 하나 더 낳았으면 셋은 못 데리고 갔을 텐데, 둘이라서 한 쪽에 하나씩 끼고 올라가버렸다'며 총각을 다그쳤다. 그래도 총각은 한 번만 더 적선해 달라고 부탁했다. 총각에게서 이번에는 꼭 시키는 대로 할 것이라는 다짐을 받은 노루는 '선녀들이 목욕하던 그 자리에 가 있으면 물을 뜨러 두레박이 내려올 테니, 떠 놓은 물을 부어버리고 거기에 올라앉아서 딸려 올라가라'고 일러주었다. 노루의 말대로 총각은 막 올라가려는 두레박의 물을 버리고 자기가 그 속에 들어앉아서 하늘로 올라갔다. 하늘나라에는 마누라와 아들이 있었다. 선녀는 총각을 보자 어떻게 왔느냐며 반겨주면서 대접을 잘 해주었다.

그렇게 몇 해가 지나자, 총각은 잘 살고 있는 자신과 달리 지하에서 혼자 살고 있을 어머니가 걱정되기 시작했다. 걱정만 하지 않았으면 괜찮았을 텐데, 총각은 '우리 엄마가 어떻게 살지 모르겠다'며 선녀가 듣는 앞에서 걱정을 했다. 그러자 선녀는 하늘에서 '불개'라고 불리는 천리마 한 마리를 내주며 어머니를 모시고 오라고 했다. 선녀는 남편에게 '땅에 발이 닿으면 하늘로 못 올라오니, 지하에 가거들랑 말 위에 앉은 채로 어머니를 불러내서 태워 오라'며 당부를 했다. 이윽고 천리마를 타고 자기 어머니에게 온 총각은, 말을 대 놓은 다음 '하늘에 가서 같이 살 것이니 말에 타라'고 했다. 마침 아들이 즐겨먹던 호박죽을 끓인 어머니는, '아까운데 조금이나마 먹고 가자'며 말 위에 앉아 있던 총각에게 죽 한 대접을 떠서 건네주었다. 그런데 너무 뜨거웠던 나머지 총각이 말 등에다 대접을 놓아버렸다. 뜨거운 죽을 쏟자, 놀란 말이 총각을 떨어뜨리고 자기 혼자만 뛰어가버렸다. 결국 나무꾼은 지하에서 자기 어머니랑 고생하며 살았다. 총각의 입이 싸서, 노루가 두 번이나 구해 주었는데도 일이 잘 풀리지 않았던 것이다.

지금도 금강산 꼭대기에 가면 샘이 일곱 개 있는데, 옥황 선녀가 내려와서 목욕하고 바가지를 달아서 하늘로 물을 올려 먹는다고 한다. 하늘에서 비가 오는 것 같아도, 알고 보면 하늘에서 비가 오는 것이 아니라 지하의 물이 올라가고 지구가 그 물과 마주쳐서 비가 오는 것이다.

17) 보배덩이를 게워낸 효자 (이야기⑰)

- 연행자 : 김말순(여, 80세, 이동댁)

요새도 소고기를 파는 집이 있듯이 예전에도 백정집이 있었는데, 백정은 상놈이라고 한다. 옛날에 백정과 양반이 살았는데, 양반은 집안 살림이 없어도 빼대가 양반인지라, 소고기 같은 것을 팔지 않고 그저 양반짓만 했다. 그러다가 앞집의 소고기 파는 백정이 아들을 하나 낳았고, 뒷집에 가난한 양반도 아들 하나를 낳았는데, 이 둘은 서로 동무였다. 앞집 백정 아들과 뒷집 가난한 양반 아들은 한 서당에서 글을 배우며 친구가 되었다.

어느덧 이 둘이 서른 살 정도 되었을 때, 앞집의 백정 아버지가 연로해서 세상을 뜨게 되었다. 한편 뒷집의 가난한 양반 아들은 아버지가 일찍 죽었는지, 어디로 돈벌이 하러 갔는지 없고 어머니와 단 둘이 살고 있었다. 아마도 두 집 사이의 거리가 좀 떨어져 있었던 듯하다. 백정 아버지가 죽자 양반 아들은 도포를 입고서 자기 어머니에게 '친구 아버지 탈상이니 한 번 가보고 오겠다'고 했다. 어머니는 '상놈 집에 가서 되느냐'며 우려 섞인 말을 했지만, 아들은 '공부도 같이 한 동창생이니 괜찮다'면서 집을 나섰다.

양반 아들이 백정 집으로 가서 앉아 있으니, 비록 백정이라도 잘 살기 때문에 아버지 탈상에도 온갖 음식을 마련하여 한 상 잘 차려 내왔다. 양반 아들은 도포 소매에 음식을 넣어서 자기 어머니에게 가져다 드릴 생각을 하고 있는데, 친구가 들어오더니 다 먹으라면서 '먹고 나면 갈 때 어머니 것은 싸 주겠다'고 했다. 아들은 이 말을 믿고 차려온 음식을 다 먹어버렸다. 하지만 음식을 다 먹고 하루해가 거의 저물어가도 친구는 싸 줄 생각을 하지 않았다. 양반 아들은 어쩔 수 없이 슬그머니 일어나 그 집을 나왔지만, 어머니께 드릴 음식이 없어서 기운없이 걸어 돌아왔다.

양반 아들이 돌아오는 길에, 앉아서 쉬면 좋을 정도로 커다란 바위 하나를 만났다. 그 바위로 간 아들은 '어머니에게 가져다주지도 못하고 다 먹어버렸으니, 여기다 먹은 것을 다 게워내고 가야겠다'는 생각에, 손가락을 넣어서 먹은 것을 게워내기 시작했다. 그런데 게워내면 게워낸 만큼 바위 위에 수북하게 쌓여야 할 텐데, 자꾸 없어지는 것이었다. 양반 아들이 다 게워낸 다음 눈물을 닦고 내려다보니, 게워낸 곳에서 새파랗고 작은 돌절구가 솟아올라와 있었다. 없던 것이 생겨나 신기하기도 하고 들어 보니 가볍기도 해서 아들은 어머니에게 선물하기로 하고 돌절구를 도포 소매에 넣어 집으로 돌아왔다.

집에 돌아온 아들은 자신을 반기는 어머니에게 돌절구를 보여드렸다. 부엌에서 불을 때고 있던 어머니는 예쁘게 생긴 돌절구를 보자 놀라면서 '이런 보배를 어디서 얻었느냐'며 물었다. 아들은 '어머니의 옷이 남루하니, 거기서 옷이나 한 벌 나오면 얼마나 좋겠느냐'고 했다. 말이 끝나기가 무섭게 온 벽에 비단옷이 걸렸다. 부모한테 잘 해서 돌절구라는 보배덩이가 바위에서 솟아오른 것이었다. 그 보배를 부뚜막에 놓은 다음 방문을 여니 방안 가득 비단옷과 쌀가마니가 수북하게 쟁여져 있고, 솥을 여니 뽀얀 쌀밥이 한가득 있었으며, 온 판에는 진수성찬이 차려져 있었다. 그렇게 양반 아들은 부자가 되어 좋은 집을 짓고 잘 살았다고 한다.

18) 박씨네를 속인 보담노장 (이야기㉓)

- 연행자 : 손호영(남, 68세)

지금도 뒷가실에 가면 대청이라는 터가 있다. 옛날 박씨들이 한창 권세를 부릴 적에 보담노장이 있었다. 그런데 박씨들은 보담노장이 미워서, 사는 곳에서 오줌을 눈다는 이유로 매일 볼기를 쳤다. 웬만한 일에도 잡아다가 볼기를 쳤다. 그러던 어느 날, 박씨들이 큰 대청을 짓는데 알매 칠 새끼가 없었다. 그래서 벌로 보담노장에게 짚을 갖다 주며 '새끼를 꼬라'고 했다. 보담노장은 새끼 끝만 딱 꼬아 놓고 가지고 가라고 했다. 그 끝을 잡고 내려오니, 새끼가 막 따라 내려왔다. 짚으로 알매를 다 한 뒤에도, 새끼가

남았다고 한다.

보담노장이 중국으로 갈 때 박씨들을 망하게 하려고 박씨 문중에 산소를 파서 옮기라는 말을 전했다. 보담노장은 '이 산소를 놔 두면 하루저녁에 망한다. 내 말이 거짓말 같으면 새끼로 나를 동여매 놓고 산소를 파라'고 했다. 그래서 박씨들이 보담노장을 매 놓고 산소를 파니까 거기서 김이 나왔다. 보담노장을 묶어 놓은 곳으로 올라가 보니 새끼만 있고 사람은 빠져나가고 없었다. 보담노장은 그길로 귀양살이를 끝내고 중국으로 갔다고 한다.

19) 도술로 일본인을 혼낸 사명대사 (이야기㉔)

- 연행자 : 김수순(남, 60대 중반)

보담노장은 임대장군하고 한가지다. 일본 사람들이 가마솥에 임대장군을 넣어서 불을 때도 임대장군의 수염에 고드름이 꽁꽁 얼었다고 한다.

옛날에 사명대사가 일본 사람들한테 잡혔다. 일본 사람들은 우리 국민한테 항서문을 받기 위해 사명대사를 가마솥에 넣었다. 아무리 불을 때도 안에 있는 사명대사는 춥다면서 '불을 더 때라'고 했다. 나중에 솥뚜껑을 열어보니 수염에 고드름이 꽁꽁 얼어 매달려 있었다고 하는데, 보담노장도 그런 조화를 가지고 있었는지 모르겠다.

20) 나가라 (이야기㉕)

- 연행자 : 이상주(여, 80세, 죽남댁)

옛날에 성(姓)씨 짓는 사람이 있었는데, 이 사람도 지으러 오고, 저 사람도 지으러 왔다. 천지에 성씨가 그렇게 많은데도 많은 사람이 오만 가지 성씨를 다 지어서 더 이상 지을 것이 없었다. 그런데 아주 늦게 한 사람이 찾아왔다. '제 성은 무엇이라고 하면 되겠습니까'라고 물으니, 지을 성이 없다면서 '나가라'고 했다. 지어줄 성이 없어서 나가라고 한 것을 이 사람은 그만 '내 성이 나가인가 보다'로 알아들었다. 이렇게 해서 나가 성씨가 만들어졌다고 한다.

21) 문둥이 남편을 낫게 한 열녀 (이야기㉖)

- 연행자 : 이상주(여, 80세, 죽남댁)

우리 여주 이씨 집안에 문둥이가 있었다. 고답마을에 사는데, 택호가 고성댁인지 무엇인지, 그 전에는 알았었는데 잊어버렸다. 눈썹도 없는 문둥이였는데 그 부인이 '사람 고기를 먹으면 낫는다고 한다'며 자기 엉덩이 살을 베어 다져서 남편에게 먹였다. 먹고 난 신랑이 물을 그렇게 찾아댔다.

같은 일가라도 잘 몰랐는데, 언젠가 우리 시어머니가 이야기를 해주었다. 그 신랑이 눈썹도 없고, 몸도 퉁퉁 부어서 가만 보니 풍병이었다. 그래서 부인이 자기 엉덩이 살을 크게 떼어서 먹였더니 문둥병이었던 신랑이 말끔히 나았다고 한다. 병이 나아서 재안골로 집안 묘사도 지내러 온다.

사람 고기는 아주 짜서 물을 달라고 해도 주지 않는다고 한다. 신랑이 그렇게 몸부림을 쳤는데도 물을 주지 않고 꼬박 하루를 놔두었다고 한다. 한 달이 지나고 나니 눈썹이 새카맣게 나고 흉하던 얼굴이 본래 살결로 돌아왔다. 집안에서 이 일을 알게 되어 열녀비를 세웠다. 풍병이 들어서 남들하고 섞여 다니지 못하다가 말끔히 나아서 묘사를 지내려고 우리 집에도 두세 번 왔다. 여기 골짜기에 가면 우리 여주 이씨 재실이 있는데, 매년 10월 10일 묘사 지내는 날이 되면 그 양반이 왔다. 예전에 젊을 때는 다니지 못했는데, 그 마누라가 낫게 해서 묘사를 지내러 다니곤 했다.

22) 밀양 원님의 딸 아랑 (이야기㉗)

- 연행자 : 이상주(여, 80세, 죽남댁)

옛날에 어느 원님이 밀양에 원으로 왔다. 원님에게는 아랑 처녀라고 하는 딸이 하나 있었는데 매우 잘났었다. 그런데 머슴이 아랑을 좋아하여 어느날 밤에 아랑을 업고 가버렸다. 머슴이 아랑을 업고 대밭으로 가서 자기 말을 들어주지 않는다며 찔러 죽여버렸다. 그 후 밀양에 새 원님이 들어오면 아랑이 원님의 꿈에 나타나서 원한을 풀어 달라고 했다. 그러나 아무리 아랑을 찾아도 찾을 수 없었다. 그 머슴은 찔러 죽여 놓고는 겁이 나서 달아난 상태였는데, 옛날에는 달아나면 찾을 수가 없었다.

결국 온 천지를 다 뒤져서 대밭에서 아랑이 목에 칼이 찔려 죽어 있는 것을 찾았다. 다른 사람이 칼을 빼려고 할 때는 빠지지 않았는데 원님이 가서 빼니 빠졌다고 한다.

23) 아버지 꿈에 나타난 아랑 (이야기㉘)

- 연행자 : 유남수(여, 84세, 운동댁)

어느 원님이 상처하고 서울에서 시골로 왔다. 자기 딸 아랑을 데리고 왔는데, 아랑은 머리를 땋아 엉덩이까지 능청능청하게 늘어뜨리고 다녔을 뿐 아니라 인물도 잘났었다고 한다. 아랑각에 아랑의 그림이 있는데 빨간 치마에 노란 저고리 차림이다. 그런데 어떤 머슴 녀석이 아랑을 강탈해서 칼로 찔러 죽이고, 대밭에 묻어 놓았다. 원님인 아버지가 아무리 딸을 찾아도 없었다. 그러다가 원님이 자면서 꿈을 꾸었는데, 아랑이 나타나서 '제가 어느 곳에 묻혀 있으니 거기를 보라'고 했다. 결국 아버지가 대밭으로 가서 찾으니까, 아랑이 썩지도 변하지도 않은 채 가만히 누워 있었다. 목에 칼이 찔려서는 마치 자는 것처럼 흙도 전혀 묻지 않고 누워 있었다. 그 자리에 아랑의 묘를 들였는지는 모르겠다.

24) 입이 싸서 하늘로 못 올라간 마이산 할배·할매 (이야기㉙)

– 연행자 : 유남수(여, 84세, 운동댁)

전라도 마이산 꼭대기에 올라가니, 큰 바위와 작은 바위가 하나씩 가지런히 서 있었다. 선전하는 사람에게 그 연유를 물었더니, 조금 큰 것은 큰아들이고 조금 작은 것이 작은아들이라고 했다. 이 이야기는 내가 상세히 들었다.

마이산에 영감·할멈이 오두막집을 지어 놓고 살림을 사는데, 할아버지가 남에게 적선하고 마을에서 좋은 일만 했다. 어느 날 이 할아버지가 꿈을 꾸었는데 '너는 모든 인간한테 적선을 잘 하고 좋은 일을 하기 때문에 하늘 사람이 된다'고 하는 것이었다. 그런데 이 영감이 입이 싸서 할멈한테 '아무 날 아무 시가 되면 하늘에서 줄이 내려오는데, 새벽 몇 시가 되면 그 줄을 잡고 우리가 아들 둘과 죽지 않은 몸으로 하늘에 올라간다'는 이야기를 했다.

이 영감이 자기만 알고 그렇게 갔으면 되는데, 할멈에게 말하고 할멈이 또 이웃 사람에게 '우리는 아무 시에 두 아들을 데리고 하늘에 올라간다'는 말을 해버리고 말았다. 그래서 동네 사람들이 '마이 할매와 마이 할배가 아무 시에 하늘 사람이 되어서 올라간다고 하는데, 그걸 보자'고 했다. 그 때는 보리쌀을 많이 해먹었는데, 동네 사람들이 보리쌀을 끓이려고 새벽에 일어나서 보니 마이산 할매·할배가 아들 둘을 데리고 줄을 타고 하늘로 올라가고 있었다. 마이산 할배 가족이 중간쯤 올라가는데, 이웃 사람이 '마이산 할배·할매가 하늘 사람으로 올라간다'고 하자 마이산 할배 가족이 툭 떨어져 버렸다.

마이산 할배·할매는 입이 싸서 하늘 사람이 되지 못했다.

25) 제주도에 선을 세운 이야기 (이야기㉚)

- 연행자 : 이상주(여, 80세, 죽남댁)

제주도에는 큰 선이 하나 있다. 선으로 말하자면, 조산모데기[2]처럼 크게 돌을 쌓아둔 것이다.

원님이 그곳에 가면 일 년 안에 죽어버렸다. 17, 18세 되는 제주도 아가씨를 그 선에다가 한 해에 하나씩 넣어야 살지, 넣지 않으면 원이 자꾸 죽는 것이었다. 원이 일 년만 되면 죽어버려, 제주도로 원님 열 명이 가도 다 죽는 판이었다. 그러다가 또 한 원님이 '내가 한 번 가 보겠다'며 제주도로 갔다. 담이 큰 원이라야 가지 그렇지 않으면 가지 못하는데, 이 원님은 강한 사람이라 '무슨 일 때문에 죽을까?' 궁금한 마음에 자원해서 들어갔다. 원님이 들어가서 가만히 잠을 자는데, 어느날 밤에 17, 18세 된 처자들이 나타나서는 '제 소원 하나를 풀어주세요'라며 원님에게 빌었다. 매일 그렇게 나타나서 비니, 원님들이 놀라서 죽어버리곤 했던 것이었다. 그런데 새로 간 원은 담이 커서 처자들에게 소원이 무엇인지 물었다. 처자들은 '저는 무슨 무슨 성씨인데, 18세가 되어 이 선에 들어와 죽었으니 소원을 풀어주세요'라고 했다. '그렇다면 됐다'고 하며 원님이 잠을 자니, 또 17, 18세 된 처자들이 나타났다. 하루밤에도 귀신이 둘·셋씩 나타나는 것을 이기지 못한 원님들이 자꾸 죽었던 것인데, 담이 커서 자원해간 원님은 소원을 들어주겠노라고 했다. 그러자 처자들이 '선을 뜯으면 우리를 녹여 먹는 짐승이 있을 것인데, 그 짐승을 잡아 달라'고 했다.

원님은 제주도 주민을 전부 모아서, 그 당시 귀했던 쌀을 집집마다 형편대로 가져오게 했다. 가져온 쌀로 술 열 포대를 빚었다. 그렇게 술을 빚은 후 제주 주민들을 다시 모았다. 들어오는 원님마다 죽었는데, 이 원님은 죽지 않고 살아서 사람들을 모으니 당연히 사람들이 전부 모이게 되었다. 원

2) 마을 입구에 작은 산 모양으로 돌을 쌓아둔 것.

님은 사람들에게 선을 뜯으라고 했다. 예전에 꿈에서 아가씨가 '선을 뜯으면 큰 짐승이 있을 것이니, 총을 놓아서 그 짐승을 잡되 뒤에서 아무리 원님을 불러도 돌아보지 말고 다른 길로 오라'고 했다.

선을 뜯자, 사람 몸통만한 굵기의 뱀이 있었다. 지네[3]가 한 해에 하나씩 처자를 먹지 못하면 밖으로 나와 고구마밭이며 심어놓은 벼 이싹 위로 데굴데굴 굴러서 전부 해코지를 했다. 제주 주민들이 처자를 하나씩 넣어주면 해코지를 입지 않지만, 넣어주지 않는 해에는 먹을 것이 없었다.

총을 놓아 선에 있던 뱀을 잡아 묻고 앞에 큰 비석을 세워 놓았다. 원님이 제주도 주민들과 뱀을 죽이고 돌아오는데, '원님, 원님, 제 소원 풀어줘요'라며 사방에서 부르는 소리가 들렸다. 꿈에서 들은 대로 돌아보지 말았어야 하는데 하도 불러대 원님이 돌아봤다고 한다. 뒤돌아보자, 그 원도 죽어 버렸다.

원님은 죽었어도, 제주도 주민들은 그 뱀을 잡아서 선을 만든 후부터 지금까지 잘 살고 있다고 한다. 원은 죽었어도 제주도를 그렇게 살려 놓고 죽었다.

돌 두 개를 아주 크고 높게 박아 놓았는데, 하나는 뱀의 선이고 하나는 원님 선이라고 했다. 요새는 그 선이 없어졌다. 제주도에 들어갔던 원님이 대여섯 번 죽었다고 하는데, 그 원님은 성공해 놓고 죽어 그렇게 큰 것을 세워 놓았다.

26) 집에 들어온 이시미를 잡아 망한 할배 (이야기㉛)

- 연행자 : 유남수(여, 84세, 운동댁)

옛날에 고을 군수[4]가 아파서 죽게 되었다. 그런데 이 군수가 소원하기를

---

3) 연행자는 한동안 '지네'라고 말했다.

'어느 강에 가면 이무기가 있다고 하는데, 그 이무기를 잡아먹어야 낫는다'고 했다. 그래서 총 놓는 포수들이 이무기를 잡으러 갔다. 그 바닷가에 가니, 이무기가 도망가버리고 없었다.

도망간 이무기는 부잣집으로 갔다. 그 집 주인이 소죽을 끓이고 있는데, 어스름하게 저녁 먹을 무렵 대문 밖에서 커다란 이무기가 들어왔다. 이무기는 주인 할아버지한테 '짐승 잡는 사람이 나를 잡으러 올 것인데, 내가 저 뒤뜰 어느 짚동 밑에 숨어 있을 테니 가르쳐주지 마라. 절대로 못 봤다 하고, 모른다고 해라'는 말을 했다. 그래서 그 할아버지가 뒤뜰에 가서 덮어주고 가려주었다. 할아버지가 가려주고 막 나오니까, 그 짐승을 잡으려는 사람들이 총을 가지고 들어왔다. 포수들은 '이무기가 여기로 들어왔는데, 봤느냐?'고 물었고, 할아버지는 '우리 집에는 그런 짐승이 절대로 들어오지 않았다. 나는 모른다'고 했다. 하지만 이무기가 이미 숨은 줄 알고 있었던 사람들이 집 안으로 들어와 뒤지기 시작했고, 숨어 있던 이무기를 총으로 잡았다.

잡은 이무기를 동강내서 삶아 먹여 임금은 살았는데 그 할아버지 집은 쫄딱 망해버렸다고 한다. 아주 부자였는데 이무기가 숨은 곳을 가르쳐줘서 거지가 돼버렸다.

27) 9대 독자 장가 보내기 (이야기㉜)

– 연행자 : 유남수(여, 84세, 운동댁)

이전에 한 대감의 집안에서 9대째 외동 아들이 태어났다. 아들을 결혼시키자 또 아들 하나만 낳고, 그 아들도 결혼을 해서 아들 하나만 낳으니 기가 찰 노릇이었다. 그래서 항상 이 할아버지는 '어떻게 해야 외동으로 낳지

4) 연행자는 후반에 '임금'이라고 말했다.

않고, 자손들을 많이 낳을 수 있을까'라는 생각을 했다.

어느 날 과객이 하나 왔다. 그 과객은 참 똑똑하고 보는 것도 많았다. 해가 다 졌는데 이 과객이 들어오면서 하룻밤 자고 가자고 했다. 흔쾌히 허락한 대감은 과객과 자면서, '대대로 외동을 낳고 있는데, 어떻게 하면 자손들을 많이 낳겠느냐'고 물었다. 그러자 과객은 책을 보더니 '이번에 아들을 결혼시키거든 딸을 세쌍둥이로 낳은 집에 장가를 들이라'고 하면서, 그렇게 하면 자손도 번창하고 집안에도 좋을 것이라 했다. 그 말을 들은 대감은 옷 한 벌을 보자기에 싸서 부산으로 갔다. 부산에서 아무리 돌아다녀도 딸 셋을 낳은 사람을 찾을 수 없었다. 구하다 구하다 못 구해서, 대구까지 올라오게 되었다.

대구 땅으로 올라온 대감은 물이 무척 먹고 싶었다. 물을 먹으려고 과객 보따리를 받쳐 놓고 앉아 있으니, 머리가 능청능청한 어떤 아가씨가 물을 이러 나왔다. 대감이 냉수 한 그릇 달라고 하자, 아가씨는 바가지에다 주지 않고 자기 집으로 가더니 사발을 하나 가지고 와서는 두 손으로 물그릇을 올려주었다. 그 처자가 바로 세쌍둥이 처자였다. 대감이 잘 만한 곳을 찾자 아가씨가 자기 집을 소개했다. 아가씨는 자기 아버지가 좌수라면서 자신의 집이 손님을 받아 재우는 집이라고 했다. 그래서 대감은 보따리를 가지고 이 아가씨를 따라갔다. 아가씨는 대감에게 방에서 주무시라면서 '아버지가 지금 마실 나가셨는데 오시면 말씀드리겠다'고 했다. 대감이 방에 앉아 있는데, 처자의 아버지가 왔다. 이야기를 하는데, 처자의 아버지 눈에는 이 대감이 떠도는 과객 같고 형편없어 보였다. 알고 보면 대감인데도, 부산을 한 달 동안 돌아다녀 행색이 거지처럼 형편없었다. 이런 노인이 하룻밤을 자면서 '따님을 우리 며느리로 하자'고 하니, 처자 아버지는 남루한 모습이 별로 맘에 들지 않아 '우리 딸은 그렇게 치울 수 없다'고 했다. 그러다가 대감이 세수하러 나가려고 일어서는 순간 주머니에서 손바닥만한 무언가가 툭 떨어졌다. 그것은 대감임을 나타내주는 무슨 표적이었다. 이것이 툭 떨어지자 처자 아버지가 냉큼 주워 본 다음 대감이라는 사실을 알고 겁을 내며 벌벌 떨었다. 서울의 부자인데다가 대감 신분이니 처자 아버지도 너무 좋은 기회라 생각해서 혼사를 하려고 했다.

그때 처자 아버지의 이종이라고 하는 이웃집 영감이 왔는데, '결혼을 하고 싶다'는 처자 아버지의 말에 '거지랑 사돈할 거냐'고 했다. 처자 아버지는 사돈하려는 사람이 거지가 아니라면서 표적을 보여주었다. 이종이라는 사람도 이것을 보더니 놀라서 떨었다. 그리고 높은 사람이라면서 좋아했다. 결국 두 집안은 두 사람을 결혼시키기로 약속했다.

총각의 아버지는 서울에 있는 자기 집으로 올라갔다. 학교에 갔다 온 총각이 아가씨를 구했는지 묻자, 노인은 '좋은 아가씨를 구해 놓았다'고 했다. 총각은 이 처자를 보려고 책 보따리를 가방에 넣어서 짊어진 채 처자의 집으로 찾아갔다. 처자는 별당 안에서 공부를 하고 있었는데, 총각이 가만히 들어보니 공부도 잘했다. 학교를 갔다가 오는 아이가 있어서 총각이 '너한테 저기 공부하는 아가씨가 어떻게 되느냐'고 물었다. 그러자 아이는 자기 누나라면서 '지금 별당 안에서 공부하고 있다'고 대답했다. 다시 총각이 '누나를 볼 수 없느냐'고 물어 보자 장차 처남이 될 이 아이는 '저녁 먹고 나면 누나가 꽃밭에 물을 주러 나올 것이니 볼 수 있을 것'이라고 했다. 저녁 먹고 한참 지나자 아가씨가 꽃밭에 물을 주러 나왔다. 총각이 창문을 열고 보니 과연 잘나서 총각은 처자와 결혼했다. 그렇게 결혼해서 부자로 살았다. 9대째 외동 아들만 낳던 집안이었는데, 아들도 셋 낳고 딸도 둘 낳았다. 오남매를 낳아서 부유하게 잘 살았다고 한다.

28) 아들 공덕으로 인도환생한 고슴도치 (이야기㉝)

- 연행자 : 이상주(여, 80세, 죽남댁)

한 부자(父子)가 살았다. 그런데 이 아버지의 별명이 고슴도치였다. 아들은 매일 동네 사람들이 자기 아버지한테 고슴도치라고 하는 것이 너무 듣기 싫었다. 어디를 가도 사람들이 '너희 아버지는 고습도치다'라고 말하는 것이 아들로서는 너무 듣기 싫었다.

이럭저럭 살던 어느 날, 그 아버지가 죽었는데 아들 눈에 아버지 혼이 날아가는 것이 보였다. 아들은 아버지의 운구를 미뤄 놓고 복숭아나무로 회초리를 하나 만들어 아버지 혼을 따라갔다. 천 리 만 리 자꾸 따라가니, 그 혼이 날아가다가 수채 구멍에도 들어가고 흘레하는 개한테도 들어가고, 흘레하는 닭한테도 들어가려 했다. 그때마다 아들은 회초리로 때리면서 '아버지, 물 좋고 반석 좋은 데로 갑시다. 고습도치라는 소리를 저는 듣기 싫습니다. 고습도치는 이제 면해서 좋은 데로 갑시다'라고 하며 자꾸 따라갔다. 아들은 날이 새도록 여기저기 들어가려는 아버지의 혼을 자꾸 내쫓으면서 따라갔다. 사흘 만에 어느 곳에 도착했는데, 차일을 쳐 놓고 잔치하고 있는 어느 정승의 집이었다. 아들은 그 집으로 혼이 들어가자 그냥 놔두었다. 그리고 자신은 과객 행세를 하면서 사랑방으로 들어갔는데, 부자인데다 정승집이라서 대접을 잘 해주었다. 하루 묵고 나오면서 그 집 주인에게 악수를 청하며 '내년 이맘 때, 한 번 봅시다. 내년 이 때 내가 이 집을 한 번 찾아오겠습니다'라고 했다. 그러라는 주인의 말을 듣고, 고습도치 아들은 집으로 돌아왔다.

아버지의 혼은 행례청으로 들어갔으니 인도환생(人道還生)한 것이다. 인도환생해서 행례청에 있는 신부의 씨로 들어갔다. 아버지의 신체는 집에 그대로 있었기 때문에 아들은 장사를 지냈다. 다음 해 돌이 되어서 아들은 다시 그 집을 찾아갔다. 집으로 들어간 아들은 주인을 찾아서 '내가 작년 이맘때 오니 잔치하던데 이 집에 식구가 하나 늘어난 사람이 없느냐'며 물었다. 그러자 주인은 남자 아기가 태어났다면서 '도저히 손을 펴지 않는다'고 걱정했다. 아기가 양손에 주먹을 쥐고 있는데, 사람 천 명이 가서 펴도 손을 펴지 않았다. 이 아기가 아들에게는 자신의 아버지인 셈이었다. 아들이 '그 아기를 내가 좀 봤으면 좋겠다'고 하자, 주인이 아기를 사랑방으로 안고 왔다. 그런데 아기의 손을 아들이 펼치니, 그 자리에서 아기가 손을 싹 폈다. 아기가 두 손을 펴는데, 손바닥 복판에 임금 왕(王)자가 쓰여 있었다. 양쪽 손바닥에 임금 왕자가 쓰여 있어서 다른 사람에게 보여주지 않다가 자기 아들이 오니까 보여준 것이다. 고습도치는 그렇게 인도환생해 정승의 집에 태어나 잘 살았다.

29) 보암산에 살았던 보담노장 (이야기㉟)

- 연행자 : 손기준(남, 67세)

이 마을 뒤편, 바위가 많고 불룩한 곳을 보암산(보담산)이라 한다. 거기에는, 옛날 중국과 조선이 연결되어 있을 때부터 전해 내려오는 오래된 이야기가 하나 있다. 중국에서 정승이었던 보담노장이 조선 땅으로 귀양을 오던 중에 이 곳 보암산(보담산)에 와 있었다고 한다. 보암산(보담산)에 와서 귀양을 마칠 때까지 살았던 것 같다. 거기서 소복한 바위 곁으로 가면 보담노장이 살던 집터가 있다. 십여 년 전까지 부추도 올라왔는데, 지금은 소나무도 무성하고 사람도 가지 않아 자취가 사라졌다. 물 먹는 샘도 아직 거기 있는지 모르겠다.

보담노장이 시장을 보거나 밀양으로 다닐 적에는 상동면 가실마을로 가면 가까운데도 꼭 엄광마을로 다녔다고 한다. 옛날에는 상동면 가실에 박씨들이 아주 옹골차게 살았던 모양이다. 박씨들이 자꾸 하시를 하니까 보담노장이 이리로 다녔다고 하는 이야기도 있다.

30) 박씨 문중의 명당을 쓸모 없게 만든 보담노장 (이야기㊱)

- 연행자 : 손기준(남, 67세)

뒷가실 박씨네들이 함박디미라고 하는 곳에다가 묘를 썼다고 한다. 아주 깊이 산소를 썼던 모양인데, 그 산소의 정기를 받아서 박씨들이 번창하여 득세하며 살았다. 그 산소를 보담노장이 파게 했다고 한다. 보담노장이 박씨들 문중에 가서 '나를 믿지 못하면 참바로 묶어놓고 묘를 파 봐라. 그냥 놔두면 나중에 환란이 온다'는 식으로 이야기를 했다. 박씨들이 보담노장을 붙들어 나무에다 꽁꽁 묶어놓고 묘를 팠더니, 그 안에서 김이 솟구쳐 올랐다. 보담노장은 마치 뱀이 허물 벗는 것처럼 묶어 놓은 참바를 풀고 달아나 버렸다. 이렇게 됐다고 하는데, 거짓말인지 참말인지는 모르겠다.

31) 도술로 박씨 문중을 속인 보담노장 (이야기㊲, 이야기㊳)

- 연행자 : 손호영(남, 68세), 손기준(남, 67세)

보담노장이 서당에서 글을 가르치고 있는데, 박씨들이 보담노장을 욕보이려고 아이들을 시켜서 '알매를 치는 곳에 쓸 새끼를 꼬아 달라'고 했다. 꼬아 주지 않으면 두들겨 맞을 판이라, 보담노장은 '새끼를 꼬아 줄 테니 이 보담산 꼭대기까지 짚을 가져다 올려 달라'고 했다. 박씨들은 머슴을 시켜 보담산 바위 아래까지 짚을 지어다가 올려 주었다. 그런데 알매 치는 전날까지 아무리 봐도 짚동이 그냥 세워져 있는 것이었다. 마침 욕을 보이려던 차에 박씨들은 머슴을 시켜서 새끼를 가지고 오라며 지게를 지워 올려 보냈다. 보담노장은 새끼를 한 발 정도만 꼬아 주고는 가져가라고 했다. 새끼 끄트머리를 잡은 머슴이 빨리 걸으면 새끼줄도 빨리 따라오고, 느리게 걸으면 새끼줄도 느리게 따라왔다. 끄트머리였던 것을 당기니 자꾸 내려와서 그 새끼줄로 알매를 다 치게 되었다. 지붕에 알매를 다 쳐 놓고 내려와서 천장을 쳐다보니 새끼가 아니라 짚으로 붙들어 매놓기만 한 모양이었다.

지금으로 말하자면 사명대사와 같은 위인이었던 것 같다.

32) 보담노장이 잡아준 정봉사네 묘터 (이야기㊴)

- 연행자 : 손기준(남, 67세)

정씨들이 중촌이라는 마을에서 살았는데 어느날 초상이 났다. 상주가 된 정씨들은 보담노장한테 가서 묘자리를 하나 잡아 달라고 했다. 보담노장이 보담산 줄기 어딘가에 묘터를 잡아 주면서 '여기를 파면 돌이 나올 것인데, 그 돌을 빼지 말고 그 위에다가 하관을 하라'고 시켰다.

그 묘터에서 건너다보면 정씨들이 사는 중촌이 빤히 보였다. 보담노장이 시키는 대로 돌이 나오기를 기다리며 상주가 묘터를 지키고 있는데, 돌이 나오려는 찰나에 자기 집을 건너다보니 불이 난 것이었다. 돌이건 뭐건 상주는 우선 자기 집에 불을 끄러 가야 했다. 그래서 뛰어갔다가 오니까, 일꾼들이 곡괭이로 그 돌을 일으켜 세우고 있었다. 돌을 세우니 학 세 마리가 나오는데, 한 마리는 여주 이씨네로 갔고 한 마리는 우리 일직 손씨 종문산 쪽 어딘가로 날아갔다. 세 번째로 나오는 것을 곡괭이로 내리친 것이 학의 눈을 찍어버렸다. 그래서 돌 밑에 주워 넣고 그 위에다가 하관을 했는데 그 후로 정씨 집안에 눈 안 보이는 봉사가 하나씩 난다고 한다. 그 봉사가 눈 뜬 사람보다 돈도 더 잘 벌고 대인이었다.

33) 손병사 집 앞에서 말 타고 지나간 윤좌수 (이야기㊵)

- 연행자 : 손기준(남, 67세)

우리 병사 할아버지가 계실 적에 사람들이 다원 동네 앞길로 자기 말을 타고 못 지나갔다. 동네 앞에 이르면 말에서 내려서 걸어가다가, 동네를 다 지나간 후에야 다시 말을 타고 갔다. 말을 탄 채 그냥 지나다가 걸리면 볼기를 맞고 난리가 나곤 했다. 그런데 우리 병사 할아버지가 연세가 좀 들었을 때 한 사람이 말을 탄 채 그냥 지나갔다.

산내면 시례에 윤좌수라고 하는 양반이 있었는데, 그 밑에 심부름하는 종이 동네 앞을 지나가면서 말에서 내려오시라고 했다. 그러자 윤좌수가 '시례 윤좌수가 자기 말 자기가 타고 간다고 해라'고 하고는 말을 탄 채 달아나 버렸다.

옛날 그 때는 이 윤좌수라는 사람이 밥술이나 먹으며 잘 살았던 모양인데, 그가 세상을 버리고 나니 집도 옳게 관리할 사람이 없어 망했다고 한다.

34) 보담노장이 박씨 문중을 혼낸 이야기 (이야기㊶)

- 연행자 : 손기준(남, 67세)

조선이 중국의 지배를 받을 적에 중국의 한 정승이 보담산으로 귀양을 오게 되었다. 그 보담노장이 이 곳에 와서 아이들에게 글을 가르쳤다. 그때 박씨들이 뒷가실이라는 마을에서 웅장하게 살았다고 한다. 보담노장이 밀양읍으로 시장을 다닐 적에 뒷가실 쪽으로 가면 더 빠른데도, 박씨들이 영감을 두들겨 패기도 하며 사람 취급을 안 했기 때문에 엄광마을 쪽으로 둘러서 다녔다는 이야기도 있다.

뒷가실 박씨들이 보담노장을 너무 괄시하여, 보담노장이 귀양을 마칠 무렵에 앙갚음을 하고 갔다. 박씨들의 문중에 찾아간 보장노장은 '어디에 있는 집안의 산소를 파 옮겨라. 그 산소를 놔두면 큰 환란이 온다. 못 믿겠으면 참바로 나를 묶어 놓고 파 뒤집어 봐라'고 했다. 그 산소가 있는 산의 정기를 받아서 박씨들이 웅장했던 모양이었다. 결국 산소를 파게 되었는데, 일하러 가던 사람이 건너편에서 보고 산소를 덮으라며 난리를 쳤다. 그 산 이름을 함박디미라고 하는데, 함박꽃이 피어 있는 형상이었다. 그런데 판자를 들추어내어 햇빛이 들어가자, 그 안에 있던 꽃봉오리 같은 것이 사라져 버렸다. 박씨들이 보담노장을 때려죽인다며 단숨에 내려왔지만, 나무에 붙들어 놓은 사람은 마치 뱀이 허물 벗듯이 밧줄을 벗어 놓은 채 흔적이 없었다. 귀양을 마칠 적에 이렇게 하고서 보담노장은 중국으로 돌아가버렸다.

이야기의 전후가 서로 바뀌었는데, 이 전에도 박씨들이 보담노장의 인심을 잃을 만한 일을 했다. 옛날에는 재실 같은 집을 잘 지으려면 알매치는데 새끼가 많이 들어갔다. 세력이 있던 박씨들도 재실을 지을 적에 보담노장에게 '알매 칠 새끼를 꼬라'고 시켰다. 보담노장은 새끼를 꼴 짚을 올려달라고 했는데, 보담노장이 살던 산이 꽤 높았다. 박씨들은 머슴들을 시켜서 짚동을 지어다 올려줬다. 보담산에서 내려다보면 동네가 그대로 보였는데, 마을에서 올려다보니 알매치는 전날까지도 보담노장의 짚동이 그대로 세워져 있었다. 보담노장을 욕보이려던 박씨들은, 알매 치는 날 아침에 머슴을 시켜서 새끼를 가지고 오도록 했다. 머슴이 보담산으로 올라가니, 보담노장이 새끼를 한 발쯤 꼬아 주면서 끄트머리를 가지고 가라고 했다. 새끼를 거머쥔 머슴이 아랫마을까지 내려오면서 보니 자기가 빨리 걸으면 새끼도 빠르게 따라오고, 천천히 걸으면 새끼도 천천히 따라오는 것이었다. 그 새끼를 자꾸 당겨서 박씨들이 재실의 알매를 다 쳤다. 다 치고 내려와서 집을 쳐다보니 새끼로 붙들어 맨 것이 아니고 전부 짚이었다. 새끼는 꼬지도 않고 술책을 썼던 것이다. 어찌 할 수 없게 되자, 박씨들도 그때부터 보담노장을 겁내기 시작했다고 한다.

35) 신선놀음에 도끼 자루 썩는 줄 모른다 (이야기㊷)

- 연행자 : 손기준(남, 67세)

지금은 사람이 안 가는 곳인데, 마을 뒤쪽으로 가면 신선바위라고 하는 평평한 바위가 있다. 옛날에 거기에서 신선들이 놀았다고 한다.

어떤 사람이 나무를 하러 갔다. 신선들이 앉아서 바둑을 두는데, 이 사람이 그것을 다 둘 때까지 구경을 하다 보니 어느새 도끼자루가 썩어 있었다. '도끼자루 썩는다'는 말이 여기에서 나왔다. 신선이 노는 자리에 가서 구경을 하고 보니, 거머쥐고 있던 도끼자루는 썩어버렸고 집으로 내려와 보니 손자가 태어나 있었다. 이것도 참말인지 거짓말인지 모르겠다.

36) 영등제

- 연행자 : 이상주(여, 80세, 죽남댁)

옛날에는 영등제를 준비하기 위해 일주일 동안 매일 물을 떠 놓았는데, 일찍 샘으로 가서 남보다 먼저 물을 떠야 했다. 새벽 첫닭이 울면 머리 감고 옷 갈아입고 물을 떠다 장독간에 놓았다. 일주일 동안 아침마다 새로 물을 떠 놓았다.

영등을 '이월 바람'이라고 하는데, 시어머니가 하던 것을 내가 받아서 오래 해왔다. 그러다가 정월 스무 하룻날 부산에 있는 우리 손녀가 태어나서 갔다왔더니, 그간에 본동댁이 죽었다. 나는 계속 영등을 모셨는데, 마을사람인 본동댁이 죽어서 '큰일이다' 싶은 마음에 하지 않았고 그 후로도 안한지 한 칠팔 년 되었다. 동네가 어수선하면 안 한다.

영등 하려고 널어 놓은 나락을 새가 까먹으면 그 자리에서 굴러 넘어진다. 그만큼 옛날에는 영등의 힘이 강한 것으로 여겨졌는데 요새는 안 해도 된다. 우리 시어머니가 새색시일 때 바느질을 하고 있는데 시조모가 나락을 깨끗이 훑어와서 영등밥을 지었다고 한다. 옛날에는 '이월 바람'을 하면 쑥떡을 많이 했다. 그래서 시모조가 쑥떡을 찌는데, 시어머니가 방에 앉아 있자니 먹고 싶어 견딜 수가 없었다. 시조모가 와서 잘 익었는지 알아보려고 젓가락으로 떡을 여기저기 콕콕 찔러 보았다. 젓가락 끝에 떡이 조금 묻었는데, 바느질하던 시어머니가 살그머니 부엌문을 열고 나가서 젓가락 끝에 묻은 떡을 뜯어 먹었다. 먹고나니 대번에 머리가 아프기 시작했다. 시조모가 '바람 하려고 한 것을 먹었냐'고 물었지만, 시어머니는 솔직하게 말하지 못했다고 한다. 옛날에는 바람이 무서워서 절대로 먼저 맛을 보지 않았다.

시조부도 며느리가 무언가를 먹고서 아픈 것이라고 생각했지만, 옛날 사람인지라 겁을 낸 우리 시어머니가 끝내 먹지 않았다는 대답만 했다고 한다. 자꾸 시조모가 물어대니 시어머니가 나중에서야 '끝에 묻은 것을 뜯어 먹었다'고 대답했다. 그러자 시조모가 '진작 말 하지. 그렇게 물어도 왜 말을 안 했느냐'고 말하고선 이월 스무날에 보리밭으로 가서 영등께 잘못을 빌었다고 한다. 빌고나서 시어머니는 금방 괜찮아졌다. 이월에는 영등이 그만큼 심했던 것이다.

영등할매가 며느리를 데리고 오면, 며느리 다홍치마에 얼룩지라고 비가 내린다. 딸을 데리고 오면 딸의 다홍치마가 팔랑팔랑 나부끼라고 바람이 분다. 옛날에는 영등할매를 올린다고 빨간, 파란 헝겊도 묶어 달아 놓고, 소지도 올렸다. 또 짚으로 만든 그릇에다 까마귀밥도 내주고, 온갖 잡곡밥을 해서 여기저기에 떠 놓았다.

영등할매가 하늘로 올라가는 것은, 정월 그믐 무렵부터 바람이 불어서 알 수 있다. 이월 스무날쯤 되면 한번은 바람 불고 한번은 비가 온다. 그래서 영등할매가 내려왔다가 이날이 되면 싹 다 데리고 올라가버린다는 것을 안다.

영등할매한테 빌 때는 '바람 탄 지성님네 구름 탄 지성님네요, 아무 댁 아무 집에, 아무 가정 아무 집에 만장진장 받어, 지성님네 대접하오니 반갑게 즐겁게 잡수라'고 한다. 까마귀밥도 내주고, 잡곡밥도 해서 나눠 먹으면서 빈다. 물은 아침마다 장독간에다 떠다 놓는다.

영등을 할 때 음식은 갖가지로 준비하는데, 나물, 떡(쑥떡), 명태·청어 같은 고기, 무국 등을 준비한다. 부엌 바닥에다 짚을 깐 다음, 영등할매의 상만 놓는다. 상에는 장맛이 달게 되라고 메주도 한 장 갖다 놓고, 나무하다가 다치지 말라며 도끼와 칼도 갖다 놓고, 호미 같은 농사짓는 연장도 갖다 놓는다. 밥도 많이 하여 숟가락 있는 대로 다 꽂아 놓고, 젓가락도 있는 대로 다 빼 놓는다. 장(醬)은 먹을 만큼만 놓는다. 그리고 바람 올리는 음식부터 먼저 장만해 놓고 남은 것을 먹는다. 음식을 만들면서 나물을 볶아도 절대 간을 보지 않는다. 예전에 영등할매 모시는 일이 아주 엄격했다.

8. 밀양 숲골마을 연행작품별 유화(類話) 목록

1. 유화(類話)에 해당하는 작품의 제목은 원자료에 실린 형태 그대로 인용하였다.
2. 서사구조상 일치하는 부분이 있으나, 같은 유형 범주로 파악하기 어려운 작품은 '〔△〕' 표시를 병기해 두었다.

1) 중에게 잡혀 갔다 정승 부인된 처녀 (이야기①, 이야기㉞)

『한국구비문학대계』 5-5 641쪽/ 불공 드려 어사또 사위를 얻은 사람〔△〕
『한국구비문학대계』 7-2 147쪽/ 불공 드려 낳은 딸과 중의 횡포
『한국구비문학대계』 7-16 44쪽/ 중에게 잡혀가 정승마누라 된 딸
『한국구비문학대계』 7-16 159쪽/ 부모덕에 경상감사 부인된 딸〔△〕
『한국구비문학대계』 8-9 1036쪽/ 불범에게 먹힌 스님〔△〕
『한국구전설화(2)-평안북도 2』 287쪽/ 순진한 처녀를 욕심냈다가
『한국구전설화(2)-평안북도 2』 288쪽/ 순진한 처녀를 욕심냈다가
『한국구전설화(7)-전라북도 1』 194쪽/ 감사 사위와 중
『한국구전설화(12)-경상북도』 72쪽/ 大邱감사 夫人이 된 處女와 고양주
『한국구전설화(12)-경상북도』 133쪽/ 平壤監司사위 얻은 사람과 호랑이에게 물려 죽은 중
『한국구전설화(12)-경상북도』 135쪽/ 감사 메누리가 된 처녀와 불범에 잡혀 먹힌 중
『한국구전설화(12)-경상북도』 136쪽/ 全羅監司 사위를 얻겠다는 女人과 凶測한 중

2) 빈대 때문에 망한 절 (이야기②, 이야기㉑)

『한국구비문학대계』 2-8 557쪽/ 제천 송학사의 빈대

『한국구비문학대계』 6-1 607쪽/ 빈대와 폐사

『한국구비문학대계』 6-8 261쪽/ 빈대 절터 청심암 전설

『한국구비문학대계』 6-8 643쪽/ 빈대로 망한 봉정사

『한국구비문학대계』 6-9 401쪽/ 빈대로 망한 보안사의 내력

『한국구비문학대계』 6-12 694쪽/ 빈대로 폐허가 된 방동산(坊洞山)의 절

『한국구비문학대계』 7-1 386쪽/ 빈대 절터

『한국구비문학대계』 7-1 556쪽/ 빈대 때문에 망한 절

『한국구비문학대계』 7-8 140쪽/ 백질바위와 빈대절터

『한국구비문학대계』 7-9 663쪽/ 빈대 절터 옥산사

『한국구비문학대계』 8-1 344쪽/ 빈대 절터

『한국구비문학대계』 8-2 23쪽/ 빈대 절터

『한국구비문학대계』 8-2 47쪽/ 빈대 절터

『한국구비문학대계』 8-4 401쪽/ 운천리 빈대 절터

『한국구비문학대계』 8-8 279쪽/ 빈대 절터

『한국구비문학대계』 8-9 464쪽/ 빈대로 망한 절

『한국구비문학대계』 8-10 344쪽/ 빈대 절터

『한국구비문학대계』 8-12 55쪽/ 빈대 절터 대원사〔△〕

『한국구비문학대계』 8-12 290쪽/ 빈대 때문에 망한 절

『한국구전설화(11)-경상남도 2』 24쪽/ 빈대로 망한 法華庵

3) 삼천갑자 동방삭을 만난 액운애기 (이야기③)

3-1) 동방삭 관련

『한국구비문학대계』 2-8 541쪽/ 삼천갑자 동방삭이 저승사자에게 잡혀 간 내력

『한국구비문학대계』 1-6 55쪽/ 삼천갑자 동방삭
『한국구비문학대계』 2-5 403쪽/ 말 잘못해서 붙잡혀간 동방석
『한국구비문학대계』 2-2 544쪽/ 동방삭 이야기
『한국구비문학대계』 2-5 163쪽/ 동방석을 잡은 꾀
『한국구비문학대계』 5-4 140쪽/ 삼천갑자 동방삭
『한국구비문학대계』 6-2 632쪽/ 삼천갑자 동방삭
『한국구비문학대계』 6-9 612쪽/ 삼천갑자 동방삭의 최후
『한국구비문학대계』 6-10 170쪽/ 삼천갑자 동방삭
『한국구비문학대계』 6-11 89쪽/ 삼천갑자 동방석
『한국구비문학대계』 7-3 514쪽/ 삼천갑자 동방삭
『한국구비문학대계』 7-8 1194쪽/ 삼천갑자 동방삭
『한국구비문학대계』 7-13 784쪽/ 삼천갑자 동방삭
『한국구비문학대계』 7-16 582쪽/ 저승차사 대접하여 명 이은 동방삭
『한국구비문학대계』 8-5 1067쪽/ 동방삭 이야기
『한국구비문학대계』 8-12 39쪽/ 숯못과 동방삭
『한국구전설화(5)-경기도』 295쪽/ 東方數의 죽음

3-2) 액운애기 관련

『한국구비문학대계』 8-8 412쪽/ 나물 캐는 노래〔△〕
『한국구비문학대계』 8-8 722쪽/ 액운애기
『한국구비문학대계』 8-12 588쪽/ 애운애기
『한국구비문학대계』 8-13 613쪽/ 고사리 노래
『울산울주지방민요자료집』
　박귀선 연행 - 1983.1.28. 농소면 천곡리 속심
　천석순 연행 - 1986.7.9. 웅촌면 대대리 저리
　김원출 연행 - 1986.7.10. 웅촌면 대복리 대복
　김상네 연행 - 1986.7.10. 웅촌면 대복리 오복

이석백 연행 - 1986.7.10. 웅촌면 석천리 석천

김숙이 연행 - 1987.7.21. 언양면 다개리 새마을

〈밀양 산내면·산외면 현지조사 자료〉1)

이강백 연행 - 1999.2.10. 밀양 시내

정분수 연행 - 2002.1.5. 산내면 임고리 발음

신의근 연행 - 2002.1.5. / 2004.2.4. 산내면 임고리 발양

김영숙 연행 - 2002.1.6. 산내면 용전리 오치

김외선 연행 - 2002.1.8. 산내면 봉의리 구성동

백필경 연행 - 2002.5.31. / 2003.4.25. 산내면 삼양리 동명

석두희 연행 - 2002.11.16. 산내면 삼양리 신명

김필봉 연행 - 2003.2.14. 산외면 희곡리 박산

할머니들 연행 - 2004.2.5. 산내면 임고리 발양

4) 도깨비 관련 이야기 (이야기④, 이야기⑥, 이야기⑨, 이야기⑩, 이야기⑪, 이야기⑫, 이야기⑬, 이야기⑭)

『한국구비문학대계』 1-2 514쪽/ 도깨비 이야기

『한국구비문학대계』 1-3 277쪽/ 도깨비 이야기

『한국구비문학대계』 1-7 179쪽/ 도깨비는 메밀묵을 즐긴다

『한국구비문학대계』 1-7 414쪽/ 도깨비 이야기

『한국구비문학대계』 1-8 315쪽/ 도깨비 이야기(2)

『한국구비문학대계』 1-8 367쪽/ 도깨비불

『한국구비문학대계』 1-8 471쪽/ 도깨비 이야기(3)

『한국구비문학대계』 1-8 476쪽/ 도깨비불

『한국구비문학대계』 1-8 540쪽/ 도깨비 이야기(5)

---

1) 김영희, 「비극적 구전서사 〈액운애기〉 연구」, 『고전문학연구』 26, 한국고전문학회, 2004. 12.

『한국구비문학대계』 2-2 25쪽/ 도깨비불 이야기
『한국구비문학대계』 2-2 30쪽/ 도깨비 이야기
『한국구비문학대계』 2-2 510쪽/ 도깨비 이야기
『한국구비문학대계』 2-4 368쪽/ 헛도깨비에게 속은 일
『한국구비문학대계』 2-5 82쪽/ 도깨비에게 홀린 사람
『한국구비문학대계』 2-6 331쪽/ 도깨비에 홀린 사람
『한국구비문학대계』 2-6 333쪽/ 도깨비 이야기
『한국구비문학대계』 4-1 51쪽/ 도깨비터
『한국구비문학대계』 5-3 249쪽/ 도깨비에 얽힌 물건
『한국구비문학대계』 5-3 251쪽/ 피가 묻어 도깨비가 된 빗자루
『한국구비문학대계』 6-3 50쪽/ 도깨비 전설
『한국구비문학대계』 6-4 907쪽/ 도깨비 이야기
『한국구비문학대계』 6-5 694쪽/ 도깨비 이야기
『한국구비문학대계』 6-7 384쪽/ 도깨비불 꺼뜨린 양반
『한국구비문학대계』 6-7 536쪽/ 도깨비와 씨름한 사람
『한국구비문학대계』 6-9 333쪽/ 도깨비불
『한국구비문학대계』 6-11 305쪽/ 도깨비에 홀린 최점바우
『한국구비문학대계』 6-11 505쪽/ 도깨비 이야기(1)
『한국구비문학대계』 6-11 524쪽/ 도깨비 이야기(2)
『한국구비문학대계』 6-12 1005쪽/ 고기가 있으면 달려드는 도깨비
『한국구비문학대계』 7-10 562쪽/ 도깨비와 동행한 사람(1)
『한국구비문학대계』 7-10 567쪽/ 도깨비와 동행한 사람(2)
『한국구비문학대계』 7-11 752쪽/ 도깨비에게 홀려 죽은 서당선생
『한국구비문학대계』 8-2 144쪽/ 어장 도깨비불
『한국구비문학대계』 8-6 401쪽/ 도깨비와 씨름한 이야기
『한국구비문학대계』 8-9 1127쪽/ 도깨비
『한국구비문학대계』 8-14 477쪽/ 도깨비 이야기

『한국구전설화(2)-평안북도 2』 221쪽/ 요괴에 홀린 사람(1)
『한국구전설화(2)-평안북도 2』 222쪽/ 요괴에 홀린 사람(2)
『한국구전설화(6)-충청남도』 342쪽/ 도깨비 正體

5) 교동 손 부자 망한 이야기 (이야기⑦)

『한국구비문학대계』 7-3 367쪽/ 삼태이야기〔△〕
『한국구비문학대계』 3-4 174쪽/ 삼형제 죽이고 삼태로 번성시킨 명당〔△〕

6) 담력내기로 혼이 난 사람 (이야기⑮)

『한국구비문학대계』 6-7 361쪽/ 공동묘지에 표장박기 내기
『한국구비문학대계』 6-12 702쪽/ 귀신인 줄 알고 까무러친 내기꾼
『한국구비문학대계』 8-14 247쪽/ 담 큰 시합

7) 입 싼 나무꾼과 선녀 (이야기⑯)

『한국구비문학대계』 1-4 197쪽/ 선녀와 나뭇군〔△〕
『한국구비문학대계』 1-4 707쪽/ 선녀와 나뭇군〔△〕
『한국구비문학대계』 1-4 797쪽/ 선녀와 나뭇군〔△〕
『한국구비문학대계』 1-7 287쪽/ 나뭇군과 선녀
『한국구비문학대계』 1-7 839쪽/ 선녀와 나뭇군
『한국구비문학대계』 2-7 239쪽/ 나뭇군과 선녀〔△〕
『한국구비문학대계』 2-7 420쪽/ 나뭇군과 선녀〔△〕
『한국구비문학대계』 3-1 335쪽/ 수탉의 유래〔△〕
『한국구비문학대계』 3-2 250쪽/ 닭이 높은 데서 우는 유래
『한국구비문학대계』 3-2 411쪽/ 나무꾼과 선녀〔△〕
『한국구비문학대계』 4-1 97쪽/ 나뭇군의 실수〔△〕
『한국구비문학대계』 4-2 340쪽/ 나뭇군과 선녀〔△〕

『한국구비문학대계』 4-4 789쪽/ 나뭇군과 선녀〔△〕
『한국구비문학대계』 5-1 283쪽/ 선녀와 나뭇꾼〔△〕
『한국구비문학대계』 5-2 379쪽/ 나뭇군과 선녀〔△〕
『한국구비문학대계』 5-7 418쪽/ 나뭇군과 선녀〔△〕
『한국구비문학대계』 6-1 81쪽/ 나무꾼과 선녀〔△〕
『한국구비문학대계』 6-3 111쪽/ 나뭇군과 선녀〔△〕
『한국구비문학대계』 6-6 683쪽/ 사슴과 나뭇군〔△〕
『한국구비문학대계』 6-8 633쪽/ 나뭇군과 선녀〔△〕
『한국구비문학대계』 6-10 508쪽/ 나뭇군과 선녀〔△〕
『한국구비문학대계』 7-1 268쪽/ 나뭇꾼과 선녀, 노루 이야기
『한국구비문학대계』 7-12 171쪽/ 나뭇꾼과 선녀〔△〕
『한국구비문학대계』 7-16 504쪽/ 선녀와 나뭇꾼
『한국구비문학대계』 8-9 357쪽/ 나뭇군과 선녀
『한국구비문학대계』 8-9 1056쪽/ 나뭇꾼과 선녀〔△〕
『한국구비문학대계』 8-14 347쪽/ 나뭇군과 선녀〔△〕
『한국구비문학대계』 8-14 186쪽/ 금강산 선녀〔△〕
『한국구비문학대계』 8-14 507쪽/ 금강산 선녀〔△〕
『한국구전설화(1)-평안북도 1』 48쪽/ 나뭇꾼과 선녀〔△〕
『한국구전설화(1)-평안북도 1』 49쪽/ 나뭇꾼과 선녀
『한국구전설화(1)-평안북도 1』 51쪽/ 나뭇꾼과 선녀
『한국구전설화(1)-평안북도 1』 54쪽/ 나뭇꾼과 선녀
『한국구전설화(1)-평안북도 1』 58쪽/ 나뭇꾼과 선녀
『한국구전설화(3)-평안북도』 255쪽/ 나뭇꾼과 선녀
『한국구전설화(6)-충청남도』 309쪽/ 나뭇꾼과 仙女
『한국구전설화(6)-충청남도』 420쪽/ 사슴의 보은〔△〕
『한국구전설화(7)-전라북도 1』 172쪽/ 나무꾼과 선녀
『한국구전설화(7)-전라북도 1』 322쪽/ 노루의 報恩〔△〕

『한국구전설화(12)-경상북도』 69쪽/ 樵夫와 仙女〔△〕
『한국구전설화(12)-경상북도』 119쪽/ 총각과 선녀

8) 보배덩이를 게워낸 효자 (이야기⑰)

『한국구비문학대계』 8-3 631쪽/ 강토이주 산함일구〔△〕
『한국구전설화(12)-경상북도』 189쪽/ 山呑一臼
『한국구전설화(12)-경상북도』 187쪽/ 山呑一臼 水吐二珠〔△〕

9) 아랑 관련 이야기 (이야기⑱, 이야기㉗, 이야기㉘)

『한국구비문학대계』 7-5 278쪽/ 아랑낭자의 한
『한국구비문학대계』 7-13 308쪽/ 밀양 아랑각 전설
『한국구비문학대계』 8-7 137쪽/ 아랑전설
『한국구비문학대계』 8-7 359쪽/ 아랑의 설원
『한국구비문학대계』 8-8 396쪽/ 밀양 아랑
『한국구비문학대계』 8-9 217쪽/ 밀양 아랑전설
『한국구비문학대계』 2-6 387쪽/ 원혼이 된 아랑낭자
『한국구전설화(10)-경상남도』 41쪽/ 阿娘閣
『한국구전설화(12)-경상북도』 35쪽/ 趙娘閣〔△〕

10) 보담노장 관련 이야기 (이야기⑳, 이야기㉓, 이야기㉟, 이야기㊱, 이야기㊲, 이야기㊳, 이야기㊴, 이야기㊶)

『한국구비문학대계』 8-7 44쪽/ 고담선생 일화
『한국구비문학대계』 8-7 81쪽/ 엄광리의 명산과 송봉사
『한국구전설화(2)-평안북도 2』 326쪽/ 쓸모없게 된 명당〔△〕
『한국구전설화(3)-평안북도』 35쪽/ 廢家케 한 바위〔△〕
『한국구전설화(6)-충청북도』 46쪽/ 자라를 실린 慶州 李氏〔△〕

11) 도술로 일본인을 혼낸 사명대사(이야기㉔)

『한국구비문학대계』 1-7 775쪽/ 사명당의 전리품
『한국구비문학대계』 1-7 847쪽/ 사명대사와 서산대사
『한국구비문학대계』 1-8 76쪽/ 사명당 이야기
『한국구비문학대계』 1-8 448쪽/ 사명당 일화
『한국구비문학대계』 2-7 154쪽/ 사명당
『한국구비문학대계』 5-1 181쪽/ 사명당 이야기
『한국구비문학대계』 7-10 571쪽/ 일본의 침략을 막은 사명당
『한국구비문학대계』 7-11 422쪽/ 사명당 이야기
『한국구비문학대계』 7-12 609쪽/ 일본을 항복시킨 사명당
『한국구비문학대계』 8-3 484쪽/ 사명당
『한국구비문학대계』 8-5 364쪽/ 사명당 이야기 (2)
『한국구비문학대계』 8-7 491쪽/ 사명대사 일화(1)
『한국구비문학대계』 8-7 533쪽/ 사명대사 일화(3)
『한국구비문학대계』 8-8 627쪽/ 사명당
『한국구전설화(1)-평안북도 1』 141쪽/ 일본을 항복시킨 神僧(1)
『한국구전설화(1)-평안북도 1』 141쪽/ 일본을 항복시킨 神僧(2)
『한국구전설화(6)-충청북도』 47쪽/ 西山大師와 四溟堂
『한국구전설화(10)-경상남도 1』 68쪽/ 四溟堂 逸話

12) 나가라 (이야기㉕)

『한국구전설화(5)-경기도』 105쪽/ 申氏姓〔△〕
『한국구전설화(7)-전라북도 1』 140쪽/ 崔姓 氏祖〔△〕
『한국구전설화(7)-전라북도 1』 141쪽/ 南宮 姓氏〔△〕
『한국구전설화(7)-전라북도 1』 142쪽/ 明哥 姓氏(1)〔△〕
『한국구전설화(7)-전라북도 1』 142쪽/ 明哥 姓氏(2)〔△〕
『한국구전설화(7)-전라북도 1』 143쪽/ 安哥와 明哥〔△〕

『한국구전설화(7)-전라북도 1』 144쪽/ 權哥 姓의 四物湯〔△〕
『한국구전설화(7)-전라북도 1』 145쪽/ 郭哥 姓〔△〕
『한국구전설화(7)-전라북도 1』 145쪽/ 각 姓에 대한 놀리는 말〔△〕
『한국구전설화(12)-경상북도』 80쪽/ 安氏姓와 明氏姓〔△〕

13) 문둥이 남편 낫게 한 열녀 (이야기㉖)

『한국구비문학대계』 7-5 308쪽/ 자기 살 베어 남편 먹인 열녀
『한국구비문학대계』 7-12 175쪽/ 남편의 풍병 고친 열녀
『한국구비문학대계』 8-9 30쪽/ 나병 환자와 열녀

14) 제주도에 선을 세운 이야기 (이야기㉚)

『한국구비문학대계』 4-2 552쪽/ 이시미와 최판관
『한국구비문학대계』 9-1 191쪽/ 김녕뱀굴〔△〕
『한국구비문학대계』 9-2 719쪽/ 김녕뱀굴
『한국구비문학대계』 9-2 637쪽/ 김녕뱀굴〔△〕
『한국구전설화(6)-충청북도』 106쪽/ 지네 美女〔△〕
『한국구전설화(6)-충청남도』 248쪽/ 咸平牟氏 中始祖〔△〕
『한국구전설화(9)-제주도』 205쪽/ 金寧蛇窟

15) 집에 들어온 이시미를 잡아 망한 할배 (이야기㉛)

『한국구비문학대계』 7-16 491쪽/ 집찌끼미의 석분〔△〕
『한국구전설화(7)-전라북도 1』 89쪽/ 鄭仁弘과 뱀의 앙갚음〔△〕
『한국구전설화(7)-전라북도 1』 87쪽/ 許積과 이무기〔△〕

16) 아들 공덕으로 인도환생한 고승도치 (이야기㉝)

『한국구비문학대계』 2-6 603쪽/ 대사의 인도환생〔△〕

『한국구비문학대계』 5-4 532쪽/ 인도환생
『한국구비문학대계』 6-2 206쪽/ 인도환생한 이야기〔△〕
『한국구전설화(2)-평안북도 2』 284쪽/ 태자로 태어난 사람
『한국구전설화(4)-강원도』 261쪽/ 태자로 還生한 꼬꼬이 영감
『한국구전설화(6)-충청남도』 405쪽/ 死後生産之地

17) 손병사 집 앞에서 말 타고 지나간 윤좌수 (이야기㊵)

『한국구비문학대계』 6-6 700쪽/ 내 말 내가 타고 가는데
『한국구비문학대계』 8-3 47쪽/ 산청 오일봉
『한국구비문학대계』 8-3 96쪽/ 산청 오일봉, 제 말 제 타고 간다
『한국구비문학대계』 8-8 662쪽/ 시례 윤좌수

18) 신선놀음에 도끼 자루 썩는 줄 모른다 (이야기㊷)

『한국구비문학대계』 4-2 815쪽/ 신선바위 전설
『한국구비문학대계』 8-13 506쪽/ 신선놀음에 도끼자루 썩는 줄 모른다
『한국구전설화(4)-강원도』 242쪽/ 神仙놀음에 도끼자루 썩는다

19) 베틀노래[2] (노래⑧)

『한국구비문학대계』 8-7 666쪽/ 무안면 베틀노래
『한국구비문학대계』 8-8 433쪽/ 상동면 베틀노래

20) 지신풀이[3]

『한국구비문학대계』 8-7 197쪽/ 지신밟기 노래

2) '베틀 노래'는 각 지역에 따라 차이를 보일 뿐만 아니라 한 지역 내에서도 다른 내용이 많아, 여기서는 밀양 '베틀 노래'의 성격에 초점을 두고 밀양 지역에서 전승되는 베틀노래만을 정리하였다.
3) '베틀노래'와 마찬가지로 밀양 지역에서 전승되는 노래만 정리하였다.

『한국구비문학대계』 8-7 230쪽/ 성주풀이
『한국구비문학대계』 8-7 246쪽/ 지신밟기 노래
『한국구비문학대계』 8-7 685쪽/ 지신밟기 풀이
『한국구비문학대계』 8-8 219쪽/ 성주풀이
『한국구비문학대계』 8-8 470쪽/ 지신밟기 풀이
『한국민요대전 경상남도민요해설집』 151쪽/ 밀양 지신밟기
『한국민요대전 경상남도민요해설집』 161쪽/ 밀양 지신밟기
『한국민요대전 경상남도민요해설집』 178쪽/ 밀양 지신밟기

9. 밀양 숲골마을 방언 목록

1. '찾아보기'의 효율성을 높이기 위해 방언을 먼저 제시하는 형태와 표준어를 먼저 제시하는 형태, 두 가지 종류로 나눠 방언 목록을 제시하기로 한다.
2. 목록의 하위 항목은 다음과 같이 분류한다. 아래 분류 체계는 품사를 비롯한 표준어의 문법 체계를 고려한 바탕 위에 세운 것이나, 밀양지역 방언의 특색을 드러내는 데 유용한 방향으로 변형된 것이다. 이는 참고할 만한 언어학적 방언 분류 체계가 마땅치 않아 저자들이 임의로 선택한 차선책이므로 이후에 '수정'을 기약하기로 한다.

   분류 항목 가운데 '체언+조사'와 '어구'는, 실제 언어 생활 현장에서 발화시 낱말들 사이의 결합력이 높아 낱낱으로 분해되지 않는 한 덩어리의 말들이 존재하기 때문에 부득이 별도의 하위 항목으로 세워 둔 것이다. 또한 이 두 항목으로 분류된 말들은 두 단어 이상이 결합하면서 표준 발음과 다른 발음으로의 변형이 일어난 것들이다.

   1) 체언
      1-1) 체언+조사
   2) 용언
      2-1) 보조용언
   3) 조사와 어미
   4) 부사
   5) 어구
   6) 기타
3. 방언에 대응하는 표준어 선정시, 첫 번째로 형태적 유사성을 고려하였고 두 번째로 의미상의 연관성을 고려하였다. 따라서 일대일로 대응된 방언과 표준어 사이에 의미 범주상 정확하게 일치하는 내적 필연성이 부과된 것은 아니다.

9-1. 방언목록(방언-표준어)

1) 체언

가객 가격
가매 가마
가스나 계집아이
가실 마을
가죽 가족
간이 관리
간재구설 손재앙과 구설수
간지깽이 높은 나무에 달린 열매를 털어서 떨어뜨리는 장대
갈가지 삵
개구신 개귀신
객차 잡담
갱제 경제
거- 거기
거랑 도랑, 개울
거부지기 검불
건네/건니 건너[1]
걸뱅이 거지
겔론 결론
겔혼 결혼
고까 고가도로
고동/고딩이 고둥
고른 그런
고-매 고구마
고방 창고
고상 고생
고오 고것
고장 고추장
골묵 골목
공개 공궤(供饋)
공동산 공동묘지
과각 과객
과암 고함
괭이 곡괭이
구딕이 구덩이
구리 구렁이
구신 귀신
국시 국수
궁기 구멍
궁디-/궁딩이 궁둥이
그륵 그릇
그믐끼 그믐께
그으/긋 거기, 그것
근- 그런
기경 구경

1) 문맥에 따라 부사로 쓰이기도 한다.

기아집 기와집

기양 귀양

기울 겨울

기집 계집

까마구 까마귀

까마이 가마니

까시 가시

꺼러미/꺼렁지 짚으로 얼기설기 엮어 만든 그릇

꼬라지 꼬락서니

꼬랭 고랑

꼬치 고치

꼭대기 꼭지

꼴짜구/꼴짝 골짜기

꽃몽오리 꽃봉우리

꾸리 구석

끄싱이 끄나풀

끄트리/끈팅이/끝탱이/끝팅이 끄트머리

끼 것

나- 나이

난주/낸주/낸중 나중[2)]

날비 여우비

남개/남기/낭개/낭글/낭기 나무

남펜 남편

낱 개(갯수)

내우간 내외간

내훗달 다다음달

너륵/너릭 너럭바위

너석 뇌성

너이/느이 넷

넙둑단지 넙적한 단지

노름지기/노림재-이 노름쟁이

노리/놀갱이 노루

누- 누구

누부 누나

눔/늠 놈

느그 너희

니 너

니을/니일 내일[3)]

다락 대야

다완 (산외면) 다원

달/달구 닭

달딩이 달덩이

대나직 대낮

대안 뒤안, 뒤뜰

대저비/대집 대접(그릇의 일종)

대죽 걸음

대집 대접(待接)

2) 문맥에 따라 부사로 쓰이기도 한다.
3) 문맥에 따라 부사로 쓰이기도 한다.

대포 대표
댓- 살 대여섯 살
덕섀 두루미
덜겅/들겅 자갈
도지관 상객(上客)
도포삼 도포 소매
돌고지 돌꼇
돌모데기 돌무더기
돌짜구 돌쩌귀
돌호박 돌로 만든 절구
동가리 동강
동갱 동경
동방색 동방삭
동상 동생
동우 동이
두루막/두루매기 두루마기
등대 줄기
등들이 등때기
디미 등성이, 마루 예) 함박디미
딩개 등겨
따/땅 때 예) 제를 지낼 땅까지 : 제를 지낼 때까지
따까리 뚜껑
뚜루막 두레박
띡 때, 적

마-/마실 마을
마누래 마누라
막냉이 막내
만날/만달/맨날 매일
만댕이/만딩이/만랭이 산등성이
만에산 (삼랑진) 만어산
말띡 말뚝
매구 꽹과리
매구 여우
매기 내기
머스마/머시마 사내아이
머심 머슴
먼젓분 먼젓번
메느리/미느리 며느리
멩년 명년(明年)
멩이 명의(名義)
멫/및 몇
모냥/몬냥 모양
모사 묘사(墓祀)
모욕/목간 목욕
무릅 무렵
무시 무
문디-/문딩이 문둥이
문화지 문화제
미 묘
미엉베 명주 베
미주 메주
민직 면적

밀까리 밀가루
밍- 목화
밍태 명태

바가치/바께쓰 바가지
바같 바깥
바리 마리
반빌 반별
반수/방구/방우/방쿠 바위
밤쭝- 한밤중
밭또까리 밭쪼가리
배미/배암/비얌 뱀
백찜 백설기
번슥/번썩 ~번씩
벌키 벌레
베룩 벼랑
벵환 병환
보갚음 보복, 앙갚음
보골 골 예) 보골로 믹이다 : 약을 올리다
보배떼기/보배띠이 보배덩어리
보-살 보리쌀
보재기 보자기
부뚜마- 부뚜막
부숙 부속
부체 부처
비 베
비개 베개
비녜 비녀
비니루 비닐
비앵기 비행기
비틀 베틀
빅 벽
빈두리 변두리
빌당 별당
빙 병(病)
빙사 병사(兵使)
빙이 병(甁)
뻴갱이/삘갱이 빨갱이
삐간지 뼈대

사깨 (부북면) 삽계
사램/사름 사람
사심 사슴
사우 사위
사을 사흘
사찬 사창(紗窓)
산꼬 봉분(封墳)을 세는 단위
산비알 산비탈
살 쌀
삽작거리/삽짝/삽짝거리 사립문 앞 길
상공호 방공호
상딩이/쌍딩이 쌍둥이

상재 상좌
새미 샘
새북 새벽
새끼 새끼
새댁 새댁
새마을 새마을
서이 셋
설갱 혈(穴)
설려 선녀
성겊/헝 헝겊
성받이 성씨
소곰 소금
소괴기 쇠고기
소배기 소쿠리
소시절 소싯적
솥뚜뱅이 솥뚜껑
수수깨비 수수깡
수제/수지 수저
수치구멍 수챗구멍
쉬염/쉼 수염
스뭇끼 스무날쯤
시 (개) 세 (개)
시기 서기(瑞氣)
시누부 시누이
시상 세상
시수 세수
시아바이 시아버지
시오마이/시옴마님 시어머니
신랭 신랑
신주선찬 진수성찬
신치 신체
실갱 철 예) 실갱이 어딨노? : 철이 어디 있어? (철이 들었겠어?)
실농씨 신농씨(神農氏)
실지 실제
심바람 심부름
쌔끼 (짐승) 새끼
씨종재 씨종자

아-/알라/얼라 아이, 아기
아랑객 아랑각
아레 그저께
아바씨/아부지 아버지
아붓님 아버님
아재 아저씨
아줌니/아즈메 아주머니
아즉/아직/아춤 아침
아침몰이 아침나절
안개씨리/왕가씨리 길고 성근 빗자루
안질어른 안주인, 안양반
암만 아무리
애씨 아씨
애장 아이무덤

어는 어느
어데/어드 어디
어든 어떤
어매/오매 어머니
얼매 얼마
엄강사 (산외면) 엄광사
에동 외동
여- 여기
여슥아 여자아이
오분 요번
오새 요새
오임 오염
오테 (산내면) 오치
온 오늘
올개 올해
올키 올케
왕투 황토
요각 상객(上客)
요런/요론 이런
요시 여우
웅티- 웅덩이
원기 원귀
으논/이논 의논
은지 언제
음석/음물/입석 음식(물)
이미 의미
이바구 이야기
이밥 쌀밥
이붓사램 이웃사람
이삼춘 외삼촌
이시미 이무기
이택 택일
인고기 인육(人肉)
인동화상/인동환상 인도환생(人道還生)
인자/인저/인즈/인지 이제
일분 일본
임굼 임금
입때 이맘때

자리 편 예) 이야기 한 자리 : 이야기 한 편
자리/짜리 자루 예) 도끼자리 : 도끼자루
자슥 자식
자완 장안
자-원 장원
자치 자체
작밥 잡곡밥
잡구 잡귀
장개 장가
장골 왕골의 일종
저-/저게/저-게/조오 저기
저닉/즈늑/지늑/지닉 저녁

적신 적선
전-신 사방
점부/천부/첨부 전부
접옷 겹옷
젓까치 젓가락
정구지 부추
정상감사 경상감사
정지 부엌
곁 곁 예) 곁에 두다 : 곁에 두다
주묵/줌 주먹
줄개 줄기
즈-/즈그 자기
즈구리 저고리
지 저 예) 지를 왜 불렀어요? : 저를 왜 불렀어요?
지꿈/지끔 지금
지사 제사
지추씨 제수씨
지푸래기 지푸라기
직/찍 적
진늪 (산외면) 긴늪
질 길
질- 제일
짐 김
짐싱 짐승
짜슥 자식
짝/쭉 쪽 예) 이짝 : 이쪽
짝때기 작대기
쯔가리 쪼가리
찌끄래기 찌꺼기, 남은 부스러기
찌끼미 지네

참바 삼이나 칡을 엮어 만든 줄
채 째 예) 첫채 : 첫째
채알/치알 차일(遮日)
책상마리 책상머리
처매/츠매 치마
처이 처녀
청에 청어
총객 총각
추재 취재(取材)
축기 축구(畜狗)
츠-엉 대청마루
치 척
치 체 예) 잘난 치 : 잘난 체
치급 취급
칭층이/칭칭이 쾌지나칭칭

탑딩이 탑등
택구 택호
테레비 텔레비전
텍 턱
토깨비/토채비 도깨비

파푸랭이 파뿌리
평상/펭상/핑상 평생
포꼬레인/포코레인 포크레인
포시 표시
포적 표적
포충사 표충사
필점 실정
핑경 풍경

하리 하루
한테 한데
할마씨/할마이/할매/할무니/할무님/할문니/할문님 할머니
할밤 하룻밤
할배/할부지 할아버지
함 한 번
해차리 회초리
핵교 학교
행니 행례
행니처수/행니처엉 행례청
행님/홍님 형님
행이 상여
행증 행정
행징민 행정면
행태 형태
행핀 형편
헌장 현장
헐리 홀레
호까이 덫에 거는 새끼줄
호랭이 호랑이
호부래기 홀아비
혼차 혼자
후성 후생(後生)
훗달 다음달
흔지/흥제/흥지 형제
훗꺼물/훗끗물 헛것
훗칭이 허깨비, 도깨비
희춘 봄날의 야유회

1-1) 체언 +조사

가에로 가로
가카마 것보다
거게 거기에
거꺼지/그꺼지 거기까지
거-다 거기에다
거로 것을
거서/거-서/거어서/고오서/그-서 거기에서
걸 그것을
고거라 고것이라
고건 고것은
고곳도/고곳두 고것도

고기이라 고것이라
고-는 고것은
고데 곳에
고장으는 고장은
그거로/그으를 그것을
그거이 그것이
그기/그기가/그기이 그것이
그기는/그-는 그것은
그기라/기기든 그것이다
그긴데 그것인데
그막 그만큼
그으서 거기서
글로/글로-/글루 그리로
긋도/긋-도 그것도
기고/기다/기대이/기라/기이라/기이지/긴데/꺼라꺼/껀데/끈데/끼고/끼구만/끼구만은/끼니/끼이끄네/낀데/낍니꺼 것이다〈기〉
꺼는 것은
꺼이/끄이/끼 것이
꺼이도 것도
꼬튼 꽃은
꾸로 것을

나테 낯에
날로 나를
남으/늠으 남의
낭글/낭글을 나무를
낭기 나무가
내구메 나구먼
내캉 나랑
내하고 나하고
내한테 나한테
너이 넷이
니로 너를

도랑-서 도랑에서
도틀 돛을
돌고세 돌껫에
따-로 땅으로
따무로/따미로/땀시/때미레/때밀에로 때문에
따-아 땅에
따-에다 땅에다

마다-서 마당에서
말큭에 말에
말클 말을
말키 말이
멀라 무엇하러
못치 못이
뭐꼬/뭐라/뭡니꺼 무엇이다〈기〉
뭐로 무엇으로
뭐시 무엇이 예) 뭐시라 했으면 :

무엇이라 했으면

바-아/방으/방-으 방에
바아로 밧줄을
벨로 별호로

사라-/사라-앙 사랑방에
신촌 신체는

아달로 아들을
알로 아래로
어데 어디에
어데가/어데서 어디에서
어데르 어디를
여거는 이것은
여게 여기에
여기사 여기야
여까정 여기까지
여-는/여어는 여기는
여-라꼬 여기다
열로/열-로/일-로 여기로
요고만-한 요것만한
요게 요기에
요-다 요기에다
우라 위라
우에 위에
울로 위로

으드로 어디로
언자는/언자아는/은젠 이제는
이거를 이것을
이기/이기가 이것이
이긴/이긴-/이-는 이것은
이-도 이것도
이때끔 이때까지
이미에 의미로
일로 이리로

자-아 장에
저가 제가
저게/조-게 저기에
저기/즈기/즈기- 저것이
전자-/전자아 전에
절로/절루 저리로
조게서/조-서 조기에서
졸-로 조리로
지끔꺼증 지금까지
지하-서 지하에서
질가에거덩 길가이거든
집으는 집은
쭈로 줄을

첨무이는 처음에는
총각안 총각은

터이끄네 터이니

푸로 포대로
하기로 하기를
헌장으서 현장에서
흘로 흙으로

2) 용언

1. 아래 〈기〉는 '기본형'을 가리킨다.
2. 활용형의 쓰임새가 다양한 용언은 어미나 보조 용언이 결합한 형태를 모두 예시하기로 한다.
3. '~가주고'나 '~뿌고' 등의 보조 용언이나 특정 어미가 결합하면서 어간이 함께 변하는 용언들은 그 활용형을 모두 예시하기로 한다.
4. 표준문법에서 규정한 규칙 및 불규칙 활용의 범위를 벗어나는 불규칙 활용의 예는 모두 예시하기로 한다. 예) 더버서 : 더워서

가-가다/가-가여/가아가이끄네/가아갔어/가주가라/가주가이/가주갈라이/가주-가가주고/가주가거라 〈기〉가져가다
가겠노/가구로/가꼬/가든교/가디이만은/가만/가문/가믄/가믄예/가민서름/가뿌고/가뿌드라/가시가주고/가여/가이께/가이끄네/가이끼네/가이끼네르/가이소/가인끼네/가입시더/갈란가/갑시더/갔나/갔는/갔는가믄/갔으먼 〈기〉가다
가라아/가라-/가라가/가라기나/가리 〈기〉가리다
가르켜주거든/가르키주고/갈아/갈차/갈치/갈키다 〈기〉가르치다
가아가주/가아올/가오니/가주오고/가주오구르/가주오다/가주오다가/가주오두룩/고-오다/고와가주고 〈기〉가져오다
가일 〈기〉(아기를)가지다
가줍다 〈기〉가깝다
간주름하이/간주름-히 〈기〉가지런하다
갈리가주고/갈리갖고 〈기〉갈리다
갔다오이/갔다오이끼네 〈기〉갔다오다
강해가 〈기〉강하다
갖차는 〈기〉갖추다
같으마/같으만/겉고/겉겠나/겉다/겉으마 〈기〉같다

개얍기도/개얍은/개잡 〈기〉가볍다

거릉짓다 〈기〉어룽지다

거머지고 〈기〉거머쥐다

건니다보믄/건니다보이께네 〈기〉건너다보다

건딜이만 〈기〉건드리다

건지야/껀지/껀지는/껀지야/껀지지 〈기〉건지다

걸리가주고/걸랐으이까/끌그가/홀끼가 〈기〉(발에)걸리다

걸리고/걸맀제 〈기〉걸리다(건게 하다)

걸리야 〈기〉(시간이)걸리다

걸었는 〈기〉(내기를)걸다

게아내뿌고/게와내고/게와내도/게와내-도/게와내믄/게와내이끄네/게와낼라꼬/게와냉-인/기아/기와 〈기〉게워내다

계싰다/기싰는데 〈기〉계시다

고아가주고 〈기〉고다

곤치도 〈기〉고치다

공가온 〈기〉쌓아오다

괘않단다/괘않더란다/괘않은데 〈기〉괜찮다

구부러지가 〈기〉널브러지다

구불고/구불러가/구불러가주고 〈기〉구르다

구시고 〈기〉구수하다

굼진 〈기〉구비지다

그라기/그라다/그란다/그르노/그자/그제 〈기〉그러하다

글그치면 〈기〉걸리다

급하이끄네 〈기〉급하다

기/기-/기미 〈기〉기다

기두린다/바랐꼬/바래고/지다려도 〈기〉기다리다

기맀노 〈기〉(그림을)그리다

길겁기고 〈기〉즐겁다

까래비/까래비-/까래비가/까래뿌거든/까래뿌이끄네/까래삐거든/끄래비믄 〈기〉할퀴다, 파다

까지고 〈기〉파이다

깨끄맣게/깨끄바시/깨끄반/깨-끗하이 〈기〉깨끗하다

깨비는데/깨비드란다 〈기〉(잠을)깨우다

깨이깬/깨이끄네 〈기〉(잠을)깨다

깰라꼬 〈기〉(항아리를)깨다

꺾다가가 〈기〉꺾어지다

껌은/껌운 〈기〉검다

꼬아가다가 〈기〉꼬셔가다

꼴라 〈기〉꼬다

꼽아 〈기〉꽂다

꼽히가/꼽히디만은 〈기〉꽂히다

꿇리 〈기〉꿇리다

끄내가 〈기〉꺼내다

끄시고/끌미 〈기〉끌다

끼났단다/끼라가주고/끼르고/끼르면/끼이끄네/낄아-/낄아가주고 〈기〉끄르다

낄이/낄이-가/낄이이/낄이이끄네/낄이잖아/낄인다꼬/낄일라꼬/낄있다/끓이 〈기〉끓이다

나가싰는데/나가이끄네/나가제/나갈라꼬/나갔제 〈기〉나가다

나사가/나사가주고/낫사/낫사가/낫사요/낫샀어요 〈기〉(병이)낫다

나사가주고/나사아가/나사았으이 〈기〉(병을)낫게 하다

나아/노세/논데이/놔-/놔-가/놔가주/놔이끄네/놨-는데/놨데 〈기〉놓다

나안/낳아가/낳아-니/낳았는/낳았으니끼네/놓고/놓겠노/놓는데/놓더란다/놓만/놓을라/놔 〈기〉낳다

나오가주고/나오먼/나오시소/나오이/나오이끄네/나온대이/나올라/나옵니대이/나와서르/노오겠노/논다/놀 〈기〉나오다

난-정한 단정하고 조용하다

날라가구로 〈기〉날아가다

날라댕기고 〈기〉날아다니다

남깄다 〈기〉남기다

남안 〈기〉남다

납둬라 〈기〉내버려두다

납딱-한 〈기〉납작하다

낫어 〈기〉낫다(더 좋다)

내-가 〈기〉(겁을)내다

내긋고 〈기〉내리긋다

내려오디이만은/내리오는/니러오는/니러오미/니러오이/니러올라/니러왔더라/니려오디만은/니려왔는데/니리오는/니리오가주고/니리오니/니리오먼/니리오이꺼네/니리온다/니리올/니리와/니리와가주고/니리와서/니리와여/니리왔는데 〈기〉내려오다

내리가/니려갔지 〈기〉내려가다

내리다보니/내리다보면/니라다보이 〈기〉내려다보다

내만/내잉/내잉-/내잉끄네/냈는 〈기〉내다

내비리/내비리뿌고/내비리뿐다/내삐리/내삐릴/내삐리야 〈기〉내버리다

내우한다꼬 〈기〉내외하다

너푸리-하이 〈기〉너풀너풀하다

널찌가/널찌거든/널찌는/널찌이 〈기〉떨어지다

넘기주다 〈기〉넘겨주다

넙떡한 〈기〉널찍하다

노다가/노던/노자/놀그든/놀마/놀아뿌이께 〈기〉놀다

노련 〈기〉노랗다

녹카아 〈기〉녹이다

놀래/놀래가/놀래가주고/놀래이께/놀랬구만/놀랬는데 〈기〉놀라다

높기/높으게/높으요 〈기〉높다

누린다/눌려/눌리 〈기〉누르다

누부/누부가/누부소 〈기〉눕다

눈물지이 〈기〉눈물짓다

눞아믄/닙히뿌가주고 〈기〉눕히다

늦까/늦까- 〈기〉늦다

니라/니라-가주구/니라-주드라꼬/니러서/니리는데/니리니끄네/니리니끼네/니리다 〈기〉내리다

다가더라꼬/다가이까다가다/드가/드-가/드가가/드가가주고/드가고예/드가기는/드가는/드가다/드가더래/드가도/드가믄/드가뿄는/드가뿄다/드가서/드가이/드가제/드가지/드간다/드갔는/드갔으이 〈기〉들어가다

다닜어요/댕기고/댕기미/댕기쌓드라꼬/댕기지만은/댕길/댕깄는데/댕깄다 〈기〉다니다

다다/다라꼬 〈기〉(맛이)달다

다루드란다/다룬다 〈기〉(애를)태우다

다마락/다마로/따마로 〈기〉달리다

다지가/다지가주고 〈기〉다지다

달가빼민시늠/달아빼민시늠/달아빼뿄다 〈기〉달아나다

달라드이/달라든다 〈기〉달려들다

달아-내가 〈기〉달아내다

담끼가/댐기/댐끼가 〈기〉담기다

당가 〈기〉담그다

닿으이/대마/대만/대이/대지/댄 〈기〉닿다

대든기 〈기〉들키다

댕겨온너라/댕기오끼요/댕기올게요 〈기〉다녀오다

댕기/땡기는/때리라 〈기〉때리다

댕기는/땡기가 〈기〉당기다

더부다준다 〈기〉데려다주다

더불 〈기〉덥다

덮아가 〈기〉데우다

데굴러지제 〈기〉뒹굴다

데꼬/덴꼬/델꼬/드꼬/듣꼬/들꼬/들러/디리고 〈기〉데리다

도고/돌라/돌라꼬 〈기〉(무엇을)달다
예) 책을 도고. : 책을 다오.

돌아가샀을 〈기〉돌아가시다
돌아댕기느라/돌아댕기다가 〈기〉돌아다니다
돌오가/돌오는/돌오더란다/돌오드란다/돌오디이만/돌오미/돌오미스름/돌온/돌와가/돌왔는데/돌왔다/들오는/들오면은-/들오이/들오이끼네/들욌기나/들우오가/들-와서 〈기〉들어오다
동티 〈기〉동이다
되구로/되구로인/되는강/되두록/되마/되먼/되믄/되이/되이끄네/되있으니/될라/될랑가/돼가/돼가예/돼가주고/돼아 〈기〉되다
두두록 〈기〉(바둑을)두다
드르바 〈기〉더럽다
드리미/딜이가주고 〈기〉(불공을)드리다
드이끄네 〈기〉(짐을)들다
듣기고/듣기나/들리이 〈기〉들리다
들꼬/들었그만/들었제/들으끈데/들이마/들일 〈기〉듣다
들라/들라라/들라아/들으느이끼네/딜라/딜이고/딜이라/ 〈기〉들이다
들씨이끄네/들씨이-끼네 〈기〉들추다
들앉아/들앉은 〈기〉들어앉다
디-/디가/디기는/디다/디다꼬요/덴/디-여 〈기〉되다, 힘들다
디비/디비는/디비이끄네 〈기〉뒤지다, 뒤집다
디지고/디지면 〈기〉뒈지다
디체가주고/디치/디치가주고 〈기〉대다
딩가가 〈기〉(불을)당기다
따듬어/따듬어서 〈기〉다듬다
따러/따로/따린다 〈기〉따르다
따시고/따시드라 〈기〉따뜻하다
땪아 〈기〉닦다
딸리 〈기〉(힘이)달리다
때리 〈기〉때리다
떠가/떠가-/떴는/뜨/뜨가 〈기〉뜨다
떠내리가먼/떠내리가미/떠니리가고 〈기〉떠내려가다
뚜디리/뚜디리고/뚜드리먼/뚜드리만 〈기〉두드리다
뚤버졌습디꺼 〈기〉뚫어지다
뛰-나여/뛰-나-여/띠-나오미 〈기〉뛰어나오다
뛰어오드이/뛰이오드이/뛰-오디만 〈기〉뛰어오다
뜨거버가/뜨거분/뜨겁노 〈기〉뜨겁다
뜯으이/뜯으이끼네 〈기〉뜯다
띠-가 〈기〉뛰다
띠-가/띠드란다/띠이 〈기〉떼다

마고 〈기〉말다
마촐 〈기〉마치다
만내가/만낼라꼬/만냈어 〈기〉만나다
만치이는데도 〈기〉만져지다
말기는 〈기〉말리다
망애/망애뿌가/망애뿌드란다/망앴다/망앴으요 〈기〉망하다
맞차 〈기〉맞추다
맞히가/맞혀서 〈기〉맞히다
맨드는/맨들/맨들어/맨들었다/맨들은/맨들을라 〈기〉만들다
맨들아지거든 〈기〉만들어지다
맬가이/맬-가이/맬가히/맬-가히 〈기〉말끔하다
맺킨 〈기〉(한이)맺히다
머-다 〈기〉멀다
멀라고/멀라고- 〈기〉무엇하다
모다/모다가/모다가주구/모아가/모아가주고/모았는 〈기〉모으다
모다가/모여-캉/모이겠나/모이가주고 〈기〉모이다
모로고/모르더라꼬/모리겠고/모린다 〈기〉모르다
모시/모싰나/모싰다 〈기〉모시다
모지란다/모지랠 〈기〉모자라다
모한/모한다/몬하다/몬하요/몬해지고/몬해지지 〈기〉못하다

몰리가/몰리가주고 〈기〉몰리다
무-라/무만/무-먼/무-면/무-뿌고/무뿄다/무뿄으니/무-야/무울/무울라꼬/무우러/무으러/무은/무-을/묵고/묵그든요/묵노/묵는/묵던/묵으면/묵으야/묵으예/묵을라꼬/묵지/문/물라/뭈-는공/뭈-다/뭈-는데/뭈다 〈기〉먹다
무서바/무숩겠다/무습드라/무시라 〈기〉무섭다
문대뿄으니 〈기〉문지르다
묻히가/묻히-가 〈기〉묻히다
물또 〈기〉(흙이)묻다
뭉뚱뭉뚱하이 〈기〉뭉텅뭉텅하다
뭉치가 〈기〉뭉치다
미고 〈기〉메다
미-고/미-러/믹이/믹이가/믹이고/믹이고-/믹이민/믹이야/믹인다요/믹있는/믹있데요 〈기〉먹이다
미긴 〈기〉매기다
미뤘다 〈기〉미루다
미바서/미버/미부서 〈기〉밉다
미안은데 〈기〉미안하다
민하고/민해가주고 〈기〉면하다
밀치 〈기〉밀치다

바끼요/바낐다 〈기〉바꿔다

받알/받으소 〈기〉받다
받치 〈기〉받치다
발-가히 〈기〉발갛다
발래가지고 〈기〉바르다
발리가 〈기〉발리다
밝히-도 〈기〉밝히다
배기가주구/배깄나/백히가 〈기〉박히다
배와가지고/배완 〈기〉(글을)배우다
뱃게벗고/빨가벗고 〈기〉발가벗다
버릴라꼬/베리고/베릾고/베릾다꼬 〈기〉(세상을)버리다
벌꿈하이/벌꿈한 〈기〉휑하다
벌리가 〈기〉벌이다
벌이무러 〈기〉벌어먹다
벌이믄 〈기〉(돈을)벌다
베끼가/비깄다 〈기〉벗기다
보께요/보디이만은/보로/보래/보마/보소/보이까/보이께네/보이끄네/보이끄네르/보이끈/보이끈데/보이께/보이끼네/보이내꼬/보이소/보입시더/봤으만은/봔/봤는/봤대이/봤으먼예/봤으믄요 〈기〉보다
보내일 〈기〉보내다
보오한/보-한 〈기〉뽀얗다
볼가지고/뽈가지 〈기〉불거지다
부우/부우뿌고/부운 〈기〉붓다
부칬거든 〈디〉(밭을)부치다
불아/불아지 〈기〉불리다
붙들리/붙들리가 〈기〉붙들다
빘거든/삐치거든 〈기〉비치다
비-/비-나/비는/비-는/비는데/비-데요/비-도/비-드라/비-요/비이고/비이그든/비이는/비이데요/비인다/비일라/비일라꼬/비입니다/빌라꼬 〈기〉보이다
비-가예/비다가/비이가/비지가/비지가주고 〈기〉베다
비노/비이 〈기〉빌다
비주는 〈기〉보여주다
빈하도 〈기〉변하다
빠지가/빠지가주고/빠짔고 〈기〉빠지다
빼냈는 〈기〉빼내다
빼이/빼이는데/빼이드라/빼가주고 〈기〉빼다
빨-간/빨갠/빨근 〈기〉빨갛다
뺏끼뿌고/뺏끼뿠다/빼낐다 〈기〉빼앗기다
뺏들라꼬/뺏들어가 〈기〉빼앗다
뿌싸/뿌쑤이께네/뿌쑨다요 〈기〉부수다
뿌싸아지뿌믄 〈기〉부서지다

사가/사가주고/사야/샀으면 〈기〉(입이)싸다
사가 〈기〉(보따리를)싸다
사끄/사는공-/사다가/사-을/사이/사이끄네/살미/살았는/살은/살읐는 〈기〉살다
사우고 〈기〉싸우다
사핼치도 〈기〉몸부림치다
살피보니 〈기〉살펴보다
삼아가주고 〈기〉삶다
새와 〈기〉(밤을)새우다
새키면서 〈기〉생각하다
생각해보이 〈기〉생각해보다
생기/생깄는/생깄그든 〈기〉생기다
서가-/새와/세와/세왔는데/시아/시아가/시아가주구/시아고-/시알라/시았어예/시와/시우다/시있습니더 〈기〉세우다
서이/시고 〈기〉서다
섞끼 〈기〉섞이다
섰겠지/섰다 〈기〉(묘를)쓰다
소봉한 〈기〉소복하다
속끄랐어/속까랐는데/속끄랐는/속끄라/속끄라가 〈기〉솟아나오다
솟꾸이-끄네 〈기〉솟다
수분/숩다 〈기〉쉽다
숭가아/숭가도오/숭가도/숭구고/숭구는/숭글/숭구미 〈기〉심다
숭키이/숭켜/숭키/숭카/숭껴 〈기〉숨기다
숭퉁바서가주구/숭퉁받치/숭충바슨/숭퉁밭은 〈기〉음흉스럽다, 흉측하다
시기/시기거들렁/시기-들랑/시기일라고/시긴-/시길-라꼬/시키/시키가주고/시키이/시킸든/씨기/씨기는/씨깄그든 〈기〉시키다
시러지고/시러진다 〈기〉쓰러지다
시려바/시려바서 〈기〉시리다
시부리 〈기〉떠들다
시뿌/시뿌거던/시푸 〈기〉시답잖다
시쌓는데 〈기〉해대다
시아라 〈기〉(말을)세우다
시이가 〈기〉쉬다
시있든 〈기〉(힘이)세다
시작애가주고/시작애민시름/시작읐는데 〈기〉시작하다
시크벙-한 〈기〉시커멓다
실코/실꼬 〈기〉싣다
싱기/싱깄는 〈기〉섬기다
싶아도/싶우드메/싶으고/싶으다/싶으드메/싶으디/짚다/짚아서 〈기〉싶다
쌔카마히/쌔-카마히 〈기〉새카맣다

쌔파란 〈기〉새파랗다
썩도 〈기〉썩다
쓰이가/쓰이가예 〈기〉쓰이다
씨고/씨두룩 〈기〉쓰다
씨껐는가봐/씻거가/씻그고/씻그이/씻글라꼬/씻꺼/씻꺼다/씻끄니끼네/씻끌라꼬 〈기〉씻다
씨담아가주 〈기〉쓰다듬다

아까븐 〈기〉아깝다
아바라꼬 〈기〉덮다, 오그리다
아사주이끄네 〈기〉안겨주다
아숩다- 〈기〉아쉽다
아이/아이가/아이거든요/아이겄나/아이드라/아이라/아이라도/아이먼/아이면/아이요/아이지/아인/아인요/아입니꺼/아잉강/아잉교 〈기〉아니다
안하고 〈기〉않다
얇아가주고 〈기〉(궤를)만들다
애민 〈기〉억울하다, 엉뚱하다
얄구지라/얄궂더란다/얄궂드라/얄궂드메-/얄궂든/얄궂습디더/얄궂은 〈기〉얄궂다
어두바서/어두버가주고/어두부이께 〈기〉어둡다
어불리가주구 〈기〉어울리다
얼롱지라꼬 〈기〉얼룩지다
업데 〈기〉업다
없느냥/없드란다/없어예/없으이/없으이끼네/없이야/없이지는데/없제/음뜨라/음뜨라꼬/음서가/음시 〈기〉없다
없어지가/없어짔고 〈기〉없어지다
에롭혔다꼬 〈기〉괴롭히다, 어렵게 하다
엥간하면 〈기〉여간하다
여-가주고/여-야/여-믄/옇거든/옇그든/옇-면/옇어/옇어가/옇어놓으만/옇어다가/옇어도/옇어라/옇어면/옇어야/옇어준/옇어주면/옇야 〈기〉넣다
여다 〈기〉(물을)이다
여이끼네/여이끼니 〈기〉열다
열겁을 해가 〈기〉질겁하다
오가/오가주고/오거덩/오기야/오께요/오노/오니끼네/오드라꼬/오드이/오디만은/오디이만은/오라/오만/오믄/오민시/오소/오시가주고/오시므는/오실라/오실랑강/오싰노/오싰다-/오야/오요/오이/오이까/오이끄네/오이끼네/오인끼네/오일끄네/온나/올라/왔는/왔는데/왔다/와가주고/와서/와시가주고/와-싰

는/와이/완 〈기〉오다

올로오고 〈기〉올라오다

올리가/올리먼은/올래라/올리도고 〈기〉올리다

올리가라 〈기〉올라가다

옳기 〈기〉옳다

욍기라 〈기〉옮기다

우쑵더라/우습드라/웃싰다/윗지 〈기〉웃다

우요/우-요/우지/우이끼네 〈기〉울다

이라다/이라드이만/이라이/이란다/이래믄/이래여/이리/이라/이랬는데/이러큼/이라는/이라드라/이랄/이래가/이래여/이랄 〈기〉이러하다

이만-은 〈기〉이만하다

이쁜공 〈기〉예쁘다

익하가주고 〈기〉(불에)익히다

일나겠드란다/일라/일라가/일라거든/일라고/일라도/일라라/일라라꼬/일라란다/일라소 〈기〉일어나다

일바끄이끄네/일바끼/일바낀다/일바낄 〈기〉일으키다

일우고 〈기〉(글을)읽다

잃아뿠다/잃아-뿠다 〈기〉잃어버리다

입히가 〈기〉입히다

있드라/있드메/있디만/있습니꺼/있습디꺼/있었는 〈기〉있다

잊아뿌가주고/잊아뿌고/잊아뿌랐어/잊아뿌서/잊아-뿌지/잊아뿠다/잊아-뿠어/잊아뿠지요/잊어뿌랐다 〈기〉잊어버리다

자미/자민서/자이/자인끄네 〈기〉자다

자시는데요/잡숩고 〈기〉잡수다

잘모했다/잘몬했다 〈기〉잘못하다

잡는공/잡을라꼬/잡을라 〈기〉잡다

잡히가주고/잡히갈 〈기〉잡혀가다

재아는/지아는 〈기〉(잠을)재우다

재이가/징구고 〈기〉쟁이다

젓시갖고/젓시가 〈기〉젓다

젖치고 〈기〉젖히다

젼데 〈기〉(해가)지다

젼디가 〈기〉견디다

조-/조오/조오/조-오가/조운/좄는/주시 〈기〉줍다

조-라/주-가/주가주고/주까/주꾸마/주끄마/주데/주도/주라/주믄/주민시름/주야/주-야/주이/줄라꼬/줄라면/좄는/좄는강-/좄다/좄으마/좄으면 〈기〉주다

존/좋기/좋나/좋는게/좋대이/좋안/좋으니까네- 〈기〉좋다

주무시싸/주무지난꼬 〈기〉주무시다

죽기에/죽노/죽어두/죽었으이/죽우도/죽우/죽으만/죽으먼/죽으믄/죽을라꼬/죽으뿌맀어/죽우뿌믄/죽으뿌이끼네/죽우뿌는/죽우뿌고/죽우뿌/죽우뿌이끼네/죽우뿌는데/죽우뿄는 〈기〉죽다

죽이도/죽있다/쥑이/쥑이고/쥑인다고/쥑인다꼬/직이/직이이/직있는/직있는데/죽이뿌리는/직이뿐/직이뿔라꼬 〈기〉죽이다

지-/지-가/지-도/지러/지인/질/지았다꼬/지이가/지일/지있는/지있는데/지있으만/짔-다/짓습니꺼 〈기〉(이름을)짓다

지-가주고/지이/지이가주고/지이고/지이마/지이면은/지마-/지믄/지일/지있느/질라/짔고/짔-다 〈기〉(집을)짓다

지-게/징해/징히 〈기〉느리다, 길다

지내/지내고 〈기〉지나다

지내가서 〈기〉지나가다

지내오일끈데 〈기〉지나오다

지낼라꼬 〈기〉지내다

지다/진데/질고/질다/질으가주구 〈기〉길다

지미 〈기〉(청승을)짓다

질기는 〈기〉즐기다

질렀는동 〈기〉(소리를)지르다

징키고/징키라-/징키만 〈기〉지키다

징해 〈기〉정하다

짚으는/짚은 〈기〉깊다

짭다/짭답니다/짭답니다 〈기〉짜다

째가 〈기〉찢다

쪼깨난/쪼깬할/쪼만한/쪼만-한/쪼매/쪼매-/쪼매끔-할/쪼매-는/쪼매-코/쪼맨할 〈기〉조그마하다

찌-/찌고 〈기〉 끼다

찌가주고 〈기〉(떡을)찌다

찌이가/친- 〈기〉끼이다

찍으가 〈기〉(사진을)찍다

찔리/찔리가 〈기〉찔리다

찡가다/찡가-제 〈기〉끼우다

찢이가 〈기〉찢다

차다이끄네/차다이끼네/찾으이 〈기〉찾다

채가/채가주고/채믄/챈/취했는공 〈기〉(술에)취하다

채리/채리가/채리가주고/채리고/채릴까봐/챌리-가 〈기〉차리다

챌리고 〈기〉차려지다

추부/추분/칩어가 〈기〉춥다

추주비/추줍다꼬/추줍으면 〈기〉추접하다

치/치가/치도/치이/치이깐/치이끄네/칬는데/칠라 〈기〉치다

치다보이/치다본 〈기〉쳐다보다

치아/치아고/치안다/치았지만/치왔다 〈기〉치우다

카고/카거든/카그덩/카그든/카근데/카길래/카나/카냐이끼네/카냐면/카네예/카느냐/카는/카는고/카는데/카니끼네/카다/카다가/카데/카도/카드나/카드노/카드라/카드라고요/카드란다/카드랍니더/카드만/카든강/카든데/카듯이/카라/카마/카만/카먼/카면은/카믄/카미/카민시/카민시늠/카민시름/카이/카이깐/카이께/카이께네/카이끄네/카이끼네/카이끼네르/카제/카지/카지만은/칸다/칼/캅디까/캅디꺼/캅디더/캄/캐/캐가주고/캐노믄/캐도/캐라/캐쌓아서르/캐서/캐이/캔/캤그든/캤나/캤는데/캤다/캤으먼 〈기〉~라 하다

컴커무리한데/컴커무리-한데/컴컴-무리-한데 〈기〉어두컴컴하다

크다히/크다-히/크단-은/크단-코/크-단코 〈기〉커다랗다

크더랍니더/클라/컸대이 〈기〉크다

큼-직하이 〈기〉큼직하다

키아가/키안다 〈기〉키우다

탈려 〈기〉타다

태와가 〈기〉태우다

태히가/태히가주고 〈기〉타게 되다

터듬-하이 〈기〉털털하고 수더분하다

틀랐는가 〈기〉틀리다

티이 〈기〉튀다

팅가그든 〈기〉(길을)트다

파이네요/파이다/파이라/파이제 〈기〉좋지 않다

팔라/팔만은 〈기〉팔다

팼-어요 〈기〉(꽃이)피다

퍼리벙범하이 〈기〉널찍하고 평평하다

펀-펀하이 〈기〉편평하다

풀어주이소/풀우주마/풀어주꼬/풀어주요/풀우주-마/풀우주라꼬 〈기〉풀어주다

피가주고/피고/피는데/피니/피-/피-도/피두룩/피드란다/피든데/피라/피러/피이/핀다/핀단게요/핀-데 〈기〉펴다

피이는데/피이는 〈기〉펴지다

핀-한데 〈기〉편하다

하기/하까-/하꾸마/하꾸메/하나먼/하누메/하데/하든강/하든고/하디이만/하로/하만/하먼/하믄/하민시늠/하이/하이께네/하이소/하자만/할랑가/합디꺼예/해가/해라꼬/해래이/핸/했노/했시믄/했심더 〈기〉하다

학실히 〈기〉확실하다

한정이거든 〈기〉한정없다

해칠해서 〈기〉해코지하다

헐으만 〈기〉(값이)싸다

호매- 〈기〉헤매다

홀끼/홀끼가/홀낀 〈기〉홀치다

홀끼/홀끼가주고/홑치서/홀끼가/홀리가/훗치인/훗칬-다 〈기〉홀리다

홀끼가/홀끼가주고 〈기〉얽매이다

후찌끼이 〈기〉쫓기다

훌낀 〈기〉매이다, 걸리다

훗차가/훗차이끼네 〈기〉쫓다

훗차가다가/훗차가이끼네/훗차갔는 〈기〉쫓아가다

흩치가 〈기〉흩어지다

희한은 〈기〉희한하다

히끄무리하다 〈기〉희뿌옇다

히밟아 〈기〉짓밟다

히이지나 〈기〉하얘지다

2-1) 보조용언

~가-/~가지고/~갖고/~가주구~서 예) 홀끼가주고(홀려서)

~ㄴ가 부드라 ~ㄴ가 보더라 예) 묹-는가 부드라(먹었는가 보더라)

~ㅂ갑다 ~가 보다 예) 갔는갑다(갔는가 보다)

~큳고/~큳든교 ~거리다 예) 어른큳고(어른거리고)

~나서르 ~나서 예) 먹고나서르(먹고나서)

~나이/나이께 ~나니 예) 가고나이(가고나서)

~놘/~놨든지/~놨든교/~놨구메/~놨든동/~노니께네/~나이/~놓드라꼬/~놓이께/~놓이끼네/~놓고/~놔안/~놓이끄네/~노다/~논/~놀/~놓으마/놓으믄/놓-먼/~놔-가/~놔도/~놔-두/~놔느이껜/~놔이끄네 〈기〉~놓다 예) 놔-논(낳아 놓은)

~뿌고/~뿌믄/~뿌리야지/~뿌이꺼네/~뿄제/~뿌리먼-/~뿌리고/~뿌서/~뿐다/~뿄나/~뿄는데/~뿌기주고/~뿐/~뿌라/~뿄는/~뿐지면/~뿌맀으이끼네 〈기〉~버

리다 예) 비이뿌고(베어버리고)

~싶으드라/~싶으여/~짚다/~짚아여/~짚어가주고 〈기〉~싶다 예) 들꼬 짚어가주고(듣고 싶어서)

~쌓-이/~쌓여/~쌓아/~쌓드나/~쌓드라/~쌓더나/~쌓제/~쌓니까/~싸미/~쌓이께/~쌓더란다 〈기〉~대다 예) 캐싸이(~라고 해대면서)

~줬는/~줬드만/~주었다꼬 〈기〉~주다 예) 맨들어주었다꼬(만들어주었다고)

3) 조사와 어미

~(거)덩 ~(거)든

~(ㄴ)공? ~(ㄴ)가?

~(ㄴ)교?/~(ㄴ)교-이?/~(ㄴ)교-잉? ~습니까?

~(ㄴ)동, ~든동 ~(ㄴ)지

~든게? ~더냐?

~(니)더 ~(니)다

~(데)예 ~(데)요

~(ㄹ)라 ~려고

~(ㅆ)끼나 ~(ㅆ)거나

~가 ~서

~거들랑 ~거든

~구르/~구로 ~게

~구메 ~구먼

~긑고 ~거리고

~기 ~게

~까이/~까익/~까증/~꺼정/~꺼증 ~까지

~깡/~캉 ~랑(~와)

~꺼? ~까?

~꺼네/~께네/~끄네/~끼네/~끈데 ~니(까)

~꼬 ~고

~꾸마/~꾸매 ~마

~나? ~느냐?

~노? ~나?, ~니?

~다요 ~대요

~대이 ~다

~두 ~도

~두룩 ~도록

~디만 ~더니만

~로 ~러 예) 일하로 : 일하러

~로 ~을(를)

~마/~만/~믄/~먼 ~면 예) 하믄 : 하면

~마중/~마즉 ~마다 예) 해마중 : 해마다

~마히/~만이/~만치/~만침 ~만큼

~맨치(로)/~맨이(로)/~맨쿠로/~머이로/~매이로/~매이론 ~처럼
~면서르/~민서/~민시는 ~면서
~미 ~며, ~면서
~백이/~백에 ~밖에
~보담 ~보다는
~부텀/~부텅 ~부터
~시늠 ~서는
~시늠/~시름/~서름/~서르 ~서
~심더 ~습니다
~(ㅆ)다요 ~(ㅆ)습니다
~아/~으 ~어
~아여 ~어서 예) 싫아여 : 싫어서
~았는 ~은(ㄴ)
~우드메 ~더라 예) 싫우드메 : 싫더라
~으는 ~에는
~으서 ~에서
~이 ~니
~이까/~이끄네/~이끼네 ~니까
~이깐 ~니까는
~인 ~은
~제? ~지?
~카마/~캄 ~보다
~카이 ~니까 예) 있다카이 : 있다니까
~한데/~핸데 ~한테

4) 부사

가마히 가만히
각중에 갑자기
간주름히 가지런히
같끼 같이
거꾸리/꺼꾸리 거꾸로
건둥건둥 건중건중. 긴 다리로 가볍게 걷는 모양
겁나게 매우 많이
게우 겨우
결국적으로 결국
고마 그만
고지 곧이곧대로
그라고 그리고
그라기/그럭/그렇기/그르키이/글키 그렇게
그라믄/그러만/그러면은/그르만/그르믄/그-면/그믄/고로면 그러면
그라이끼네/그러이끼네/그르이끼/그러니꺼네/그러구로끼네/그-까 그러니까
그람 그럼
그래서를 그래서
그러이/그르이/그리이 그러니
그러치 그렇게
그르구로 그러구러

그름시늠- 그러면서
그리도 그래도
그양/기양 그냥
그진 그전
까딱 가득
꽁추 꽁꽁
꽈-키/꽉히 과하게, 지나치게
끈끈히 꿋꿋이

날름 낼름
내- 내내

다부 다시
단디 단단히, 똑똑히
달달이 다달이
대반에/대분에 대번에
도골 굴러 넘어지는 모양
디기/디기- 매우
때리/쌔리 막무가내로

마자 마저
마히/만- 많이
매치 막
맬가히 말끔히
머혀/먼이/먼지 먼저
모다/모도 모두
무주건 무조건

바루/바리 바로
밤새두룩/밤쌔-도록 밤새도록
분며-으 분명히
분밍 분명
빼쭈리 문을 슬그머니 조금 여는 모양
뿌시리 부스스
뽈뽈뽈뽈 춥거나 두려워서 몸을 떠는 모양
삐뚝삐떡 비틀비틀

사푼사푼 사뿐사뿐
살꾸마 살짝
살째-기 남몰래 조심스럽게 하는 모양
실- 드러나지 않게 슬그머니
쌍사이/쌍사히 상세히
세게/쎄기/시게 빨리

아익/안익/안주/안즉 아직
암따나 아무렇게나
암만 아무리
어느듯이 어느덧
어뜨키/어특케 어찌나
어뜩 빨리
억수로/윽-수로 아주 많이
언쑥 원체

얼른얼른얼른 어른거리는 모양
얼매나/월매나 얼마나
업부가 여북
영폴 영판
와 왜
요마꿈 요만큼
우애/우에/우째 어떻게
우야튼 어떻든
우이 어찌
이라면/이라믄 이러면
이러이까 이러니까
이르/이르구 이렇게
인제야 이제야

자프닥 덥석 움켜잡는 모양
장- 그대로
전히 전혀
정싱껏 정성껏
즐때로 절대로
지북 제법
짜드락 한꺼번에 쏟아내는 모양
쪼깨이 조금
쪼매인따나/쪼맨따나 조금이나마

차꾸/차-꾸 자꾸
츠-악 길게 늘어진 모양

콰-히 과연

트북트북트북 터벅터벅터벅
틀컥 무엇에 걸릴 때 나는 소리

하두 하도
하이튼/하튼 하여튼
학실히 확실히
한-그/한바띠기/한-바띠기 한가득
함부래 미리
항시 항상

5) 어구

겉드란다 것 같더란다
겉디만 것 같더니만
겉이 것 같이
그라데 그렇게 하데
그라먼 그렇게 하면
그래싸여 그렇게 해대서
그래임따나 그렇게 있을 바에야
그카고 그렇게 하고
그카곤 그렇게 하곤
그카그든 그렇게 하거든
그카는교? 그렇게 해요?
그카다 그렇게 하다가

그카이끼네 그렇게 하니까
그캄-시늠 그렇게 하면서는
그캅시더 그렇게 합시다
그캐 그래, 그렇다고 해, 그렇게 해
그캤으만 그렇게 했으면
근- 데 그런 데
글-아믄 그렇지 않으면
끄다갈꼬 끌어다 갈까

봔 겉다 본 것 같다

아이꼬 야꼬 아이고 어떻게 할고
안 된다이가 안 되지 않느냐
어뎄느냐 어디에 있느냐
어딨노/어딨는교 어디 있느냐
우애가 어떻게 해서
우애끼나 어떻게 해서든지
우애라- 어찌해라
우앴냐 어떻게 했느냐
우야꼬, 우짜꼬 어떻게 할까
우야끼나 어떻게 해서든지
우야노 어떻게 하느냐
우얀다 어떻게 한다
우얄 어떡할, 어떻게 할
우얄라 어떻게 하려고
우이뜬 어찌 됐든
우짜먼 어떻게 하면

이카거덩/이카거든/이카그덩/이카그든 이렇게 하거든
이카고 이렇게 하고
이카노 이렇게 하느냐
이카는 이렇게 말하는
이카데 이렇게 하데
이카데예 이렇게 하데요
이-카드라/이카드라(꼬) 이렇게 하더라(고)
이카미 이렇게 하면서
이카시는 이렇게 하시는
이카시면 이렇게 하시면
이카이/이카이끄네 이렇게 하니
이칸다 이렇게 한다
이캐가주고 이렇게 해서
이캤거든 이렇게 했거든
이캤는 이렇게 했던
이캤다 이렇게 했다
이캤드니 이렇게 했더니
있노이끼네 있느냐 하면

쟈 저 아이
저카노 저렇게 하노
저카는고 저렇게 하는고

첫 질 첫 번째로
해야는 해야 하는

6) 기타

가가? 그 아이냐?

그키 그렇지 (감탄사나 간투사로 쓰임)

내나 간투사의 일종

온-야 오냐

9-2. 방언목록2(표준어-방언)

1) 체언

가격 가객
가마 가매
가마니 까마이
가시 까시
가족 가죽
개(갯수) 낱
개귀신 개구신
개울/도랑 거랑
거기 거-
거기/그것 그으/긋
거지 걸뱅이
건너 건네/건니
걸음 대죽
검불 거부지기
것 끼
겨울 기울
결론 겔론
결혼 겔혼
겹옷 접옷
경상감사 정상감사
경제 갱제
곁 졑 예) 졑에 두다 : 곁에 두다
계집 기집
계집아이 가스나
고가도로 고까
고것 고오
고구마 고-매
고둥 고동/고딩이
고랑 꼬랭
고생 고상
고추장 고장
고치 꼬치
고함 과암
곡괭이 괭이
골 보골 예) 보골로 믹이다 : 약을 올리다
골목 골묵
골짜기 꼴짝/꼴짜구
공궤(供饋) 공개
공동묘지 공동산
과객 과각
관리 간이
구경 기경
구덩이 구딕이
구렁이 구리
구멍 궁기

구석 꾸리
국수 국시
궁둥이 궁디-/궁딩이
귀신 구신
귀양 기양
그런 고른/근-
그릇 그륵
그믐께 그믐끼
그저께 아레
기와집 기아집
긴늪 (산외면) 진늪
길 질
길고 성근 빗자루 안개씨리/왕가씨리
김 짐
까마귀 까마구
꼬락서니 꼬라지
꼭지 꼭대기
꽃봉오리 꽃몽오리
꽹과리 메구
끄나풀 끄싱이
끄트머리 끄트리/끈팅이/끝탱이/끝팅이

나무 남개/남기/낭개/낭글/낭기
나이 나-
나중 난주/낸주/낸중
남편 남펜
내기 매기
내외간 내우간
내일 니을/니일
너 니
너럭바위 너륵/너릭
너희 느그
넙적한 단지 넙둑단지
넷 너이/느이
노루 노리/놀갱이
노름쟁이 노름지기/노림재-이
놈 눔/늠
높은 나무에 달린 열매를 털어서 떨어뜨리는 장대 간지깽이
뇌성 너석
누구 누-
누나 누부

다다음달 내훗달
다원 (산외면) 다완
다음달 훗달
달덩이 달딩이
닭 달/달구
대낮 대나직
대야 다락
대여섯 살 댓- 살
대접(그릇의 일종) 대저비/대집

대접(待接) 대집
대청마루 츠-엉
대표 대포
덫에 거는 새끼줄 호까이
도깨비 토깨비/토채비
도포 소매 도포삼
돌꼇 돌고지
돌로 만든 절구 돌호박
돌무더기 돌모데기
돌쩌귀 돌짜구
동강 동가리
동경 동갱
동방삭 동방색
동생 동상
동이 동우
두레박 뚜루막
두루마기 두루막/두루매기
두루미 덕새
뒤안/뒤뜰 대안
등겨 딩개
등때기 등들이
때 따/땅 예) 제를 지낼 땅까지 : 제를 지낼 때까지
뚜껑 따까리

마누라 마누래
마루/등성이 디미 예) 함박디미
마리 바리
마을 가실/마-/마실
막내 막냉이
만어산 (삼랑진) 만에산
말뚝 말떡
매일 만날/만달/맨날
머슴 머심
먼젓번 먼젓분
메주 미주
며느리 메느리/미느리
면적 민직
명년(明年) 멩년
명의(名義) 멩이
명주 베 미엉베
명태 밍태
몇 멫/밎
모양 모냥/몬냥
목욕 모욕/목간
목화 밍-
묘 미
묘사(墓祀) 모사
무 무시
무렵 무릅
문둥이 문디-/문딩이
문화제 문화지
밀가루 밀까리

바가지 바가치/바께쓰
바깥 바같
바위 반수/방구/방우/방쿠
반별 반빌
방공호 상공호
밭쪼가리 밭또까리
백설기 백찜
뱀 배미/배암/비얌
~번씩 번슥/번썩
벌레 벌키
베 비
베개 비개
베틀 비틀
벼랑 베룩
벽 빅
변두리 빈두리
별당 빌당
병(病) 빙
병(瓶) 빙이
병사(兵使) 빙사
병환 벵환
보리쌀 보-살
보배덩어리 보배떼기/보배띠이
보복/앙갚음 보갚음
보자기 보재기
봄날의 야유회 희춘
봉분(封墳)을 세는 단위 산꼬
부뚜막 부뚜마-
부속 부숙
부엌 정지
부처 부체
부추 정구지
비녀 비네
비닐 비니루
비행기 비앵기
빨갱이 뻘갱이/삘갱이
뼈대 삐간지

사내아이 머스마/머시마
사람 사램/사름
사립문 앞 길 삽작거리/삽짝거리/삽짝
사방 전-신
사슴 사심
사위 사우
사창(紗窓) 사찬
사흘 사을
산등성이 만댕이/만딩이/만랭이
산비탈 산비알
삶 갈가지
삼이나 칡을 엮어 만든 줄 참바
삽계 (부북면) 사깨
상객(上客) 도지관
상객(上客) 요각

상여 행이
상좌 상재
새끼 (짐승) 쌔끼
새끼 새끼
새댁 새댁
새마을 새마을
새벽 새북
샘 새미
서기(瑞氣) 시기
선녀 설려
성씨 성받이
세 (개) 시 (개)
세상 시상
세수 시수
셋 서이
소금 소곰
소싯적 소시절
소쿠리 소배기
손재앙과 구설수 간재구설
솥뚜껑 솥뚜뱅이
쇠고기 소괴기
수수깡 수수깨비
수염 쉬염/쉼
수저 수제/수지
수챗구멍 수치구멍
스무날쯤 스뭇끼
시누이 시누부
시아버지 시아바이
시어머니 시오마이/시옴마님
신농씨(神農氏) 실농씨
신랑 신랭
신체 신치
실정 필점
실제 실지
심부름 심바람
쌀 살
쌀밥 이밥
쌍둥이 상딩이/쌍딩이
씨종자 씨종재

아기, 아이 아-/알라/얼라
아랑각 아랑객
아무리 암만
아버님 아붓님
아버지 아바씨/아부지
아씨 애씨
아이무덤 애장
아저씨 아재
아주머니 아줌니/아즈메
아침 아즉/아직/아춤
아침나절 아침몰이
안주인/안양반 안질어른
어느 어는
어디 어데/어드

어떤 어든
어른 으른
어머니 어매/오매
언제 은지
얼마 얼매
엄광사 (산외면) 엄강사
엉터리 웅터리
여기 여-
여우 매구
여우 요시
여우비 날비
여자아이 여슥아
오늘 온
오염 오임
오치 (산내면) 오테
올케 올키
올해 올개
왕골 장골
외동 에동
외삼촌 이삼춘
요번 오분
요새 오새
웅덩이 웅티-
원귀 원기
음식(물) 음석/음물/입석
의논 으논/이논
의미 이미

이런 요론/요런
이맘때 입때
이무기 이시미
이야기 이바구
이웃사람 이붓사램
이제 인자/인저/인즈/인지
인도환생(人道還生) 인동화상/인동환상
인육(人肉) 인고기
일본 일분
임금 임굼

자갈 덜경/들경
자기 즈-/즈그
자루 자리/짜리 예) 도끼자리 : 도끼자루
자식 자슥/짜슥
자체 자치
작대기 짝때기
잡곡밥 작밥
잡귀 잡구
잡담 객차
장가 장개
장안 자완
장원 자-원
저 지 예) 지를 왜 불렀어요? : 저를 왜 불렀어요?

저고리 즈구리
저기 저-/저게/저-게/조오
저녁 저닉/지늑/지닉/즈늑
적/때 떡/직/찍
적선 적신
전부 점부/천부/첨부
젓가락 젓까치
제사 지사
제수씨 지추씨
제일 질-
주먹 주묵/줌
줄기 등대
줄기 줄개
지금 지꿈/지끔
지네 찌끼미
지푸라기 지푸래기
진수성찬 신주선찬
짐승 짐싱
짚으로 얼기설기 엮어 만든 그릇 꺼러미/꺼렁지
째 채 예) 첫채 : 첫째
쪼가리 쯔가리
쪽 짝/쭉 예) 이짝 : 이쪽
찌꺼기/남은 부스러기 찌끄래기

차일(遮日) 채알/치알
창고 고방
책상머리 책상마리
처녀 처이
척 치
철 실갱 예) 실갱이 어딨노? : 철이 어디 있어? (철이 들었겠어?)
청어 청에
체 치 예) 잘난 치 : 잘난 체
총각 총객
축구(畜狗) 축기
취급 치급
취재(取材) 추재
치마 처매/츠매

쾌지나칭칭 칭층이/칭칭이

탑등 탑딩이
택일 이택
택호 택구
턱 텍
텔레비전 테레비

파뿌리 파푸랭이
편 자리 예) 이야기 한 자리 : 이야기 한 편
평생 평상/펭상/핑상
포충사 표충사
포크레인 포꼬레인/포코레인

표시 포시
표적 포적
풍경 핑경

하룻밤 할밤
하리 하루
학교 핵교
한 번 함
한밤중 밤쭝-
한테 한데
할머니 할마씨/할마이/할매/할무니/할무님/할문니/할문님
할아버지 할배/할부지
행례 행니
행례청 행니처수/행니처엉
행정 행증
행정면 행징민
헝겊 성겊/헝
현장 헌장
혈(穴) 설갱
형제 흔지/홍제/홍지
형태 행태
형편 행핀
호랑이 호랭이
혼자 혼차
홀레 헐리
홀아비 호부래기
황토 왕투
회초리 해차리
후생(後生) 후성
훗꺼물/훗끗물 헛것
훗칭이 허깨비, 도깨비
흥님/행님 형님

1-1) 체언 +조사

가로 가에로
거기까지 거꺼지/그꺼지
거기서 그으서
거기에 거게
거기에다 거-다
거기에서 거-서/거서/거어서/고오서/그-서
것도 꺼이도
것보다 가카마
것은 꺼는
것을 거로/꾸로
것이 꺼이/끄이/끼
것이다〈기〉 기고/기다/기대이/기라/기이라/기이지/긴데/꺼라꺼/껀데/끈데/끼고/끼구만/끼구만은/끼니/끼이끄네/낀데/낍니꺼
고것도 고곳도/고곳두

고것은 고건
고것은 고-는
고것이라 고거라
고것이라 고기이라
고장은 고장으는
곳에 고데
그것도 긋도/긋-도
그것은 그기는/그-는
그것을 걸
그것을 그거로/그으를
그것이 그거이
그것이 그기/그기가/그기이
그것이다 그기라/기기든
그것인데 그긴데
그리로 글로/글로-/글루
그만큼 그막
길가이거든 질가에거덩
꽃은 꼬튼

나구먼 내구메
나랑 내캉
나를 날로
나무가 낭기
나무를 낭글/낭글을
나하고 내하고
나한테 내한테
남의 남으/늠으
낮에 나테
너를 니로
넷이 너이

도랑에서 도랑-서
돌꼈에 돌고세
돛을 도틀
땅에 따-아
땅에다 따-에다
땅으로 따-로
때문에 따무로/따미로/땀시/때미레
/때밀에로

마당에서 마다-서
말에 말큭에
말을 말클
말이 말키
못이 못치
무엇으로 뭐로
무엇이 뭐시 예) 뭐시라 했으면 :
무엇이라 했으면
무엇이다〈기〉 뭐꼬/뭐라/뭡니꺼
무엇하러 멀라

밧줄을 바아로
방에 바-아/방으/방-으
별호로 벨로

사랑방에 사라-/사라-앙
신체는 신촌

아들을 아달로
아래로 알로
어디로 으드로
어디를 어데르
어디에 어데
어디에서 어데가/어데서
여기는 여-는/여어는
여기다 여-라꼬
여기로 열로/열-로/일-로
여기야 여기사
여기에 여게
여까정 여기까지
요것만한 요고만-한
요기에 요게
요기에다 요-다
위라 우라
위로 울로
위에 우에
의미로 이미에
이것도 이-도
이것은 여거는
이것은 이긴/이긴-/이-는
이것을 이거를
이것이 이기/이기가
이때까지 이때끔
이리로 일로
이제는 언자는/언자아는/은젠

장에 자-아
저것이 저기/즈기/즈기-
저기에 저게/조-게
저리로 절로/절루
적에 떡에/찍에
전에 전자-/전자아
제가 저가
조기에서 조게서/조-서
조리로 졸-로
줄을 쭈로
지금까지 지끔꺼증
지하에서 지하-서
집은 집으는

처음에는 첨무이는
총각은 총각안

터이니 터이끄네

포대로 푸로

하기를 하기로
현장에서 현장으서

흙으로 흘로

2) 용언

〈기〉가깝다 가줍다
〈기〉가다 가겠노/가구로/가꼬/가든교/가디이만은/가만/가문/가믄/가믄예/가민서름/가뿌고/가뿌드라/가시가주고/가여/가이께/가이끄네/가이끼네/가이끼네르/가이소/가인끼네/가입시더/갈란가/갑시더/갔나/갔는/갔는가믄/갔으먼
〈기〉가르치다 가르켜주거든/가르키주고/갈차/갈치/갈키다/갈아
〈기〉가리다 가라아/가라-/가라가/가라기나/가리
〈기〉가볍다 개얍기도/개얍은/개잡
〈기〉가져가다 가-가다/가-가여/가아가이끄네/가아갔어/가주-가가주고/가주가거라/가주가라/가주가이/가주갈라이
〈기〉가져오다 가아가주/가아올/가오니/가주오고/가주오구르/가주오다가/가주오두룩/가주오다/고-오다/고와가주고
〈기〉(아기를)가지다 가일
〈기〉가지런하다 간주름하이/간주름-히
〈기〉갈리다 갈리가주고/갈리갖고
〈기〉갔다오다 갔다오이/갔다오이끼네
〈기〉강하다 강해가
〈기〉갖추다 갖차는
〈기〉같다 같으마/같으만/겉겠나/겉고/겉다/겉으마
〈기〉거머쥐다 거머지고
〈기〉건너다보다 건니다보믄/건니다보이께네
〈기〉건드리다 건딜이만
〈기〉건지다 건지야/껀지/껀지는/껀지야/껀지지
〈기〉(내기를)걸다 걸었는
〈기〉걸리다 글그치면
〈기〉걸리다(걷게 하다) 걸리고/걸랐제
〈기〉(발에)걸리다 걸리가주고/걸랐으이까/끌그가/홀끼가
〈기〉(시간이)걸리다 걸리야
〈기〉검다 껌은/껌운
〈기〉게워내다 게와내도/게와내-도/게와냉-인/개와내고/게와낼라꼬/게와내이끄네/게와내믄/기아/기와/게아내뿌고
〈기〉견디다 전디가

〈기〉계시다 계싰다/기싰는데
〈기〉고다 고아가주고
〈기〉고치다 곤치도
〈기〉괜찮다 괘않단다/괘않더란다/괘않은데
〈기〉괴롭히다/어렵게 하다 에롭혔다꼬
〈기〉구르다 구불고/구불러가/구불러가주고
〈기〉구비지다 굼진
〈기〉구수하다 구시고
〈기〉그러하다 그라기/그라다/그란다/그르노/그자/그제/그키/그카는교
〈기〉그리다(그림을) 기렀노
〈기〉긁히다 홀끼가/홀끼가주고
〈기〉급하다 급하이끄네
〈기〉기다 기/기-/기미
〈기〉기다리다 기두린다/바랐꼬/바래고/지다려도
〈기〉길다 지다/지-게/진데/질고/질다/질으가주구
〈기〉깊다 짚으는/짚은
〈기〉깨끗하다 깨끄맣게/깨끄바시/깨끄반/깨-끗하이
〈기〉(잠을)깨다 깨이깬/깨이끄네
〈기〉(항아리를)깨다 깰라꼬
〈기〉(잠을)깨우다 깨비는데/깨비드란다
〈기〉꺼내다 끄내가
〈기〉꺾어지다 꺾다가가
〈기〉꼬다 꼴라
〈기〉꼬셔가다 꼬아가다가
〈기〉꽂다 꼽아
〈기〉꽂히다 꼽히가/꼽히디만은
〈기〉꿇리다 꿇리
〈기〉끄르다 끼났단다/끼라가주고/끼이끄네/끼르면/끼르고/낄아-/낄아가주고
〈기〉끌다 끄시고/끌미
〈기〉끓이다 낋이/낋이-가/낋이이/낋이이끄네/낋이잖아/낋인다꼬/낋일라꼬/낋있다/끓이
〈기〉끼다 찌-/찌고
〈기〉끼우다 찡가-제
〈기〉끼이다 찌이가/친-

〈기〉나가다 나가싰는데/나가이끄네/나가제/나갈라꼬/나갔제
〈기〉나오다 나오가주고/나오먼/나오시소/나오이/나오이끄네/나온대이/나올라/나옵니대이/나와서르/노오겠노/논다/놀
〈기〉날아가다 날라가구로
〈기〉날아다니다 날라댕기고

〈기〉남기다 남깄다

〈기〉남다 남안

〈기〉납작하다 납딱-한

〈기〉(병을)낫게 하다 나사가주고/나사아가/나사았으이

〈기〉낫다(더 좋다) 낫어

〈기〉(병이)낫다 나사가/나사가주고/낫사/낫사가/낫사요/낫샀어요

〈기〉낳다 나안/낳아가/낳아-니/낳았는/낳았으니끼네/놓고/놓겠노/놓는데/놓더란다/놓만/놓을라/놔

〈기〉내다 내만/내잉/내잉-/내잉끄네/냈는

〈기〉(겁을)내다 내-가

〈기〉내려가다 내리가/니려갔지

〈기〉내려다보다 내리다보니/내리다보면/니라다보이

〈기〉내려오다 내려오디이만은/내리오는/니러오는/니러오미/니러오이/니러올라/니러왔더라/니려오디만은/니려왔는데/니리오는/니리오가주고/니리오니/니리오먼/니리오이꺼네/니리온다/니리올/니리와/니리와가주고/니리와서/니리와여/니리왔는데

〈기〉내리긋다 내긋고

〈기〉내리다 니라/니라-가주구/니라-주드라꼬/니러서/니리는데/니리니끄네/니리니끼네/니리다

〈기〉내버려두다 납둬라

〈기〉내버리다 내비리/내비리뿌고/내비리뿐다/내삐리/내삐릴/내삐리야

〈기〉내외하다 내우한다꼬

〈기〉너풀너풀하다 너푸리-하이

〈기〉널브러지다 구부러지가

〈기〉널찍하고 평평하다 퍼리벙범하이

〈기〉널찍하다 넙떡한

〈기〉넘겨주다 넘기주다

〈기〉넣다 여-가주고/여-야/여-믄/옇거든/옇그든/옇-면/옇어/옇어가/옇어놓으만/옇어다가/옇어도/옇어라/옇어면/옇어야/옇어준/옇어주면/옇야

〈기〉노랗다 노련

〈기〉녹이다 녹카아

〈기〉놀다 노다가/노던/노자/놀그든/놀마/놀아뿌이께

〈기〉놀라다 놀래/놀래가/놀래가주고/놀래이께/놀랬는데/놀랬구만

〈기〉높다 높기/높으게/높으요

〈기〉놓다 나아/노세/논데이/놔-/놔-가/놔가주/놔이끄네/놨-는데/놨데

〈기〉누르다 누린다/눌리/눌려

〈기〉눈물짓다 눈물지이
〈기〉눕다 누부/누부가/누부소
〈기〉눕히다 눞아믄/닙히뿌가주고
〈기〉늦다 늦까/늦까-

〈기〉다녀오다 댕겨온너라/댕기오끼요/댕기올게요
〈기〉다니다 다넜어요/댕기고/댕기미/댕기쌓드라꼬/갱기지만은/댕깄는데/댕깄다/댕길
〈기〉다듬다 따듬어/따듬어서
〈기〉다지다 다지가/다지가주고
〈기〉닦다 땎아
단정하고 조용하다 난-정한
〈기〉(맛이)달다 다다/다라꼬
〈기〉(무엇을)달다 도고/돌라/돌라꼬
〈기〉달려들다 달라드이/달라든다
〈기〉달리다 다마락/다마로
〈기〉(힘이)달리다 딸리
〈기〉달아나다 달아빼민시늠/달아빼뿄다/달가빼민시늠
〈기〉달아내다 달아-내가
〈기〉담그다 당가
〈기〉담기다 담끼가/댐기/댐끼가
〈기〉당기다 댕기는/땡기가
〈기〉(불을)당기다 딩가가
〈기〉닿다 닿으이/대마/대만/대이/대지/댄
〈기〉대다 디체가주고/디치/디치가주고
〈기〉더럽다 드르바
〈기〉덥다 더불
〈기〉덮다/오그리다 아바라꼬
〈기〉데려다주다 더부다준다
〈기〉데리다 데꼬/덴꼬/델꼬/드꼬/듣꼬/들꼬/들러/디리고
〈기〉데우다 덮아가
〈기〉돌아가시다 돌아가싮을
〈기〉돌아다니다 돌아댕기느라/돌아댕기다가
〈기〉동이다 동티
〈기〉되다 되구로/되구로인/되는강/되두록/되마/되면/되믄/되이/되이끄네/되있으니/될라/될랑가/돼가/돼가예/돼가주고/돼아
〈기〉되다/힘들다 디가/디기는/디-/디다/디다꼬요/디덴/디-여
〈기〉(바둑을)두다 두두록
〈기〉두드리다 뚜디리/뚜디리고/뚜드리면/뚜드리만
〈기〉뒈지다 디지고/디지면
〈기〉뒤지다/뒤집다 디비/디비는/디비이끄네
〈기〉뒹굴다 데굴러지제

〈기〉(불공을)드리다 드리미/딜이가 주고

〈기〉듣다 들꼬/들었그만/들었제/들으끈데/들이마/들일

〈기〉(짐을)들다 드이끄네

〈기〉들리다 듣기고/듣기나/들리이

〈기〉들어가다 다가더라꼬/다가이까 다가다/드가/드-가/드가가/드가가 주고/드가고예/드가기는/드가는/드가다/드가더래/드가도/드가믄/드가뿠는/드가뿠다/드가서/드가이/드가제/드가지/드간다/드갔는/드갔으이

〈기〉들어앉다 들앉아/들앉은

〈기〉들어오다 돌오가/돌오는/돌오더란다/돌오드란다/돌오디이만/돌오미/돌오미스름/돌온/돌와가/돌왔는데/돌왔다/들오는/들오면은-/들오이/들오이끼네/들옸기나/들우오가/들-와서

〈기〉들이다 들라/들라라/들라아/딜라/딜이고/딜이라/들으느이끼네

〈기〉들추다 들씨이끄네/들씨이-끼네

〈기〉들키다 대든기

〈기〉따뜻하다 따시고/따시드라

〈기〉따르다 따러/따로/따린다

〈기〉때리다 댕기/땡기는/때리라

〈기〉때리다 때리

〈기〉떠내려가다 떠내리가면/떠내리가미/떠니리가고

〈기〉떠들다 시부리

〈기〉떨어지다 널찌가/널찌거든/널찌는/널찌이

〈기〉떼다 띠-가/띠드란다/띠이

〈기〉뚫어지다 뚤버졌습디꺼

〈기〉뛰다 띠-가

〈기〉뛰어나오다 뛰-나여/뛰-나-여/띠-나오미

〈기〉뛰어오다 뛰어오드이/뛰이오드이/뛰-오디만

〈기〉뜨겁다 뜨거버가/뜨거분/뜨겁노

〈기〉뜨다 떠가/떠가-/떴는/뜨/뜨가

〈기〉뜯다 뜯으이/뜯으이끼네

〈기〉~라 하다 카고/카거든/카그덩/카그든/카근데/카길래/카나/카냐이끼네/카냐면/카네예/카느냐/카는/카는고/카는데/카니끼네/카다/카다가/카데/카도/카드나/카드노/카드라/카드라고요/카드란다/카드랍니더/카드만/카든강/카든데/카라/카마/카만/카먼/카면은/카믄/카미/카민시/카민시늠/카민시름/카이/카이깐/카이께/카이께네/카

이끄네/카이끼네/카이끼네르/카제/카지/카지만은/칸다/칼/캄/캅디까/캅디꺼/캅디더/캐/캐가주고/캐노믄/캐도/캐라/캐서/캐쌓아서르/캐이/캔/캤그든/캤나/캤는데/캤다/캤으먼

〈기〉마치다 마츨
〈기〉만나다 만내가/만낼라꼬/만냈어
〈기〉만들다 맨드는/맨들/맨들어/맨들었다/맨들은/맨들을라
〈기〉(궤를)만들다 앎아가주고
〈기〉만들어지다 맨들아지거든
〈기〉만져지다 만치이는데도
〈기〉말끔하다 맬가이/맬-가이/맬가히/맬-가히
〈기〉말다 마고
〈기〉말리다 말기는
〈기〉망하다 망애/망애뿌가/망애뿌드란다/망앴다/망앴으요
〈기〉맞추다 맞차
〈기〉맞히다 맞히가/맞혀서
〈기〉매기다 미긴
〈기〉(한이)맺히다 맺킨
〈기〉먹다 무-라/무만/무-먼/무-면/무-뿌고/무뿠다/무뿠으니/무-야/무울/무우러/무울라꼬/무으러/무은/무-을/무윴는공/무윴다/묵고/묵그든요/묵노/묵는/묵던/묵으면/묵으야/묵으예/묵을라꼬/묵지/문/물라/뭀-는데/뭀다
〈기〉먹이다 미-고/미-러/믹이/믹이가/믹이고/믹이고-/믹이민/믹이야/믹인다요/믹있는/믹있데요
〈기〉멀다 머-다
〈기〉메다 미고
〈기〉면하다 민하고/민해가주고
〈기〉모르다 모로고/모르더라꼬/모리겠고/모린다
〈기〉모시다 모시/모싰나/모싰다
〈기〉모으다 모다/모다가/모다가주구/모아가/모아가주고/모았는
〈기〉모이다 모다가/모여-캉/모이가주고/모이겠나
〈기〉모자라다 모지란다/모지랠
〈기〉몰리다 몰리가/몰리가주고
〈기〉몸부림치다 사핼치도
〈기〉못하다 모한/모한다/몬하다/몬하요/몬해지고/몬해지지
〈기〉무섭다 무서바/무숩겠다/무습드라/무시라
〈기〉무엇하다 멀라고/멀라고-
〈기〉문지르다 문대뿠으니
〈기〉(흙이)묻다 물또

〈기〉묻히다 묻히가/묻히-가
〈기〉뭉치다 뭉치가
〈기〉뭉텅뭉텅하다 뭉뚱뭉뚱하이
〈기〉미루다 미륬다
〈기〉미안하다 미안은데
〈기〉밀치다 밀치
〈기〉밉다 미바서/미버/미부서

〈기〉바뀌다 바끼요/바꼈다
〈기〉바르다 발래가지고
〈기〉박히다 배기가주구/배꼈나/백히가
〈기〉받다 받알/받으소
〈기〉받치다 받치
〈기〉발가벗다 밸게벗고/빨가벗고
〈기〉발갛다 발-가히
〈기〉발리다 발리가
〈기〉밝히다 밝히-도
〈기〉(글을)배우다 배와가지고/배완
〈기〉(세상을)버리다 버릴라꼬/베리고/베맀고/베맀다꼬
〈기〉(돈을)벌다 벌이믄
〈기〉벌어먹다 벌이무러
〈기〉벌이다 벌리가
〈기〉벗기다 베끼가/비꼈다
〈기〉베다 비-가예/비다가/비이가/비지가/비지가주고
〈기〉변하다 빈하도
〈기〉보내다 보내일
〈기〉보다 보께요/보디이만은/보로/보래/보마/보소/보이까/보이께네/보이끄네/보이끄네르/보이끈/보이끈데/보이께/보이끼네/보이내꼬/보이소/보입시더/봤으만은/봔/봤는/봤대이/봤으먼예/봤으믄요
〈기〉보여주다 비주는
〈기〉보이다 비-/비-나/비는/비-는/비는데/비-데요/비-도/비-드라/비-요/비이고/비이그든/비이는/비이데요/비인다/비일라/비일라꼬/비입니다/빌라꼬
〈기〉부서지다 뿌싸아지뿌믄
〈기〉부수다 뿌싸/뿌쑤이께네/뿌쑨다요
〈기〉(밭을)부치다 부칬거든
〈기〉불거지다 볼가지고/뽈가지
〈기〉불리다 불아/불아지
〈기〉붓다 부우/부우뿌고/부운
〈기〉붙들다 붙들리/붙들리가
〈기〉비치다 븼거든/삐치거든
〈기〉빌다 비노/비이
〈기〉빠지다 빠지가/빠지가주고/빠졌고
〈기〉빨갛다 빨-간/빨갠/뻘근

〈기〉빼내다 빼냈는
〈기〉빼다 빼이/빼이는데/빼이드라/빼가주고
〈기〉빼앗기다 뺏끼뿌고/뺏끼뿠다/빼꼈다
〈기〉빼앗다 뺏들라꼬/뺏들어가
〈기〉뽀얗다 보오한/보-한

〈기〉살다 사꼬/사는공-/사다가/사-을/사이/사이끄네/살미/살았는/살은/살읐는
〈기〉살펴보다 살피보니
〈기〉삶다 삼아가주고
〈기〉(밤을)새우다 새와
〈기〉새카맣다 쌔카마히/쌔-카마히
〈기〉새파랗다 쌔파란
〈기〉생각하다 새키면서
〈기〉생각해보다 생각해보이
〈기〉생기다 생기/생깄는/생깄그든
〈기〉서다 서이/시고
〈기〉섞이다 섞끼
〈기〉섬기다 싱기/싱깄는
〈기〉(힘이)세다 시있든
〈기〉세우다 서가-/새와/세와/세왔는데/시아/시아가/시아가주구/시아고-/시알라/시았어예/시와/시우다/시있습니더

〈기〉(말을)세우다 시아라
〈기〉소복하다 소봉한
〈기〉솟다 솟꾸이-끄네
〈기〉솟아나오다 속까랐는데/속끄라/속끄라가/속끄랐는/속끄랐어
〈기〉숨기다 숭껴/숭카/숭켜/숭키/숭키이
〈기〉쉬다 시이가
〈기〉쉽다 수분/숩다
〈기〉시답잖다 시뿌/시뿌거던/시푸
〈기〉시리다 시려바/시려바서
〈기〉시작하다 시작애가주고/시작애민시름/시작읐는데
〈기〉시커멓다 시크벙-한
〈기〉시키다 시기/시기거들렁/시기-들랑/시기일라고/시긴-/시길-라꼬/시키/시키가주고/시키이/시킸든/씨기/씨기는/씨깄그든
〈기〉싣다 실꼬/실코
〈기〉심다 숭가도/숭가도오/숭가아/숭구고/숭구는/숭구미/숭글
〈기〉싶다 싶아도/싶우드메/싶으고/싶으다/싶으드메/싶으디/짚다/짚아서
〈기〉(값이)싸다 헐으만
〈기〉(보따리를)싸다 사가
〈기〉(입이)싸다 사가/사가주고/사야

/샀으먼

〈기〉싸우다 사우고

〈기〉쌓아오다 공가온

〈기〉썩다 썩도

〈기〉쓰다 씨고/씨두룩

〈기〉(묘를)쓰다 섰겠지/섰다

〈기〉쓰다듬다 씨담아가주

〈기〉쓰러지다 시러지고/시러진다

〈기〉쓰이다 쓰이가/쓰이가예

〈기〉씻다씨 끘는가봐/씻거가/씻그고/씻그이/씻글라꼬/씻꺼/씻꺼다/씻끄니끼네/씻끌라꼬

〈기〉아까븐 아깝다

〈기〉아니다 아이/아이가/아이거든요/아이겄나/아이드라/아이라/아이라도/아이먼/아이면/아이요/아이지/아인/아인요/아입니꺼/아잉갱/아잉교

〈기〉아쉽다 아숩다–

〈기〉안겨주다 아사주이끄네

〈기〉않다 안하고

〈기〉얄궂다 얄구지라/얄궂드라/얄궂더란다/얄궂드메-/얄궂든/얄궂습디더/얄궂은

〈기〉어두컴컴하다 컴커무리한데/컴커무리-한데/컴컴-무리-한데

〈기〉어둡다 어두바서/어두버가주고/어두부이께

〈기〉어룽지다 거릉짓다

〈기〉어울리다 어불리가주구

〈기〉억울하다/엉뚱하다 애민

〈기〉얼룩지다 얼롱지라꼬

〈기〉업다 업데

〈기〉없다 없느냥/없드란다/없어예/없으이/없으이끼네/없이야/없이지는데/없제/음뜨라/음뜨라꼬/음서가/음시

〈기〉없어지다 없어지가/없어졌고

〈기〉여간하다 엥간하면

〈기〉열다 여이끼네/여이끼니

〈기〉예쁘다 이쁜공

〈기〉오다 오가/오가주고/오거덩/오기야/오께요/오노/오니끼네/오드라꼬/오드이/오디만은/오디이만은/오라/오만/오믄/오민시/오소/오시가주고/오시므는/오실라/오실랑강/오싰노/오싰다-/오야/오요/오이/오이까/오이끄네/오이끼네/오인끼네/오일끄네/온나/올라/왔는/왔는데/왔다/와가주고/와서/와시가주고/와-싰는/와이/완

〈기〉올라가다 올리가라

〈기〉올라오다 올로오고

〈기〉올리다 올래라/올리가/올리도고/올리먼은

〈기〉옮기다 욍기라

〈기〉옳다 옳기

〈기〉울다 우요/우-요/우이끼네/우지

〈기〉웃다 우습드라/우씁더라/웃싰다/윘지

〈기〉음흉스럽다/흉측하다 숭충바슨/숭퉁바서가주구/숭퉁받치/숭퉁밭은

〈기〉(물을)이다 여다

〈기〉이러하다 이라/이라는/이라다/이라드라/이라드이만/이라이/이란다/이랄/이래가/이래믄/이래여/이러큼/이랬는데/이리

〈기〉이만하다 이만-은

〈기〉(불에)익히다 익하가주고

〈기〉일어나다 일나겠드란다/일라/일라가/일라거든/일라고/일라도/일라라/일라라꼬/일라란다/일라소

〈기〉일으키다 일바끄이끄네/일바끼/일바낀다/일바낄

〈기〉(글을)읽다 일우고

〈기〉잃어버리다 잃아뿄다/잃아-뿄다

〈기〉입히다 입히가

〈기〉있다 있드라/있드메/있디만/있습니꺼/있습디꺼/있었는

〈기〉잊어버리다 잊아뿌가주고/잊아뿌고/잊아뿌랐어/잊아뿌서/잊아-뿌지/잊아뿄다/잊아-뿄어/잊아뿄지요/잊어뿌랐다

〈기〉자다 자미/자민서/자이/자인끄네

〈기〉잘못하다 잘모했다/잘몬했다

〈기〉잡다 잡는공/잡을라/잡을라꼬

〈기〉잡수다 자시는데요/잡숩고

〈기〉잡혀가다 잡히가주고/잡히갈

〈기〉(잠을)재우다 재아는/지아는

〈기〉쟁이다 재이가/징구고

〈기〉젓다 젓시갖고/젓시가

〈기〉정하다 징해

〈기〉젖히다 젖치고

〈기〉조그마하다 쪼깨난/쪼깬할/쪼만한/쪼만-한/쪼매/쪼매-/쪼매끔-할/쪼매-는/쪼매-코/쪼맨할

〈기〉좋다 존/좋기/좋나/좋는게/좋대이/좋안/좋으니까네-

〈기〉좋지 않다 파이네요/파이다/파이라/파이제

〈기〉주다 조-라/주-가/주가주고/주까/주꾸마/주끄마/주데/주도/주라/주믄/주민시름/주야/주-야/주이/줄라꼬/줄라면/줐는/줐는강-/줐다

/좄으마/좄으면

〈기〉주무시다 주무시싸/주무지난꼬

〈기〉죽다 죽기에/죽노/죽어두/죽었으이/죽우도/죽우/죽으만/죽으먼/죽으믄/죽으뿌랐어/죽으뿌이끼네/죽을라꼬/죽우뿌/죽우뿌고/죽우뿌는/죽우뿌는데/죽우뿌믄/죽우뿌이끼네/죽우뿄는

〈기〉죽이다 죽이도/죽이뿌리는/죽있다/쥑이/쥑이고/쥑인다고/쥑인다꼬/직이/직이뿐/직이뿔라꼬/직이이/직있는/직있는데

〈기〉줍다 조-/조오/조-오가/조운/좄는/주시

〈기〉즐겁다 길겁기고

〈기〉즐기다 질기는

〈기〉지나가다 지내가서

〈기〉지나다 지내/지내고

〈기〉지나오다 지내오일끈데

〈기〉지내다 지낼라꼬

〈기〉(해가)지다 젼데

〈기〉(소리를)지르다 질랐는동

〈기〉지키다 징키고/징키라-/징키만

〈기〉질겁하다 열겁을 해가

〈기〉(이름을)짓다 지-/지-가/지-도/지러/지앉다꼬/지이가/지인/지일/지있는/지있는데/지있으만/질/짔-다/짓습니꺼

〈기〉(집을)짓다 지-가주고/지마-/지믄/지이/지이가주고/지이고/지이마/지이면은/지일/지있느/질라/짔고/짔-다

〈기〉(청승을)짓다 지미

〈기〉짓밟다 히밟아

〈기〉짜다 짭다/짭답니다

〈기〉쫓기다 후찌끼이

〈기〉쫓다 훗차가/훗차이끼네

〈기〉쫓아가다 훗차가다가/훗차가이끼네/훗차갔는

〈기〉(떡을)찌다 찌가주고

〈기〉(사진을)찍다 찍으가

〈기〉찔리다 찔리/찔리가

〈기〉찢다 째가

〈기〉찢다 찢이가

〈기〉차리다 채리/채리가/채리가주고/채리고/채릴까봐/챌리-가

〈기〉찾다 차다이끄네/차다이끼네/찾으이

〈기〉쳐다보다 치다보이/치다본

〈기〉추접하다 추주비/추줍다꼬/추줍으면

〈기〉춥다 추부/추분/칩어가

〈기〉(술에)취하다 채가/채가주고/채

믄/챈/취했는공

〈기〉치다 치/치가/치도/치이/치이깐/치이끄네/칠라/칬는데

〈기〉치우다 치아/치아고/치안다/치았지만/치왔다

〈기〉커다랗다 크다히/크다-히/크단-코/크-단코/크단-은

〈기〉크다 크더랍니더/클라/컸대이

〈기〉큼직하다 큼-직하이

〈기〉키우다 키아가/키안다

〈기〉타게 되다 태히가/태히가주고

〈기〉타다 탈려

〈기〉(애를)태우다 다루드란다/다룬다

〈기〉태우다 태와가

〈기〉털털하고 수더분하다 터듬-하이

〈기〉튀다 티이

〈기〉(길을)트다 팅가그든

〈기〉틀리다 틀렀는가

〈기〉파이다 까지고

〈기〉팔다 팔라/팔만은

〈기〉펴다 피-/피가주고/피고/피는데/피니/피-도/피두룩/피드란다/피든데/피라/피러/피이/핀다/핀단게요/핀-데

〈기〉펴지다 피이는데/피이는

〈기〉편평하다 펀-펀하이

〈기〉편하다 핀-한데

〈기〉풀어주다 풀어주끄/풀어주이소/풀어주요/풀우주라끄/풀우주마/풀우주-마

〈기〉(꽃이)피다 팼-어요

〈기〉하다 하기/하까-/하꾸마/하꾸메/하나먼/하누메/하데/하든강/하든고/하디이만/하로/하만/하먼/하믄/하민시늠/하이/하이께네/하이소/하자만/할랑가/합디꺼예/해가/해라끄/해래이/핸/했노/했시믄/했심더/카듯이

〈기〉하얘지다 히이지나

〈기〉한정없다 한정이거든

〈기〉할퀴다/파다 까래비/까래비-/까래비가/까래삐거든/까래뿌거든/까래뿌이끄네/끄래비믄

〈기〉해대다 시쌓는데

〈기〉해코지하다 해칠해서

〈기〉헤매다 호매-

〈기〉홀리다 홀끼가/홀끼가주고/홑치서/홀리가/홋치인/홋칬-다

〈기〉홀치다 홀끼/홀끼가/홀낀

〈기〉확실하다 학실히

〈기〉휑하다 벌꿈하이/벌꿈한

〈기〉흩어지다 흩치가

〈기〉희뿌옇다 히끄무리하다

〈기〉희한하다 희한은

2-1) 보조용언

~가 보다 ~ㅂ갑다 예) 갔는갑다(갔는가 보다)

~거리다 ~긑고/~긑든교 예) 어른긑고(어른거리고)

~ㄴ가 보더라 ~ㄴ가 부드라 예) 뭈-는가 부드라(먹었는가 보더라)

~나니 ~나이/나이께 예) 가고나이(가고나니)

~나서 ~나서르 예) 먹고나서르(먹고나니)

~서 ~가-/~가주고/~가주구/~가지고/~갖고 예) 홀끼가주고(홀려서)

〈기〉~놓다 ~나이/~노니께네/~노다/~논/~놀/~놓드라꼬/놓-먼/~놓으마/~놓이끼네/~놓이께/~놓이끄네/놓으믄/~놔-가/~놔느이껜/~놔도/~놔-두/~놔안/~놔이끄네/~놘/~놨구메/~놨든교/~놨든동/~놨든지/~놓고 예) 놔-논(낳아 놓은)

〈기〉~대다 ~싸미/~쌓니까/~쌓더나/~쌓더란다/~쌓드나/~쌓드라/~쌓아/~쌓여/~쌓-이/~쌓이께/~쌓제 예) 캐싸미(~라고 해대면서)

〈기〉~버리다 ~뿌가주고/~뿌고/~뿌라/~뿌리고/~뿌리먼-/~뿌리야지/~뿌렀으이끼네/~뿌믄/~뿌서/~뿌이꺼네/~뿐/~뿐다/~뿐지면/~뿠나/~뿠는/~뿠는데/~뿠제 예) 비이뿌고(베어버리고)

〈기〉~싶다 ~싶으드라/~싶으여/~짚다/~짚아여/~짚어가주고 예) 듣꼬 짚어가주고(듣고 싶어서)

〈기〉~주다 ~주었다꼬/~줬는/~줬드만 예) 맨들어주었다꼬(만들어 주었다고)

3) 조사와 어미

~(ㄴ)가? ~(ㄴ)공?

~(ㅆ)거나 ~(ㅆ)끼나

~거든 ~거들랑

~거리고 ~긑고

~게 ~구르/~구로

~게 ~기

~고 ~꼬

~구먼 ~구메

~까? ~꺼?

~까지 ~까이/~까익/~까증/~꺼정/~꺼증

~나?/~니? ~노?

~느냐? ~나?

~니 ~이

~니(까) ~꺼네/~께네/~끄네/~끈데/~끼네

~니까 ~이까/~이끄네/~이끼네

~니까 ~카이 예) 있다카이 : 있다니까

~니까는 ~이깐

~(니)다 ~(니)더

~다 ~대이

~대요 ~다요

~더냐? ~든게?

~더니만 ~디만

~더라 ~우드메 예) 싶우드메 : 싶더라

~도 ~두

~도록 ~두룩

~(거)든 ~(거)덩

~랑(~와) ~깡/~캉

~러 ~로 예) 일하로 : 일하러

~려고 ~(ㄹ)라

~마 ~꾸마/~꾸매

~마다 ~마중/~마즉 예) 해마중 : 해마다

~만큼 ~마히/~만이/~만치/~만침

~며/~면서 ~미

~면 ~마/~만/~먼/~믄 예) 하믄 : 하면

~면서 ~면서르/~민서/~민시는

~밖에 ~백이/~백에

~보다 ~카마/~캄

~보다는 ~보담

~부터 ~부텀/~부텅

~서 ~가

~서 ~서르/~서름/~시늠/~시름

~서는 ~시늠

~습니까? ~(ㄴ)교?/~(ㄴ)교-이?/~(ㄴ)교-잉?

~습니다 ~심더

~(씨)습니다 ~(ㅆ)다요

~어 ~아/~으

~어서 ~아여 예) 싶아여 : 싶어서

~에는 ~으는

~에서 ~으서

~(데)요 ~(데)예
~은 ~인
~은(ㄴ) ~았는
~을(를) ~로
~(ㄴ)지 ~(ㄴ)동/~든동
~지? ~제?
~처럼 ~매이로/~매이론/~맨이(로)/~맨치(로)/~맨쿠로/~머이로
~한테 ~한데/~핸데

4) 부사

가득 까딱
가만히 가마히
가지런히 간주름히
갑자기 각중에
같이 같끼
거꾸로 거꾸리/꺼꾸리
건중건중/긴 다리로 가볍게 걷는 모양 건둥건둥
겨우 게우
결국 결국적으로
곧이곧대로 고지
과연 콰-히
과하게/지나치게 꽈-키/꽉히
굴러 넘어지는 모양 도골
그냥 그양/기양
그대로 장-
그래도 그리도
그래서 그래서를
그러구러 그르구로
그러니 그러이/그르이/그리이
그러니까 그-까/그라이끼네/그러구로끼네/그러니꺼네/그러이끼네/그르이끼
그러면 고로면/그라믄/그러만/그러면은/그르만/그르믄/그-면/그믄
그러면서 그름시늠-
그럼 그람
그렇게 그라기/그럭/그렇기/그르키이/글키
그렇게 그러치
그리고 그라고
그만 고마
그전 그진
길게 늘어진 모양 츠-악
꽁꽁 꽁추
꿋꿋이 끈끈히

남몰래 조심스럽게 하는 모양 살째-기
내내 내-

냴름 날름
느릿느릿 징해/징히

다달이 달달이
다시 다부
단단히/똑똑히 단디
대번에 대반에/대분에
덥석 움켜잡는 모양 자프닥
드러나지 않게 슬그머니 실-

마저 마자
막 매치
막무가내로 때리/쌔리
많이 마히/만-
말끔히 맬가히
매우 디기/디기-
매우 많이 겁나게
먼저 머혀/먼이/먼지
모두 모다/모도
무엇에 걸릴 때 나는 소리 틀컥
무조건 무주건
문을 슬그머니 조금 여는 모양 빼쭈리
미리 함부래

바로 바리/바루
밤새도록 밤새두룩/밤쌔-도록
부스스 뿌시리
분명 분밍
분명히 분며-으
비틀비틀 삐뜩삐떡
빨리 쎄기/시게/세게
빨리 어뜩

사뿐사뿐 사푼사푼
살짝 살꾸마
상세히 쌍사이/쌍사히

아무렇게나 암따나
아무리 암만
아주 많이 억수로/윽-수로
아직 아익/안익/안주/안즉
어느덧 어느듯이
어떻게 우애/우에/우째
어떻든 우야튼
어른거리는 모양 얼른얼른얼른
어찌 우이
어찌나 어뜨키/어특케
얼마나 얼매나/월매나/을매나
여북 업부가
영판 영폴
왜 와
요만큼 요마끔
원체 언쑥

이러니까 이러이까
이러면 이라면/이라믄
이렇게 이르/이르구
이제야 인제야

자꾸 차꾸/차-꾸
전혀 전히
절대로 즐때로
정성껏 정싱껏
제법 지북
조금 쪼깨이
조금이나마 쪼매인따나/쪼맨따나

춥거나 두려워서 몸을 떠는 모양 뺠뺠뺠뺠

터벅터벅터벅 트븍트븍트븍

하도 하두
하여튼 하이튼/하튼
한가득 한-그/한-바띠기/한바띠기
한꺼번에 쏟아내는 모양 짜드락
항상 항시
확실히 학실히

5) **어구**

것 같더니만 겉디만
것 같더란다 겉드란다
것 같이 겉이
그래/그렇다고 해/그렇게 해 그캐
그런 데 근- 데
그렇게 있을 바에야 그래임따나
그렇게 하거든 그카그든
그렇게 하고 그카고
그렇게 하곤 그카곤
그렇게 하니까 그카이끼네
그렇게 하다가 그카다
그렇게 하데 그라데
그렇게 하면 그라먼
그렇게 하면서는 그캄-시늠
그렇게 합시다 그캅시더
그렇게 해대서 그래싸여
그렇게 했으면 그캤으만
그렇지 않으면 글-아믄
끌어다 갈까 끄다갈꼬

본 것 같다 봔 겉다

아이고 어떻게 할고 아이끄 야끄
안 되지 않느냐 안 된다이가
어디 있느냐 어딨노, 어딨는교

어디에 있느냐 어뎄느냐
어떡할/어떻게 할 우얄
어떻게 하느냐 우야노
어떻게 하려고 우얄라
어떻게 하면 우짜먼
어떻게 한다 우얀다
어떻게 할까 우야꼬, 우짜꼬
어떻게 해서 우애가
어떻게 해서든지 우애끼나
어떻게 해서든지 우야끼나
어떻게 했느냐 우앴냐
어찌 됐든 우이뜬
어찌해라 우애라-
이렇게 말하는 이카는
이렇게 하거든 이카거든/이카그든/이카그덩/이카거덩
이렇게 하고 이카고
이렇게 하니 이카노
이렇게 하니 이카이/이카이끄네
이렇게 하더라(고) 이-카드라/이카드라(꼬)
이렇게 하데 이카데
이렇게 하데요 이카데예
이렇게 하면서 이카미
이렇게 하시는 이카시는
이렇게 하시면 이카시면
이렇게 한다 이칸다
이렇게 해서 이캐가주고
이렇게 했거든 이캤거든
이렇게 했다 이캤다
이렇게 했더니 이캤드니
이렇게 했던 이캤는
있느냐 하면 있노이끼네

저 아이 쟈
저렇게 하노 저카노
저렇게 하는고 저카는고

첫 번째로 첫 질

해야 하는 해야는

6) 기타

그렇지 그키(감탄사나 간투사로 쓰임)
그 아이냐? 가가?
오냐 온-야

10. 전사 표기 원칙

1. 표준 발음법을 벗어나지 않는 경우 표준 철자법에 따라 표기한다.

2. 표준 발음법을 벗어난 경우 소리나는 대로 표기한다.
   예) 꼴짝(골짝), 가매(가마), 바래고(바라고), 개얍기도(가볍기도) 등.

3. 의미 변별에 효과적일 때는 소리나는 대로 표기하지 않고, 어원이 드러나도록 분철표기하는 것을 2번의 예외 규정으로 둔다.
   예) 임우야(임이야), 이놈우(이놈의), 잊아뭈다(잊어먹었다), 잊아뺐다(잊어버렸다) 등.
   3-1. 발음되는 소리가 같더라도 의미 변별을 위해 어원을 밝혀 다르게 표기한다.
      예) 있데(있더라)/있대(있다고 해), 잘났데(잘났더라)/잘났대(잘났다고 해) 등.

4. 같은 어휘라도 상황과 조건에 따라 다르게 발음되는 경우 소리에 따라 이를 구분하여 표기한다.
   예) 놓이/노-니(놓으니), 놨으이/놨으니/놔-이(놓았으니), 해쌓이/해싸-니(해대니) 등.

5. 철자법 전사와 음소 전사를 병행하나 부분적으로 운율전사를 응용한다.
   5-1. 운율전사로는 '휴지(:)'와 '장음(-)'을 활용한다.
   5-2. 짧은 휴지나 호흡은 반표(,)로 표시한다.

6. 청취불능인 경우는 '□'로 표시한다.

7. 앞 발음에 붙어 축약되면서 소리가 거의 들리지 않는 경우 글자 위에 'ㅇ'를 첨자한다.

   예) 나았는데(낳았는데), 놔안(놓은), 넣으믄(넣으면), 옇어가(넣어서) 등.

8. 강하게 발음하는 경우 글자 위에 '·'를 첨자한다.

   예) 탁, 싹 등.

9. 밀양 방언에 'ㅡ'와 'ㅓ' 사이의 중간 발음이 많다. 표준철자법에 따라 'ㅓ'로 표기하고 'ˇ'를 첨자한다.

   예) 카거든(하거든), 그런, 있어요, 들어가주고 등.

10. 보조용언 가운데 '-가주고'와 이의 축약 형태인 '-가'는 본용언에 붙여 표기한다.

    예) 그래가주고(그래서), 까래비가주고(파헤쳐서), 빌어가(빌어서) 등.

11. 대화에서 소리가 겹치는 부분은 밑줄을 그어 표시한다.

12. 동작이나 표정 등 비언어적 요소나 이야기판의 변화는 '【 】'로 묶어 표시한다.

찾아보기

인명·지명

논저명

기타

후 기...

이 책은 대학원 석박사과정에서 공부하고 있는 세 사람(김영희, 이미라, 황은주)이 경상남도 밀양의 한 지역을 집중적으로 답사한 결과를 단행본으로 발간하는 연속기획물 가운데 첫 번째 결과물이다.

필자는 세 사람이 밀양의 현지답사를 다니는 것은 진작부터 알고 있었고, 또 이들의 작업내용에 대해서 듣고 앞으로의 방향에 대해서도 가끔 얘기를 주고받은 일이 있었으나, 구체적으로 이들의 작업에 간여하지는 않았다. 그러던 중 2002년 가을 필자를 연구책임자로, 김영희를 공동연구원으로 한 밀양구전문화조사연구팀을 만들어 연세대학교 국학연구단에 연구비를 신청했는데, 다행히 선정이 되어 연구비를 받을 수 있게 되었다. 연구비 지원으로 답사장비를 보강할 수 있었고, 답사도 약간의 재정적 여유를 갖고 이루어질 수 있었다. 연구비 지원 이후에 집중적인 답사가 가능해져서 2004년 가을에 초고가 이루어졌다. 이 때 필자는 연구년으로 일본에 있었는데, 보내온 원고 전체를 자세히 검토한 후 전체적인 틀과 문제가 되는 대목에 대해서 김영희와 전화나 이메일로 의견을 교환했다. 2005년 초에는 세 사람이 일본에 온 김에 책 발간에 대해 논의하면서, 현지조사에 참여하고 원고를 작성한 이미라와 황은주를 공동저자에 넣기로 했다. 이후 초고를 더 손질해서 2005년 가을에는 원고를 출판사에 넘겼고, 그 후에는 김영희 등 세 사람이 전적으로 일을 진행하면서 필자에게는 그 경과를 알려주었다.

필자는 이들 세 사람의 대학원 지도교수지만, 이들이 공부하고 있고, 또 앞으로 계속하고 싶어 하는 분야의 전문가가 아니다. 그나마 이제까지는 이들이 공부하려는 계획을 자세히 듣고 같이 토론을 한다거나, 또는 이들의 연구결과를 검토해서 문제점을 짚어주는 정도는 해왔었으나, 시간이 지나면서 이제 이 분야에 대해서는 성실한 독자 이상의 역할을 해내기 어렵다는 생각을 하게 된다. 밀양의 답사를 처음 계획하던 때에는 여러 가지 필자의 의견도 얘기했으나, 앞으로 밀양구전문화조사를 계속한다 하더라도 필자가 할 수 있는 일은 많지 않을 것 같다.

이제까지 몇 년 동안 축적된 현장조사의 역량을 바탕으로 밀양지역의 연구를 계속해나간다면 구전문화 연구의 새로운 길을 열어나가게 되리라고 확신한다. 다만 염려하는 것은 높은 수준의 연구역량을 어떻게 달성하며 이를 유지할 수 있는가 하는 문제이다. 소위 전통문화라는 이름의 시장이 갖고 있는 여러 가지 폐해나 천박한 수준의 구전문화 연구의 문제점을 세 연구자는 잘 알고 있을 테니까, 이런 염려는 그저 염려에 그칠 것으로 믿는다.

2006년 6월

이 윤 석